ЧАРЛЬЗ МАРТИН

ДОРОГИ, КОТОРЫМ НЕТ КОНЦА

CHARLES MARTIN

LONG WAY GONE

ЧАРЛЬЗ МАРТИН

ДОРОГИ, КОТОРЫМ НЕТ КОНЦА

МОСКВА
2017

УДК 821.111-31(73)
ББК 84(7Сое)-44
М29

Charles Martin

LONG WAY GONE

Перевод с английского *К. Савельева*
Художественное оформление *С. Власова*

Мартин, Чарльз.

М29   Дороги, которым нет конца : [роман] / Чарльз
Мартин ; [пер. с англ. К. Савельева]. — Москва :
Издательство «Э», 2017. — 352 с. — (Джентльмен
нашего времени. Романы Чарльза Мартина).

ISBN 978-5-04-088785-9

В восемнадцать лет Купер О'Коннор был одержим идеей
стать известным музыкантом. Ради своей мечты он оставил
отчий дом и, захватив лишь гитару, отправился в долгое пу-
тешествие, уверенный, что незаурядный талант поможет
ему прославиться.

Увы, последующие годы его жизни — это череда ошибок
и разочарований. Но ему повезло влюбиться. Познать ту самую любовь всей жизни, о которой слагают романтические
баллады. Вот только история Купера, как и многие песни о
любви, не имела счастливого финала. Вернувшись домой
много лет спустя, Купер вспоминает прошлое. И однажды
ему выпадает шанс исправить ошибки юности...

УДК 821.111-31(73)
ББК 84(7Сое)-44

ISBN 978-5-04-088785-9

Всем, кто с болью наблюдал за уходом любимого человека, а потом стоял на крыльце и смотрел на дорогу.

И каждому, кто достиг конца этой дороги... но повернул обратно.

Часть 1

Глава 1

Я видел его раньше. Старик, лет семидесяти пяти на вид, может быть, даже восьмидесятилетний. Узловатые пальцы, искривленные от артрита. Голос курильщика, высаживающего по четыре пачки в день. Хлопково-белые волосы, пожелтевшие на концах. Морщинистая кожа цвета черного дерева. Дряхлое тело. Он носил потертые брюки в серо-голубую полоску, некогда бывшие частью шерстяного костюма, и засаленную белую рубашку с пристежным воротничком, застегнутую на все пуговицы. Ансамбль довершали классические двухтонные оксфордские туфли. Белая часть потускнела и потрескалась, но то, что осталось от черного, было отполировано до зеркального блеска.

Он со своей гитарой явно прошагал немало дорог. Это был старый «Гибсон Джей-45», и старик пробренчал сквозные отверстия над резонатором и внизу, поэтому крепежные поперечины частично обнажились. Он даже обмотал изолентой задник и борта гитары. Колки были разного цвета, а струны даже издалека выглядели ржавыми. Но когда этот старик расходился, то оживал вместе со своей гитарой. Он притопывал ногами в такт движению ведущей руки, добавляя ударный ритм, предполагавший, что когда-то ему доводилось играть и на барабанах. Улыбка на его лице говорила, что когда-то он был счастливым человеком. Или считал, что был таким.

Я не особенно разборчив во всем, кроме гитар. Шестиструнные инструменты — это моя страсть. Полифонический концерт, в котором каждая величавая струна имеет свой голос. Честно говоря, меня завораживает идея о том, что мы умеем склеивать разнородные кусочки дерева в коробку формы песочных часов, прикреплять гриф, крепежи и струны из фосфористой бронзы, а потом с помощью давления и перебора в нужных местах создавать голос, значение которого несравненно превышает сумму частей, из которых он состоит, а выразительность определяется руками играющего. Глубокие, гортанные, глухие, басовито-низкие, гармонично сбалансированные, акцентированно-высокие голоса... я могу найти аргументы для звучания каждого из них.

Гитара старика утратила свой голос. Подобно ему, она отыграла свое. Он, возможно, забыл уже достаточно много мелодий, но его пальцы ничего не забыли. В том, в ком большинство прохожих видели бродягу-пропойцу, я видел бывшего музыкального гения. Когда-то у этого старика было имя в музыке.

Последние несколько суббот он появлялся на главной улице Лидвилля, усаживался на скамью и играл до тех пор, пока редкие подаяния не покрывали дно гитарного футляра. Тогда он закрывал футляр и исчезал в бутылке примерно до четверга. В пятницу он уже жаждал добавки, практически иссыхал на глазах.

Прямо как сегодня.

Я замедлил ход вместе с уличным движением и подъехал к парку. Сегодня тротуары были заполнены народом, что обещало ему неплохую выручку. Я припарковал автомобиль, засунул свой блокнот куда-то между копчиком и поясным ремнем, отхлебнул из бутылочки пепто-бисмола[1], добавил две таблетки от боли в желудке, подхватил свою гитару и услышал его голос еще до того, как увидел его. Он сидел на скамейке возле популярной бензоколонки для байкеров.

Лидвилль — жаркое местечко для бойцов выходного дня из Вэйла, Аспена, Стимбота, Брекенриджа и даже Форт-Коллинза. Дорогие хромированные мотоциклы без глушителей и почти без пробега служили парадными конями для мужчин среднего возраста, выставлявших напоказ свои разукрашенные, отлично смазанные и ухоженные игрушки. Лидвилль — это старый шахтерский городок, один из самых возвышенных в США, поскольку он расположен на высоте более десяти тысяч футов. Некогда поставлявший большое количество серебра, теперь он превратился лишь в оболочку своего былого величия. Количество жителей сильно колебалось в зависимости от времени года. Здесь проводится «Лидвилль-100», изнурительная однодневная гонка для горных велосипедов. Здесь готовят «высокогорный пирог» — пожалуй, лучший вид пиццы в Скалистых горах, а «Меланзана» — маленькая частная компания, которая производит лучшие в мире флисовые куртки и свитеры, — держит свой магазин прямо на главной улице. Почти все настоящие уроженцы Колорадо носят «Мелли». Увидите такого — значит, есть все шансы, что вы имеете дело с аборигеном... или с тем, кто собирается стать таковым.

Старик сидел напротив салуна у фонаря на другой стороне улицы, поэтому звуки его музыки про-

---

[1] Безрецептурный противоязвенный препарат («розовый висмут»), выпускаемый в форме таблеток или суспензии. (*Здесь и далее примечания переводчика.*)

ецировались на бар. Умно придумано. Он выбрал хорошее место, но у него оставались две проблемы, первой из которых был запах. Он не мылся и не пользовался дезодорантом уже несколько недель. А возможно, и месяцев. Второй проблемой были негармоничные звуки, исходившие как из его рта, так и от его гитары. Люди могли бы дать ему немного денег из жалости, но он не мог рассчитывать на большее.

Мой следующий ход был немного рискованным. С любой точки зрения, это был его личный фонарь, а я был чужим псом, вынюхивавшим, где бы задрать лапу. Фокус заключался в том, чтобы подобраться поближе к нему и создать у него впечатление, словно он парит на ковре-самолете из чьих-то нот. Я хотел, чтобы ему понравилось мое присутствие еще до того, как он узнает, что я нахожусь рядом. На меня работало то обстоятельство, что он сосредоточился на очередной бутылке, поэтому его периферийное зрение было задействовано минимально. Против меня работало то обстоятельство, что он мог полезть в драку, если бы посчитал, что я помешаю ему выпить следующую бутылку.

Я знал песню, которую он играл, так что быстро подобрал тональность, а поскольку он играл (или, скорее, жестко бил по струнам), я начал наигрывать сопроводительные аккорды. Для его слуха это был комплимент, а не досадная помеха. Примерно через минуту он заметил меня, немного напрягся, развернулся ко мне плечом и стал петь и играть еще громче. Звуки, исходившие из его рта, не совпадали по тональности с его гитарными аккордами, и, судя по всему, он вот-вот должен был перестать улыбаться. Он явно заблудился в воспоминаниях о том музыканте, которым был когда-то.

А я придумал вот какую уловку. У меня было четкое ощущение, что раньше он играл с другими музыкантами и понимал, когда кто-то старался сделать его исполнение лучше. Он играл в ми миноре, поэтому я просто сел в сторонке и перебирал струны в ответной ровной гармонии. Он нахмурился, приподнял бровь и взял несколько сильных риффов, которые еще помнили его пальцы, но разум давно позабыл. Я заиграл на каподастре и наполнил воздух ударными переборами, придававшими ритмичность и яркость старым блюзовым риффам в его размытом исполнении.

Раздосадованный, он изменил тональность и начал выкрикивать старшую балладу, которую, наверное, исполнял уже десять тысяч раз. Я отрегулировал каподастр и заиграл мелодичное инструментальное сопровождение, дополняющее его аккорды, не привлекая к себе особого внимания. Это был элегантный танец. Резкое усиление громкости с его стороны говорило о том, что он не слишком хотел быть моим партнером. Особенно если нам придется делить выручку.

Он повернулся на заднице и смерил меня взглядом, когда какой-то парень в черной коже бросил двадцатку в его футляр. Старый пройдоха заметил это, еще раз взглянул на меня и практически перестал играть, чтобы дотянуться до нее. Но когда я отодвинулся чуть дальше от него (и его футляра), этот намек запечатлелся в его затуманенном сознании, и он продолжил свою песню.

Когда она закончилась, он смотрел на сорок пять долларов в футляре, и я видел паническое выражение в его глазах; он сорвал джекпот и теперь взвешивал возможность схватить свою удачу и дать отсюда деру.

Убедившись, что я вот-вот потеряю его, я встал и бросил две двадцатки в его футляр.

— Не возражаешь, я если я поиграю рядом?

Он зацепил футляр правой ногой и подтолкнул его между своими ногами, а потом указал на свое правое ухо.

— А?

Я наклонился, задыхаясь от вони.

— Я не причиню беспокойства.

Он посмотрел на меня, на собравшуюся толпу, потом снова на меня. Наконец его взгляд остановился на моей гитаре.

— «Джей-45»? — прокаркал он.

Я кивнул. Он ткнул пальцем, приказывая мне вернуться на прежнее место, за пределами огней его рампы. Я повиновался.

Когда я был ребенком, у меня была коробка с сорока шестью пастельными карандашами и встроенной точилкой в торце. Я так полюбил все эти разные оттенки, что думал, как будет здорово смешать их все и посмотреть на водоворот красок. Это была неудачная идея.

Старик напомнил мне о том эксперименте. То, что когда-то было прекрасным в отдельности, в общей массе утратило свой блеск. Все цвета смешались в сплошную грязно-коричневую массу. Но люди — не карандаши. Если восковые краски смешиваются бесповоротно, то цвет людей является частью их ДНК. Мы больше похожи на витражные стекла в соборе. Где-то на жизненном пути на этого человека упала темная тень, помешавшая его свету воссиять в полную силу.

Можно считать это необъяснимым феноменом, но музыка составляет малую часть волновых частот, которые мы можем видеть. Да, свет и музыка — это части одного спектра. То, что мы отчасти можем слышать его, подразумевает, что ангелы могут одновременно видеть и слышать цвет, и это придает новую глубину таким понятиям, как рассвет, полдень и закат.

Моя задача состояла в том, чтобы пролить свет на старое стекло. И когда я это сделал, витраж собора заиграл синими, алыми и фиолетовыми оттенками.

Старик ожил.

Двадцать минут спустя он посмотрел на меня, потом на место на скамейке рядом с собой. Я принял его приглашение. Одно из таинств музыки заключается в том, что двое людей вместе могут достигнуть того, что одному будет не под силу. При этом возникает экспоненциальный рост[1]. Это единственное действие на земле, способное переместить слушателей из точки А в точку Б за два удара сердца. Оно может изменять настроение, мгновенно перескочив от смеха к слезам и от готовности покорить весь мир к сомнению и надежде. Это настоящая машина времени.

Лица собравшихся вокруг людей говорили о многом. Еще несколько минут назад на старика смотрели как на безликого пьяницу. Теперь они спрашивали себя: «Кто это такой?» Выражение их лиц не ускользнуло от его внимания. Старик встал на тротуаре и стал выдавать мелодии, которых, наверное, не вспоминал уже лет тридцать. В своем воображении он перенесся на сцену, и вскоре его смех смешался со слезами, доказывая, что стекло не утратило своего блеска. Оно могло омрачиться тенью, или оказаться по ошибке закрашенным, или потускнеть от времени, но нельзя оторвать музыку от человека, точно так же, как невозможно оторвать его от своей ДНК.

---

[1] Экспоненциальный рост — возрастание величины, когда скорость роста пропорциональна значению самой величины. Подчиняется экспоненциальному закону.

Вскоре две девушки в платьях начали танцевать и кружиться перед нами, а когда старик заиграл «Над радугой», люди, собравшиеся вокруг, подхватили песню. Он наслаждался улыбками и слезами и в изумлении смотрел, как в футляр его гитары падали все новые купюры. Наконец он исполнил вариант композиции «Этот удивительный мир» без музыкального сопровождения, чем вызвал бы улыбку даже у Луи Армстронга.

Через час он исчерпал свой репертуар и совершенно выдохся. Всегда лучше оставлять слушателей в ожидании большего, поэтому я встал и показал, что моя роль сыграна.

Налитые кровью глаза старика с трудом могли сосредоточиться на футляре. Должно быть, там лежало несколько сотен долларов.

— Ты ничего не хочешь? — спросил он.

Толпа хлопала и свистела. Я опустился перед стариком на колени.

— Вы и без того много мне заплатили, — с этими словами я положил на купюры свою гитару в футляре.

Для некоторых людей гитара — это лишь деревяшка со струнами. Для других это дружеское плечо, ревнивая любовница, опасность, ведьмовской шабаш, голос в глуши, рыцарский доспех, занавес, за которым можно спрятаться, скала, на которую можно опереться, ковер-самолет или боевой молот. Но иногда, в такие моменты, когда свет встречается с тьмой, гитара становится зачарованным колом, который мы вбиваем в землю, чтобы темнота отступила.

Когда я стал протискиваться через толпу, мальчик в ковбойской шляпе с пряжкой, почти такой же большой, как шляпа, потянул меня за рукав:

— Мистер?

Я повернулся:

— Привет.

— Можно попросить ваш автограф? — Он протянул листок бумаги и посмотрел на мужчину рядом с собой. — Мой папа говорит, что я должен получить ваш автограф, потому что, хотя сейчас вы выглядите так, словно живете где-то в горах, когда-нибудь вы станете знаменитым.

— Правда? — Я поставил подпись, вернул бумажку и присел рядом с ним. — Ты играешь?

— Да, сэр. — Он немного приосанился. — На банджо.

— Умеешь выполнять глиссандо?

Он кивнул, потом указал на шрамы на моей правой руке.

— Больно?

— Нет, больше не больно.

— Как это случилось?

Я поднял руку и несколько раз сжал и разжал кулак.

— Когда я был молодым и безрассудным, кое-что свалилось на меня.

— Штанга, кирпич или что-нибудь еще?

— Нет, это больше похоже на потолок.

Он указал на мой рот:

— Вы что, всегда шепчете?

— К сожалению.

— Почему?

— Я пострадал на пожаре.

— От огня у людей становится такой голос?

— Вообще-то, огонь был не такой уж сильный, но от высокой температуры появились ядовитые пары, которые сделали со мной вот такое. — Я улыбнулся. — Поэтому у меня вот такой голос. Сердитый.

— Папа говорит, что отлупит меня, если увидит, что я балуюсь со спичками.

Я рассмеялся:

— Наверное, тебе стоит держаться от них подальше.

Когда я начал вставать, он снова потянул меня за рукав:

— Мистер?

— Да?

Он прикоснулся к моей бороде, чтобы пальцы подтвердили его разуму, что я настоящий человек, а не какое-то пугало со шрамами.

— А мне не кажется, что у вас сердитый голос.

Его слова тронули мое сердце, где встретились с приветливыми отголосками голоса моего отца. Из уст младенцев Ты устроил хвалу ради врагов Твоих, дабы сделать безмолвным врага и мстителя[1].

Мне понравился этот мальчик.

— Спасибо, приятель.

Немного позже, когда я обернулся и посмотрел назад, старик играл на моей гитаре. Его глаза, как и рот, были широко открыты, а улыбка на лице стоила куда больше кучи денег.

Глава 2

Я ехал на юг, снова и снова вспоминая слова мальчика. Зеркало заднего вида ловило мое отражение, подтверждая правду, которую я уже давно старался похоронить. Грязные светлые волосы до плеч. Более

---

[1] Псалом 8, 1:3.

темная борода с проблесками седины. Первое впечатление — *потрепанный*. Другое впечатление — *охотник*. Определение *бездомный* тоже не стало бы натяжкой. С годами я научился скрывать шрамы на груди, спине, шее и правом ухе. Когда я находился «под прикрытием», люди более благосклонно ко мне относились. По правде говоря, я и впрямь выглядел немного пугающе. Мой взгляд упал на правую руку, лежавшую на руле. Я выпрямил пальцы, сжал их в кулак и снова разжал. С этим ничего не поделаешь, разве что придется носить перчатку. Некоторые вещи просто нельзя скрыть.

Бензин в моем джипе был на исходе, поэтому я остановился у бензоколонки на окраине города. Воздух был плотно насыщен фоновыми звуками: чавканьем бензина, закачиваемого в бензобаки, шумом двигателей грузовиков на автостраде и низким шуршанием шипованных покрышек. Мужчина и девушка о чем-то спорили у выхода из мини-маркета. Трейлер проехал по канализационному люку сначала передним колесом, потом задним. Бульдозер и экскаватор работали в тандеме на автостоянке позади меня. В нескольких кварталах отсюда выла сирена, потом ей начала вторить другая. Дети где-то за моим плечом играли в баскетбол.

В этом смешении шумов трудно было уследить за каким-то отдельным звуком. Например, за комариным писком над площадкой для барбекю. Но каждые несколько секунд шум уменьшался, и сквозь него пробивалась мелодия. Кто-то пел.

Я посмотрел на дорогу и увидел женщину, стоявшую на грязной обочине. Большой палец поднят в воздух. Слишком далеко, чтобы разглядеть ее черты, но я заметил, что она не молода. Обесцвеченные пергидролем светлые волосы, падавшие на лицо из-под красной лыжной шапочки. Небесно-голубая пуховая куртка. Выцветшие джинсы, заправленные в поношенные ковбойские сапоги. У ног лежит рюкзак и футляр для гитары. Немного худая; судя по всему, ей бы не помешал чизбургер.

Я бы не сказал, что ее голос был особенно сильным. В сущности, он казался усталым. Но, так или иначе, он обладал особенностью, которой лишены многие другие голоса: почти безупречным основным тоном, не говоря же о совершенном владении голосовыми связками.

Пока я наблюдал, перед ней остановился ржавый зеленый «Форд» с длинным кузовом и прикрепленным спереди снегоочистителем. Достаточно распространенное зрелище для позднего сентября в Колорадо. Впереди сидели три человека, еще двое сзади. Я видел, как женщина кивнула, подняла рюкзак и гитару и залезла в кузов, продемонстрировав силу, грациозность и незаурядную уверенность в себе. «Форд» покатился в долину в облаках бензиновых выхлопов.

Заблудившись в обрывках воспоминаний о чем-то знакомом, но неопределенном, и пытаясь удержать в голове последние исчезающие ноты, я внезапно вернулся к реальности: бензин лился из бака на мою обувь. На такой высоте воздух разрежен, и внимание бывает трудно сконцентрировать.

Кроме того, я всегда испытывал слабость к женщинам, которые умеют петь.

Я выехал на дорогу, и передо мной открылся один из наиболее великолепных видов, которые можно наблюдать через ветровое стекло в Колорадо: дороги на запад и юг из Лидвилля к Буэна Виста. Солнце заходило над заснеженными вершинами Ла-Платы, горы Элберт и горы Массиве. Между ними пролегал живописный исторический перевал Индепенденс, ведущий к модным курортам Аспена и Сноумасса, где жизнь отличалась неторопливостью и расслабленностью.

Колорадо похож на девушку, которую я знал когда-то. Он прекрасен при любом освещении. Каждый раз, когда меняется угол падения лучей, появляется что-то новое. Иногда обнаруживается что-то скрытое от глаз. В конце сентября и начале октября палитра Колорадо начинает меняться. Снег ложится на горные пики. Буйство красок достигает кульминации и начинает тускнеть. Увидеть Колорадо осенью — все равно что заглянуть в тронный зал. Колорадо зимой представляет собой воплощенное величие. Можете считать это признанием в любви.

Когда Бог создавал это место по своему слову, Он явно здесь задержался.

Я въехал в Буэна Висту сорок пять минут спустя и увидел женщину в голубом пуховике, сидевшую на краю тротуара. Голова ее была опущена на руки, ноги — в водосточном желобе. Она привалилась плечом к столбику парковочного счетчика. Ее куртка была порвана и с одного бока запачкана тормозным следом. Перышки выбились из дырки на плече, порхали вокруг и путались в ее волосах. Ее джинсы тоже были порваны на колене. Футляр для гитары исчез, а вокруг нее валялись куски того, что когда-то называлось гитарой. Зеленого «Форда» нигде не было видно.

Я стоял перед красным светофором с работающим двигателем и смотрел на нее. Зажегся зеленый свет, но движение в это время суток практически отсутствовало. Я переждал еще один цикл светофора, наблюдая за тем, как она встает и пытается надеть рюкзак. Ее правая рука была в крови и явно сильно ушиблена, а может, даже сломана. Она откинула с глаз волосы, но лыжная шапочка сбилась набок, и волосы еще больше стали ей мешать. Рядом с ней растеклась лужица крови. Шатаясь, она оперлась на паркометр и попыталась восстановить равновесие.

Я дернул ручной тормоз и выскочил из джипа как раз вовремя, чтобы увидеть, как закатываются ее глаза, а голова клонится вперед. Ее руки разжались, и она рухнула.

Прямо в мои руки.

Я стоял на тротуаре и держал незнакомую раненую женщину. Я подхватил ее рюкзак и подвел ее к джипу, где меня окутал исходивший от нее пьянящий запах. Вот оно. Тот самый аромат, который я чувствовал, когда заливал бензин. Я усадил ее и снял с ее головы шапочку, потому что она закрывала ей рот, а девушка явно нуждалась в свежем воздухе. Лишь тогда я увидел ее лицо.

Я резко выпрямился. Ни за что. Этого не может быть.

Я наклонился в салон и посмотрел на женщину еще раз. Должно быть, меня смутил цвет волос, и она стала старше, — впрочем, как и я. Но аромат остался, и это, без сомнения, был аромат «Коко Шанель». Особенно когда она пользовалась этими духами.

— Должно быть, ты шутишь надо мной, — сказал я вслух.

Я проехал три квартала до больницы и остановился на временной парковке, а ее кровь капала на ремень безопасности. Я не думал, что у нее тяжелые травмы, но шишка, вспухшая на ее лбу, кое о чем говорила. Подхватив девушку с пассажирского сиденья, я понес ее ко входу в приемное отделение.

Там дежурила приветливая толстушка, которой нравилась текила и апельсиновые коктейли. Завсегдатаи местных баров могут многое рассказать о питейных привычках разных посетителей.

— Поможешь, Дорис? — осведомился я.

Она увидела, что женщина без сознания, ее кровь капала на белоснежный кафель, и нажала кнопку, автоматически открывавшую двойную дверь справа от меня. Я отнес женщину в кабинет экстренной помощи, а Дорис направилась следом, засыпая меня вопросами:

— Что случилось, Купер?

— Не знаю.

— Как она оказалась у тебя на руках в таком состоянии?

— Увидел ее на светофоре.

Дорис откинула волосы с лица женщины и сквозь зубы втянула воздух.

— Ты ударил ее?

— Нет, я вообще к ней не прикасался.

— Что ты делал на светофоре?

— Дорис, я могу ее куда-нибудь положить?

Она показала место, и я уложил женщину на стол.

— Купер, — Дорис смерила меня взглядом поверх очков для чтения, — ты что-то скрываешь? Тебе нужно позвонить адвокату?

— Дорис, ты смотришь слишком много уголовных сериалов. Почему бы просто не вызвать врача?

Дорис недолюбливала меня, поскольку за эти годы я неоднократно отвергал ее заигрывания, что неизбежно ускоряло ее переход к третьей и четвертой порциям апельсинового коктейля. Она нахмурилась и постучала карандашом по планшету. Ее глаза блуждали по мне с выражением, которое на две трети было желанием, а на одну треть — неодобрением. Она почесала макушку кончиком карандаша.

— Ты, случайно, не знаешь, как ее зовут? Все будет лучше, чем Джейн Доу[1].

— Вообще-то, знаю.

Она ждала.

— Дорис, познакомься с Делией Кросс.

Дорис подалась вперед, нахмурив брови.

— «Когда я попаду туда, куда иду?» Та самая Делия Кросс?

— Та самая, — кивнул я.

Я осторожно положил голову Делии на подушку и попрощался с Дорис. Я даже вернулся к джипу...

Но двадцать минут спустя врач обнаружил меня сидящим в приемной с чашкой плохого кофе из автомата.

— Купер.

— Привет, Билл. — Я пожал его руку.

— Дорис сказала, что ты знаешь пациентку.

— Когда-то мы были знакомы. Давным-давно.

— Ну, она здорово ударилась головой. Легкое сотрясение. Голова поболит еще день-другой. Сильная контузия правой руки, которую кто-то защемил дверью автомобиля. Вряд ли перелом, скорее всего трещина, но довольно тонкая, даже на рентгене можно не разглядеть. Так или иначе, в ближайшие несколько дней она будет чувствовать себя неважно. — Он немного помедлил. — Какое ты имеешь отношение к этому?

— Я остановился у светофора. Она рухнула на мостовую. Теперь она здесь.

— Ты видел, что произошло?

— Нет. Я видел, как она голосовала на обочине в

[1] В США для обозначения неопознанного женского тела используют имя Джейн Доу.

Лидвилле и села в автомобиль, но тогда я не узнал ее. Или автомобиль.

Он посмотрел в окно.

— Какого цвета он был?

— Бледно-зеленый, с желтым снегоочистителем. «Форд» с длинным кузовом. Ржавые колесные дуги.

Он указал на дальний угол автостоянки:

— Примерно такой?

Я посмотрел:

— Тот самый.

— Я только что наложил пятнадцать швов на скальп длинноволосому парню в комбинезоне. Он сказал, что упал.

— У нее была гитара, — заметил я.

Врач уперся взглядом в длинный коридор, потом повернулся ко мне:

— Я позабочусь о ней.

— Она останется здесь на ночь?

— Сейчас я не могу отослать ее домой. Она спит. Будем наблюдать за ней; возможно, отпустим завтра утром.

Я повернулся к двойной двери и показал мобильный телефон:

— Сообщи, если что-то изменится.

Он глянул через плечо:

— Ты действительно знаешь Делию Кросс?

Я покачал головой:

— Это было двадцать лет назад, в другой жизни.

— Ничего себе. Как там назывался ее главный хит? — Он порылся в памяти. — «Долгий путь домой»?

Я не стал исправлять его.

— Что-то вроде того.

— Ну и дела. Чудо одного хита из Буэна Висты. Я всегда гадал, что происходит с такими людьми.

— Вообще-то, у нее было четыре чудесных хита.

— Судя по тому, как обстоят дела, удача от нее отвернулась. — Врач неуверенно покачал головой, прежде чем продолжить: — Судя по грязи, она провела последние несколько дней где-то на обочине. Кроме того, она сильно обезвожена, поэтому я поставил ей капельницу. Пусть полежит до утра.

— Спасибо. У тебя есть мой телефон.

Я вышел на стоянку, сел в джип, включил зажигание и постарался не смотреть в зеркало заднего вида.

Это было непросто.

Глава 3

Кофейня — главное место утренних встреч в Буэна Висте, эпицентр городской деятельности почти что до полудня. Оттуда народ лениво переходит через улицу в «Трейлхэд», — здешний хозяйственный магазин с кафе, где подают фермерский ланч, — а уж там люди меняют кофе на местное светлое пиво. Здесь же многие из «временно незанятых», то есть безработных, проводят целые дни, сидя за столиками с видом на улицу, глядя в свои телефоны и пытаясь изобразить, будто они занимаются чем-то важным. По большей части они раскладывают пасьянс «косынка».

Обеденные варианты включают и «Эддилайн» — титулованную мини-пивоварню, где готовят приличную пиццу. В «Азиан Пэлэс» подают удивительно хорошую темпуру и суши, что выглядит несколько странно, учитывая расстояние до побережья. В стратегически верно расположенном продуктовом фургоне продают посредственные кукурузные лепешки с рыбой, а за соседней дверью человеческая страсть к самогонке может получить вполне достойное удовлетворение на винокурне «Дирхаммер». Местный любимый напиток называется «Черный бизон». Судя по всему, несколько лет назад в город приехал какой-то литератор, который внес тонкие изменения в рецепт «Буффало негра»[1], и в наши дни «Черный бизон» стал популярной визитной карточкой Буэна Висты. Он появился в меню Стимбота, Вэйла и Аспена, и люди приезжают сюда даже из Флориды, чтобы попробовать его.

Подобно большинству населенных пунктов в верхнем Колорадо, Буэна Виста зародилась как поселок самогонщиков с шахтерским довеском, и с тех пор мало что изменилось.

В семь утра, когда открылась кофейня, я был первым в очереди. Я заказал два тройных кофе с «Хони бэджером»[2] и медленно поехал к больнице, пытаясь отговорить себя от визита в это заведение. Когда я остановился и выключил двигатель, то все еще продолжал спорить с собой. Наконец я приказал себе заткнуться и вошел внутрь. Там я поднялся на лифте на четвертый этаж, и медсестра показала мне, как пройти в палату 410.

Когда я вошел в комнату, свет был выключен, но в окно струился мягкий солнечный свет. Делия сидела

---

[1] «Буффало негра» — коктейль из равных долей бурбона и имбирного эля с сахарным сиропом, бальзамическим уксусом и листьями базилика.

[2] «Хони бэджер» («Медоед») — коктейль из равных долей бурбона и желтого шартреза с имбирным сиропом и веточкой розмарина.

и смотрела в окно; ее правая рука была плотно забинтована и лежала на коленях. Два пальца заметно опухли. Шишка на голове исчезла, но багровый след остался. Когда она повернулась и увидела меня, у нее буквально отвисла челюсть. Она закрыла рот, ее глаза заблестели от слез.

— Кууп... — выдавила она надтреснутым шепотом. — Ох, боже мой...

Она подтянула колени к груди, словно привыкла обнимать себя. Я подошел к краю кровати, поставил кофейные кружки на столик и сел, сложив руки на коленях, так что наши глаза оказались на одном уровне.

Несколько минут она просто сидела, качая головой. В ее глазах стояли слезы. Ее глаза всегда были круглыми, как у негритянки, и большими, как мячики для гольфа. Большие глаза — большие слезы. И одна из них вырвалась на волю и побежала по ее щеке.

Она положила руку на одеяло ладонью вверх. Своего рода приглашение.

— Как поживаешь?

Я протянул руки над кроватью и взял ее ладонь. Она изучила шрамы на моей правой руке и провела по самому длинному кончиком указательного пальца. Вторая слеза покатилась следом за первой.

— Нэшвилл?

— Да, — тихо ответил я.

— Она в порядке?

Я пожал плечами и попытался улыбнуться. Потом сжал и разжал кулак.

— Работу делать может. Напоминает мне, когда приближается гроза.

— А ты... ты еще?.. — неуверенно спросила она.

Я кивнул:

— Иногда. Когда могу.

Она потянулась и едва не прикоснулась кончиками пальцев к моему горлу, но потом передумала.

— У тебя совсем другой голос. Как у крестного отца.

Я кашлянул.

— Это бывает полезно, когда мне звонят люди и пытаются что-нибудь продать.

Она тихо рассмеялась, и груз, давивший на ее плечи, подкатился к краю и заколебался. Либо он упадет наружу и освободит ее, либо упадет внутрь и сокрушит то, что от нее осталось. Она растерянно огляделась по сторонам.

— Ты знаешь, как я сюда попала?

— Я остановился у светофора и увидел, как ты ухватилась за парковочный счетчик. Потом ты упала, и я подхватил тебя. Я не знал, что это ты, пока не отнес тебя в джип и не приехал сюда.

Она с трудом пыталась сложить кусочки головоломки.

— Ты здесь живешь?

— Ну да. — Я отхлебнул кофе.

Она выглядела смущенной.

— Ты подобрал мою гитару?

— Там остались лишь куски да щепки на тротуаре. Но я забрал твой рюкзак.

Она осознала утрату. Я предложил ей кофе.

— Это из нашей местной кофейни. Туда добавляют бальзам под названием «Хони бэджер», который, если смешать его с тройным кофе, позволяет человеку начать день так, как предписывал Господь.

Она отпила и кивнула, но хотя кофе и начал рассеивать медикаментозную дымку, он ничего не мог поделать с гориллой, сидевшей у нее на плечах. Мы сидели молча. Я передал ей бумажную салфетку и указал на ее губу:

— У тебя там пена...

Она вытерла рот, промокнула глаза и попробовала усмехнуться:

— Я оставила ее на потом.

— Куда ты направлялась? — спросил я, чтобы прервать неловкое молчание.

— В Билокси. Мне предложили площадку в казино... и комнату. Я могу и столики обслуживать... — Она неуклюже повела плечами; дальше можно было не продолжать.

— У тебя есть вторая гитара?

Она покачала головой.

— Как ты туда доберешься?

Она улыбнулась и подняла в воздух большой палец.

— У тебя есть место, чтобы остановиться на какое-то время?

— Я не собиралась останавливаться. — Она указала на свой рюкзак. — У меня есть карта хостелов. Иногда по вечерам я могу играть в баре или... откладывать немного денег, чтобы доехать до следующего города. Только до тех пор, пока я не доберусь до Миссисипи.

В палату вошел доктор Билл.

— Как вы себя чувствуете этим утром? — Он достал стетоскоп из кармана белого халата и стал слушать ее сердце. Она посмотрела на него, прищурив один глаз.

— Было бы лучше, если бы мир перестал кружиться перед глазами.

— У вас здоровенная шишка на голове. — Он посветил ей в зрачки и подержал запястье, считая пульс, потом осмотрел ее руку.

— Здесь больно?

— Болезненно.

— Примите что-нибудь от боли. Приложите лед. Вам нужно несколько дней покоя. Ничего страшного, но лучше поберечься. У вас есть вопросы?

— Я могу уйти?

Он повесил стетоскоп на шею и посмотрел на пустой пакет с жидкостью для вливаний на капельнице над кроватью.

— Дайте мне несколько минут на подготовку ваших бумаг, и вы можете быть свободны. Но никаких поездок в ближайшие несколько дней. Никаких волнений. Никакого яркого света. Никаких компьютеров и набора текстов. Отдых — ваш друг.

— Ты голодна? — спросил я, когда он вышел.

Ее плечи немного расправились, и груз упал. Наружу.

— Я могла бы перекусить.

Когда медсестра убрала капельницу и помогла Делии одеться, мы вышли в вестибюль и направились к выходу, где солнце сразу же прожгло дыру в моей сетчатке. Я протянул Делии темные очки:

— Возьми, это поможет.

Она надела очки. Когда створки дверей раздвинулись в стороны, мы сразу увидели громилу со стежками на голове. Он запыхтел и громко прорычал:

— Вот эта су...

Если мне показалось, что ей грозят неприятности, то меня ожидал сюрприз. Он едва приоткрыл рот, когда Делия врезала ему сапогом в пах. Вероятно, этот мужик весил около трехсот фунтов, но ее удар сбил его с ног, и он рухнул на колени, где тут же начал блевать. Пока он корчился, извергая на пол свой завтрак, она вылила ему на голову остатки кофе из пластиковой кружки.

— Это за мой «Хаммингберд»[1], ты, жирный, грязный, вонючий, гнилозубый ублюдок.

Ее немного пошатывало, так что я подхватил ее под руку, и мы вышли на автостоянку. Я попытался улыбнуться.

— Кажется, доктор велел не волноваться.

— Я совершенно не волнуюсь.

Я помог ей залезть в джип.

— Тогда мне бы не хотелось увидеть тебя взбудораженной.

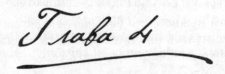

Глава 4

Мы устроились в кабинке кофейни, где Делия пила вторую порцию кофе с «Хони бэджером» и понемногу откусывала от запеканки.

— Ты прав, это действительно здорово.

— А ты бог знает на что потратила половину первой порции.

— Извини. — Она изучила меню, висевшее над нами. — Если бы я знала, сколько это стоит...

— Никаких проблем. — Круги под глазами говорили о том, что она уже давно не спала нормально. — Что произошло?

— Ну, он стоял там на коленях, и я подумала...

— Нет, вчера вечером. В зеленом «Форде».

Она смягчилась.

— Просто парочка скотов, которые вели себя как скоты.

---

[1] Очевидно, речь идет о рюкзаке этой фирмы.

— Откуда ты ехала?

— Вчера вечером выступала в одном салуне в Лидвилле. Вообще-то, начала еще днем. Исполняла популярные кавер-версии для байкеров. Но потом... — ее лицо помрачнело, — потом меня подставили два парня на улице. Из-за них бар опустел. Один из них был и впрямь хорош, так что я осталась наедине с барменом, вся публика ушла слушать их. Поэтому я собрала вещи и стала голосовать на обочине.

Я не стал рассказывать ей о своей роли в этом событии.

— А при чем тут твоя гитара?

— Этим скотам нужно было больше, чем поговорить. — Она откинулась на стуле и пожала плечами. — Решили, что они могут отобрать ее. — Она резко сменила тему: — Так ты жил здесь все это время?

— Первые несколько лет я путешествовал, но в конце концов вернулся. Это дом.

Она размазывала запеканку по своей тарелке.

— Купер...

Я поднял руку.

— Не надо. Прошло много времени, и много воды утекло под тем мостом. Скажи, что ты предполагаешь предпринять в ближайшее время?

Ее верхняя губа снова покрылась пузырчатой молочной пенкой. Она подняла кружку, задумчиво глядя на ее содержимое.

— Я думала о том, чтобы переехать сюда и устроиться на работу. Мне могут платить за такие вещи. — Она со смехом протянула руку и показала квадрат медицинского пластыря, закрывавшего прокол от капельницы. — Пусть капают в ту же вену. — Ее смех был непринужденным и глубоким, как и ее голос. — Как там называется этот городок? Дольче Вита? Вита Лока?

Я рассмеялся:

— Буэна Виста.

— Почти угадала.

— У тебя есть где остановиться?

Она покачала головой.

— Если тебе нужно место, у меня есть городская квартира.

— У тебя есть дом где-то еще?

— Я провожу время поровну между своим домом в горах, там, за облаками, — я указал на запад, по направлению к соляным утесам и перевалу, который вел за Сент-Эльмо, — и моей здешней квартирой. Место, где я остаюсь ночевать, часто зависит от погоды.

— Расскажи мне об этом. — Она оперлась головой на руку. — Поспать было бы хорошо... если не возражаешь.

Поездка на запад по главной улице вела мимо «Лэриэт бар энд гриль». Это настоящее средоточие города, укорененное в легендах о настоящих ковбоях, которые напивались здесь и разносили все в пух и прах. По преданию, как минимум одна памятная перестрелка выплеснулась на улицу. Местные жители ежегодно воссоздают эту сцену. Некоторые утверждают, что на деревянном полу до сих пор можно видеть пятна крови; другие говорят, что темное пятно осталось от масла с тех времен, когда в помещении находился гараж местной пожарной команды. Как бы то ни было, пятна являются частью романтического ореола этого самого популярного питейного заведения в городе. И, судя по количеству посетителей, город постоянно мучается от жажды. В баре пахнет несвежим пивом, отсыревшими сигаретами и жирной картошкой фри. Официантки, которые когда-то были красотками на родео и королевами встреч выпускников, согретыми форменными куртками своих ухажеров, разносят холодное разливное пиво и стараются угодить посетителям, если те не скупятся на чаевые. Но люди с разумным вкусом скажут вам, что употребление слова «гриль» в любой связи с «Лэриэтом» будет слишком большой вольностью. Там жарят еду на противнях и подают ее, но это практически все, что достойно упоминания. Единственное, что здесь действительно хорошо, — это живая музыка.

Делия прочитала вывеску и спросила:

— Это место, также известное как «Канат»?

— Ты слышала о нем?

Она смотрела в окно джипа, заблудившись в туманных воспоминаниях прошедших лет, и грызла ноготь.

— Управляющий позволяет играть за чаевые... — Она на мгновение замерла, потом вдруг выпрямилась и посмотрела на запястье, где предполагалось носить несуществующие часы. — Вот черт! Какой сегодня день?

— Суббота.

Она закрыла лицо левой ладонью, зажмурилась и тяжело вздохнула. Я подъехал к тротуару и остановился на ручном тормозе. Двигатель продолжал урчать на холостых оборотах. Я ждал.

— Я играю здесь сегодня вечером, — через минуту сказала она. — Или должна была играть. Но... — Она убрала руку от лица и продолжала, не глядя на меня: — Мне бы действительно не помешали эти сто долларов.

— Фрэнк договорился с тобой на сотню?

— Ты его знаешь?

Я немного подумал, прежде чем ответить:

— Мы знакомы.

Мы стояли на обочине рядом с железнодорожными путями. Я посмотрел в зеркало заднего вида и спросил:

— Как у тебя с голосом?

— Не так хорошо, как раньше, — пожав плечами, ответила она.

— Нет, я имею в виду, после вчерашнего.

— Я могу петь.

Я развернул джип, проехал три квартала на восток по направлению к реке и горе Спящего Индейца и остановился возле театра «Птармиган».

— Подождешь здесь несколько минут?

Она кивнула. Когда я вышел на тротуар, она окликнула меня:

— Купер?

— Да?

— Если ты не... Я хочу сказать... Не знаю, есть ли у меня силы сидеть здесь и... — Она едва заметно покачала головой.

Иногда не слова человека, а его молчание говорит о том, как сильно изранена его душа. Кто-то или что-то причинило ей боль. Много боли. Я бросил ключи на сиденье.

— Если я не вернусь, можешь воспользоваться джипом.

Она выпрямила ноги, откинула голову, и морщинка на переносице исчезла.

Моя квартира находится в мансарде «Птармигана». Я пользуюсь ею зимой, когда снег и лед выгоняют меня с горы.

Я быстро вошел внутрь и взял старую гитару «Мартин D-35», которая стала моей любимицей. Ее звали Элла, и она родилась в Пенсильвании от немецких и бразильских родителей где-то в 1970-е годы. Мы с ней познакомились пятнадцать лет назад в ломбарде в Таосе, и химия нашей любви была быстрой и электрической, но на акустической стороне восприятия. Она гортанная, нежная, будет лаять, если вы начнете рвать струны, но поднимет вас над сиденьем, если вы отпустите поводья и позволите ей говорить собственным голосом. Эта гитара напоминала мне мисс Эллу[1] и ее богатый, чистый, многослойный, вибрирующий голос. Каждый раз, когда она открывала рот, вам стоило прислушаться, потому что ее слова вскоре находили путь к вашему сердцу, где снимали все внешние оболочки, либо просто пронзая его насквозь, либо исцеляя вас.

Вернувшись, я обнаружил Делию за столиком для пикников под зонтиком, который трепетал на ветру. Я раскрыл футляр, положил Эллу на колени и стал ее настраивать.

Делия с интересом наблюдала за мной.

— Знаешь, теперь у них есть маленькие электронные штучки, которые здорово работают, — заметила она.

Я улыбнулся, не поднимая головы.

— И не говори.

Когда я закончил, то исполнил несколько аккордов, а потом положил ладонь на струны, чтобы заглушить звук, и резко повернулся к ней:

— Спой что-нибудь.

Она медленно заговорила, приподняв бровь:

— Просто. Спеть. Что-нибудь?

---

[1] Имеется в виду Элла Фицджеральд.

— Все, что захочешь.

Без предупреждения и каких-либо предварительных извинений она открыла рот и запела страстную, бархатистую мелодию песни Дасти Спрингфилд[1] о Билли Рэе, сыне проповедника. Я едва не растаял на скамейке.

У меня всегда была слабость к этой песенке про сына проповедника. Она знала об этом. Я знал, что она знает об этом. И она знала, что я знаю, что она знает. Что делало ситуацию еще более забавной.

За две секунды я помолодел на двадцать лет. Тон был таким чистым, а модуляция настолько безупречной, что я почти не прикасался к струнам, опасаясь смазать этот прекрасный звук. Слова слетали с ее языка в ритме и гармонии, усиленной чувством томления в голосе. Несмотря на силу, в них заключалась обезоруживающая уязвимость. Когда мы разговаривали, Делия скрывалась за зубчатой стеной, высокой, как в Иерихоне. Она была непроницаемой. Но когда она открыла рот и спела первую ноту, ворота распахнулись настежь. Это лишний раз доказывало, что музыка существует в ее существе на уровне ДНК. Музыка была такой же ее частью, как и небесно-голубые глаза. Музыка была единственным незамутненным окном, через которое она смотрела на мир и понимала его.

Она сделала паузу в конце очередного куплета и улыбнулась:

— Ты собираешься играть или будешь сидеть с видом идиота, узревшего чудо?

---

[1] Дасти Спрингфилд (настоящее имя Мэри Изобел Кэтрин Бернадетт О'Брайен, 1939—1999) — британская певица, достигшая наибольшей популярности в 1960-е, а затем в 1980-е годы, когда она выступала с группой Pet Shop Boys.

Когда она пела про то, что Билли Рэй был единственным, кто дотянулся до ее души, то посмотрела на меня. Оставалось лишь гадать, то ли она просто исполняла песню, то ли имела в виду нас.

Глава 5

Описание музыки — каверзная штука. Я не уверен, что ее можно описать так же, скажем, как роман или картину. Хотя картина или роман пробуждают чувства, они делают это посредством наших глаз. Образы, которые мы видим, или слова на странице попадают в мозг через зрительные каналы и обрабатываются интеллектом, различающим оттенки смысла, а затем наступает эмоциональная реакция. Первая часть этого процесса заключается в осмыслении и понимании, а вторая часть — в чувствах и эмоциях.

Судя по моему опыту, музыка действует иначе. Музыка попадает в наш разум через уши, откуда кратчайшим путем перебирается к энергетической системе наших эмоций. Потом она достигает интеллекта, где мы можем найти в ней «какой-то смысл». Музыку сначала чувствуют, а обрабатывают или понимают на другом уровне. Это не значит, что нельзя пользоваться интеллектом для ее описания... но я сомневаюсь, могут ли наши слова адекватно описать ее. Это все равно что описывать запах числа 9.

Музыка предназначена для восприятия, а не для описания.

Музыка имеет собственный язык, понимаемый и разделяемый музыкантами. Это такой же настоящий язык, как греческий или латынь, и такой же сложный, если вы не знакомы с ним. Ключом к расшифровке музыкального языка служит последовательность «до-ре-ми». Да, это просто, прямо как Роджерс и Хаммерстайн[1].

Для вас, немузыкальных людей, эта последовательность называется «музыкальной гаммой».

Гаммы — это строительные кирпичики. Это изначальный строй музыки. Они так же реальны, как гравитация, и зашифрованы в нашей ДНК. Они похожи на предварительно загруженные топографические карты. Доказательством этого служит наша способность угадывать музыкальное развитие мелодии, когда мы впервые слышим ее. Для певца или музыканта вызов состоит в том, чтобы пальцы, руки и голос производили соответствующие звуки. Отсюда следует пункт номер два. Для настоящего исполнения музыки или владения языком требуется одно необходимое условие.

Практика.

Люди могут обманом пробираться наверх в разных областях жизни. Они могут красть, давать взятки, уничтожать конкурентов или принимать стероиды, чтобы стать сильнее или быстрее. Но в музыке нет кратчайших путей, и точка.

Сфальшивьте, и вас закидают тухлыми помидорами. Слушатели могут за милю почувствовать обман, поэтому исполнение на сцене или пение на тротуаре может быть довольно дерзким предложением. Поэто-

---

[1] Композитор Ричард Роджерс и поэт-песенник Оскар Хаммерстайн — знаменитый тандем Бродвейского музыкального театра 1940—1950 годов, оказавший большое влияние на развитие жанра мюзикла.

му тех, кто поет под фонограмму, лишают наград, а потом четвертуют на городских воротах. Несмотря на эпоху всеобщей терпимости, мы не терпим мошенничества на сцене. Мы ценим музыку, ценим исполнение и ожидаем того же самого от тех, кто поет или играет.

У меня всегда был превосходный слух. Я один из тех людей, которые обладают врожденной музыкальностью. Мой отец говорил, что я начал петь раньше, чем говорить. Поэтому, когда Делия открыла рот, мой вопрос был очень простым. Это был не вопрос «что это за песня?», а вопрос «в какой тональности ты поешь?»

Моя задача заключалась не в соперничестве, не в том, чтобы показать ей свое мастерство, не в том, чтобы доказать ей, как я хорош или был хорош. Мне нужно было соорудить полку. Помост. Строительные леса. Воздушную структуру, на которую она могла бы надежно опереться.

Делия улыбалась. Оставив Дасти Спрингфилд позади, она начала хлопать по правому бедру обеими руками, создавая «каторжный» ритм, и завела песню Джонни Кэша[1] под названием «Бог сразит тебя». Ниже. Глубже. Гравий, смешанный с содовой водой.

Я улыбнулся и перешел в новую тональность одновременно с ней. Каждый раз, когда вы начинаете петь песню Джонни Кэша, то вступаете на священную землю. Я не забывал и о том, что Человек в черном[2] чаще всего играл на гитаре «Мартин D-35».

---

[1] Джонни Кэш (1932—2003) — американский певец и музыкант, одна из ключевых фигур стиля кантри. Получил три премии «Золотой глобус» и один «Оскар»; продано более 50 млн пластинок.

[2] Прозвище Джонни Кэша и название одной из его песен.

Она развлекалась, как ребенок на площадке для игр. Очевидно, подумав о каком-то другом месте, куда ей хотелось отправиться, она вздернула подбородок и отступила в сторону от мелодической линии. Я пощипывал струны и прислушивался, желая понять, куда она клонит. Начиналась весьма интересная игра в музыкальные кошки-мышки.

Ее голос смягчился: меньше гравия, больше золота. Это была моя вторая любимая песня Элвиса, «В гетто». Любой, кто берется за исполнение Элвиса, должен иметь определенную наглость. Но не такую запредельную, как тот, кто подступается к Майклу Джексону. Я едва успел поравняться с ней, когда она снова пересекла стратосферу и сбросила окалину. На этот раз не осталось никаких посторонних примесей. Простые смертные не поют «Я буду там»: это все равно, что выйти на ринг против Годзиллы. И глазом не успеешь моргнуть, как тебя подадут на ланч.

Судя по всему, никто не потрудился сообщить об этом Делии. Со всей тщательностью и сосредоточенностью человека, обхаживающего свои ногти наждачной пилкой, она открыла рот, и, — Господи, помилуй, — мне показалось, что король поп-музыки собственной персоной вскочил на капот джипа. Как только она закончила припев, то перенеслась в прошлое, возможно, в 1930-е годы, и выдала «Чикаго, мой милый дом» Роберта Джонсона[1]. К тому времени, когда я подхватил, она устала от этой песни и перепрыгнула на встречный поезд к Хэнку Уильямсу[2] с песней «Я так одинок, что хочется плакать». И пока звучал ее одинокий голос, я усомнился в том, могла

---

[1] Роберт Лерой Джонсон (1911—1938) — американский певец, гитарист, один из самых известных блюзменов XX века.

[2] Хэнк Кинг Уильямс (1923—1953) — американский певец, которого называли «отцом музыки кантри».

ли ночная песнь козодоя звучать с такой же тревожной чистотой.

Люди, проходившие по тротуару, останавливались послушать, пока мы путешествовали от «Полуночной реки» братьев Оллмэнов[1] до южного гимна «Линэрд Скинэрд»[2] и «Нет, женщина, не плачь» Боба Марли. К тому времени, когда она завела «Нет такой высокой горы» Марвина Гэя[3], уже собралась приличная толпа. Какая разница? Если я думал, что ее радует, что она поет для меня, присутствие слушателей лишь придало ее исполнению новую глубину. После «Высоко в Скалистых горах» Джона Денвера[4] и «С мыслями о Джорджии» Рэя Чарльза она победно финишировала с «Удачливым сыном» от CCR[5].

Сказать, что она сохранила свой вокальный диапазон, было бы преуменьшением библейских пропорций. Мелодичность и разнообразие потрясали воображение. Единственное, что казалось еще более волшебным, — это ее способность непринужденно сливаться с каждой композицией и делать ее своей. Вы понимаете это в обществе необыкновенно одаренного человека, когда кавер-версия, которую он

---

[1] The Allman Brothers — американская рок-группа, созданная в 1969 году братьями Дуэйном и Грегом Оллмэнами. В меняющемся составе просуществовала до 2015 года.

[2] Имеется в виду песня «Sweet Home Alabama» культовой группы Lynyrd Skynyrd. Интересно, что другая их знаменитая песня «Free Bird» была написана в память о Дуэйне Оллмэне из The Allman Brothers.

[3] Марвин Гэй (1939—1984) — американский певец, музыкант и продюсер, вместе со Стиви Уандером стоявший у истоков современного ритм-энд-блюза.

[4] Джон Денвер (1943—1997) — считается самым коммерчески успешным исполнителем в истории фолк-музыки.

[5] CCR (Creedence Clearwater Revival) — культовая рок-группа, существовавшая с 1968 по 1972 год.

исполняет, может сравниться с оригиналом. Когда она закончила, то просто закрыла рот и положила здоровую руку на бандаж. Она даже не запыхалась, а ведь Буэна Виста расположена на высоте восьми тысяч футов.

В течение двадцати минут игры «Исполни эту мелодию» моя задача заключалась в том, чтобы выглядеть хорошо, но не слишком хорошо. Я хотел, чтобы она думала, что я смогу подыгрывать ей в баре. Не более того. Я держался на заднем плане, не привлекая к себе внимания. И ни разу не выступил в роли ведущего.

Она минуту помедлила, постукивая указательным пальцем по верхней губе и прищурив один глаз. Я знал, что она подбирает следующую песню, и подумал: «Это будет хорошо».

На ее лице появилась озорная улыбка, когда она села, скрестила руки и начала «Я распадаюсь на части» Пэтси Клайн[1] с такой же легкостью, как ребенок, поющий «Я копаюсь в грязи».

В этот момент мужчина в ковбойской шляпе подошел поближе и опустил двадцать долларов в футляр моей гитары. Делия встала и обняла его, — в ответ он добавил к деньгам свою шляпу, — и при этом не пропустила ни одной ноты или интонации.

Пока она стояла, привлекая внимание большинства людей на главной улице, я думал о двух вещах. Ее голос, хотя и не такой, как раньше, по-прежнему был очень хорош, а вокальные возможности и кураж стали даже еще лучше. Но проблема, над которой я ломал голову, не имела никакого отношения к ее таланту, зато имела прямое отношение к ее выбору

_____
[1] Пэтси Клайн (1932—1963) — американская певица, одна из величайших вокалисток в истории музыки кантри.

песен. Все песни, которые она спела, стали знаменитыми благодаря уже умершим исполнителям. Среди них не осталось ни одного живого артиста. А еще бросалось в глаза, что она не исполнила ни одной собственной песни.

Ни одной.

Пока я об этом размышлял, она повернулась ко мне:

— Есть какое-нибудь место, куда я могу пойти, и чтобы ты не последовал за мной?

— Наверное. Но нам потребуется много времени, чтобы найти его.

Она посмотрела на мою руку, потом на меня.

— Когда ты снова начал играть?

— Через несколько лет после возвращения.

— Но я думала, что твоя рука...

— Так и было.

— Что ты сделал?

— Девять или десять тысяч повторений пяти или шести разных упражнений.

— Сейчас ты играешь лучше, чем тогда. — Теперь она повернулась спиной к улице; народ решил, что шоу закончилось, и стал расходиться.

— Не знаю. — Я внимательно посмотрел на свою руку, выпрямил пальцы, потом сжал кулак. — Тогда мне казалось, что я играю замечательно.

Она коротко кивнула:

— Так и было.

— Кстати, о гитарах, — сказал я. — Что случилось с тем «Макферсоном»?

Ее подбородок опустился, глаза забегали. На смену уверенному трубадуру моментально пришел недотрога или, хуже того, неудачница. Она коротко пожала плечами:

— Нужны были деньги за аренду.

— Жаль. Мне нравилось, как она звучит.

Мы тыкали щупами по краям давно сложившейся истории. Если бы этот разговор зашел глубже, то мы бы содрали коросту, нараставшую в течение двадцати лет, и я был совершенно уверен, что мое сердце этого не выдержит.

Она сменила тему.

— Знаешь, твои длинные волосы, корявая рука и механический голос на самом деле маскируют тот факт, что ты так же хорош, как раньше. В этом городе ничего не знают, верно?

— Время от времени я где-то играю.

Она посмотрела в направлении «Лэриэта», расположенного в нескольких кварталах от нас, потом снова взглянула на меня. Вид у нее был немного смущенный.

— Пятьдесят на пятьдесят, ладно? Но этот, как-его-там, берет себе десять процентов.

— Бери себе. — Ее предложение говорило о том, что Фрэнк рассчитывает на большее. — И дай мне подумать, что я могу предпринять насчет денег.

Ее следующий вопрос застал меня врасплох:

— Ты когда-нибудь был женат?

— Что? — я посмотрел на солнце.

Она ощетинилась, как в тот раз, когда увидела мистера Громилу в больнице. Защитный механизм, выработанный в силу необходимости. Она надавила еще раз.

— Ты когда-нибудь был женат?

— А что?

— Потому что мне нужно знать, что в следующую минуту я не увижу, как миссис О'Коннор целится мне в лицо, поскольку считает меня старой пассией, раздувающей новое пламя.

Справедливый вопрос.

— У тебя есть опыт такого рода?

— Кое-что имеется.

— Нет.

— «Нет», то есть «нет никакой миссис О'Коннор», или «нет, она так не подумает»?

— Не женат и никогда не был женат.

Ее голос поник, голова опустилась.

— Хорошо. — Она разглядывала свои руки. — Не то хорошо, что ты никогда не женился. Я имела в виду, это хорошо, потому что сегодня я слишком устала для драки.

Эмоциональная поза Делии очень подходила женщине с закатанными рукавами. Не имея покровителя или защитника, она была вынуждена сражаться за себя, и то, что когда-то было мягким и нежным, обросло толстой шкурой, готовой всякий раз ощетиниться. Сидя на этой скамье, она исполняла роль Клепальщицы Рози[1], примирившейся с тем фактом, что Джо никогда не вернется домой.

Двадцать лет назад, когда я смотрел в потолок больничной палаты и мысленно перебирал свои возможности, эта не пришла мне в голову. Мне она не понравилась.

Я взглянул на часы.

— У нас есть еще несколько часов, прежде чем понадобится быть в «Лэриэте», а я должен заехать в еще одно место. Не возражаешь, если я подброшу тебя...

— Я могу поехать с тобой?

— Это не самое воодушевляющее место.

— От меня не будет хлопот.

— Запах может быть немного... ошеломительным.

---

[1] Клепальщица Рози — собирательный образ американских женщин, трудившихся на заводах и фабриках в годы Второй мировой войны.

Она хихикнула:

— Видел бы ты некоторые места, где мне приходилось выступать.

— Это может потребовать некоторого участия.

— Я в игре.

Я улыбнулся:

— Это будет здорово. Ей понравится.

— Ей?

— Моей подруге.

Делия оцепенела.

— Кажется, ты говорил, что у тебя нет ни с кем отношений.

— Нет. — Я с улыбкой поднял палец. — Я сказал, что никогда не женился, но не говорил, что у меня нет подруги.

Новая порция колючек. Ее спина стала прямой, как палка.

— Она поладит со мной?

— Думаю, ты можешь на это рассчитывать, — ответил я, забираясь в джип, пока она продолжала стоять рядом.

— Почему ты так уверен?

— Просто догадка.

Глава 6

Центр «Ривервью» — жилое учреждение на сорок коек, расположенное на пяти акрах земли напротив гранитного выступа горы Спящего Индейца. Живописные клумбы и ровно подстриженные газоны одновременно поддерживаются в порядке и вытаптываются огромным стадом оленей, которые едят цветы и траву. Это место граничит с рекой Арканзас, постоянное журчание которой дарит безмятежность и покой.

Я пересек короткий мост через Арканзас, проехал по парадной аллее с рядами огромных тополей и остановил машину. Уже перевалило за полдень, и большинство обитателей либо дремали, либо сидели в своих комнатах и смотрели телевизор. Я оставил джип на стоянке и вышел, Делия последовала за мной. Ее спина стала более гибкой, и она была уже меньше похожа на дикобраза.

Мы миновали прихожую и поплутали по коридорам, пока я не нашел комнату Мэри. Дверь была закрыта. Я толчком распахнул ее и увидел, что она спит, так что мы присели и затихли. Это был один из моих любимых моментов в обществе Мэри. Когда она спала, то не дергалась.

Делия осмотрела комнату, увешанную настенными украшениями.

— Ты должен был рассказать мне, — прошептала она.

— После того как я снова начал играть, то стал искать надежное место, чтобы попробовать свои силы. Здесь люди просто благодарны за компанию и не слишком придирчивы, если ты будешь кое-где пропускать ноты или фальшивить. Кроме того, они довольно внушаемы. Мэри была одной из первых, для кого я играл. Чем больше времени мы были знакомы, тем больше я понимал, что у нас есть кое-что общее.

— Например?

— Мы оба поклонники Делии Кросс.

Делия изучила стены, обклеенные плакатами с ее атрибутикой.

49

— Правда, она упертая фанатка, — добавил я. — Иногда это граничит с навязчивостью.

Темные волосы Мэри упали на ее лицо, и струйка слюны стекала на подушку. Я заправил ей волосы за ухо и промокнул уголок рта. Она заморгала, улыбнулась, и нервный тик немедленно вернулся.

У Мэри сильный страбизм — проще говоря, косоглазие. Когда один глаз смотрит на вас, другой смотрит перпендикулярно, так что виден лишь белок. Фокусировка глаз чередуется слева направо и в обратном порядке. Ее правый глаз сосредоточился на мне, и она подняла голову, позволив подложить вторую подушку. Ее голос был хриплым и прерывистым, как у Кэтрин Хепберн.

— Ты только что мне снился.

Я придвинул к кровати стул из нержавеющей стали и положил руки рядом с ней на кровать.

— Да, и что там было?

— Как ты первый раз играл для меня.

— По правде говоря, я думал, что играю для всех, кто собрался в холле.

— Да, но ты не мог отвести глаз от меня.

Я рассмеялся.

— Это верно. — Ее правая рука начала хлопать по матрасу, как выброшенная на берег рыба, поэтому я подсунул снизу свою руку и удержал ее. — И до сих пор не могу.

За годы Мэри перепробовала множество препаратов, замедляющих развитие и эффекты церебрального паралича. Мало что помогало, и почти ничто не могло удержать ее тело от непроизвольных судорог.

Кроме одного средства. Когда я играю, она вообще не дергается. И говорит, что боль «смывается» из нее.

Мэри пробыла здесь большую часть своей взрослой жизни. Она местная любимица и редко о чем-либо просит.

Медсестра постучалась и вошла в комнату. Оглядевшись, она помахала мне:

— Привет, Купер.

— Привет, Шелли. Как Питер? — Я встал и помог перекатить Мэри на бок, а потом отрегулировал раздвижную ширму, чтобы Шелли могла сменить ей подгузник. Шелли делала это несколько тысяч раз. Она могла делать это даже во сне.

— Этот маленький проказник переключился с тубы на барабаны. Говорит, что у него больше чувства ритма, чем у трех ударников вместе, и что пора бы всем узнать об этом.

Рука Мэри поднялась из-за ширмы и оттолкнула мой подбородок от кровати, чтобы я не смотрел на нее.

— Лучше не смотри. Я, знаешь ли, еще женщина.

Я заговорил, глядя в стену:

— В любой группе нет более важного участника, чем барабанщик. Все живет и умирает в ритме. Ударники не всегда пользуются большим уважением, но они связывают остальных в одно целое.

Шелли повернула Мэри на спину и понесла сырой подгузник к двери.

— Может быть, и так, но кролик из рекламы «Энерджайзер» не внушает доверия. Единственный ритм, который он может услышать, — это моя нога, пинающая его по... — Последнее слово она произнесла одними губами.

— Тут я ничем не могу помочь.

Шелли вышла, оставив нас с Мэри смеяться над шуткой. Но смех вызвал у нее сдавленный кашель —

ЧАРЛЬЗ МАРТИН

этого я уже давно не слышал. Она еще немного по-
кашляла и отхаркалась.

Я сурово посмотрел на нее:

— Доктор Джордж слышал, как ты кашляешь?

— Он был здесь на прошлой неделе и еще раз сегодня утром. — Она указала на бутылочку на столе
рядом с собой. — Ядерный антибиотик. Предположительно, он должен убить эту заразу.

Фокусировка ее глаз перескочила справа налево,
и она увидела Делию, сидевшую на стуле у стены.
Мэри удивилась, обнаружив в комнате еще одного
человека.

— Ой, привет. Я вас не заметила. — Она потянулась к очкам с чудовищными линзами и водрузила их
на переносицу. Ее голова склонилась набок, пока она
изучала лицо Делии. Потом она наклонила голову в
другую сторону и, наконец, вернула ее в среднее положение. — Это вы.

Делия встала и протянула руку:

— Привет, я Де...

Мэри схватила ее руку обеими руками.

— Я знаю, кто вы такая. — Она трясла и раска-
чивала ее руку. — Просто не могу поверить, что вы
стоите в моей комнате.

Одно из моих занятий — развлекать людей.
В сущности, это мое единственное занятие. Выпол-
няя эту миссию, я починил отцовский автобус и от-
возил на концерты в окрестностях столько медсестер
и пациентов, сколько мог увезти. Без ночевки, только
туда и обратно. А Делия Кросс была здесь любимой
певицей. Каждый раз, когда она собиралась выступать в пределах нескольких часов от Буэна Висты,
я получал запросы на автобусную экскурсию. После каждой экскурсии Мэри сохраняла корешки
билетов, программки и афиши, и теперь каждая

из них была вставлена в рамку и висела на одной из окружающих нас стен. Живой мемориал Делии Кросс.

Мэри посмотрела на меня, смахнула с лица волосы и потянулась за помадой, которая лежала на тумбочке рядом с ее кроватью.

— Ты должен был сказать мне.

— А ты бы мне поверила?

— Нет. Но тебе следовало попытаться.

Она свинтила колпачок, но ее рука слишком сильно дрожала. Это грозило неприятностями. Делия опустилась на кровать рядом с ней.

— Можно мне?

Мэри пыталась лежать тихо, пока Делия накладывала помаду на ее губы. Ее тело выражало эмоцию, которую не могло выразить ее лицо. Когда они закончили, я положил футляр с гитарой в ногах ее кровати, отпустил тормоз, удерживавший колесики, и покатил ее к широкой двери.

— Ты готова, милая?

— Полагаю, ты не собираешься рассказать мне, что происходит?

— Нет.

Она держала Делию за руку, пока мы шли по коридору.

— Купер О'Коннор!

— Да, мэм.

— Ты у меня в долгу.

Я рассмеялся:

— Тогда считай это умилостивлением.

Она задрала нос.

— Уми-лости... что?

Коридор выходил в большую открытую комнату, где большой чернокожий мужчина в костюме и черных лакированных туфлях потихоньку разминал пальцы на клавиатуре пианино.

— Умилостивление, — произнес он через плечо.

Мэри повернулась к нему:

— Только не ты тоже!

Он заиграл громче.

— Его отец любил это слово, — сообщил он. — Постоянно его использовал.

Мэри заговорила, перекрывая музыку, и расстояние между ее зрачками уменьшилось.

— Знаешь, я не поспеваю за тобой, когда ты начинаешь произносить эти слова по пятьдесят долларов за штуку. Что это значит?

— Это означает воздаяние, которое искупает все долги. А также искупительную жертву, но это уже другая история.

— Биг-Биг, — обратился я к нему. — Это Делия Кросс.

Пианист улыбнулся, приподнял огромные руки над клавишами и с трудом оглянулся через плечо.

— Мисс Делия Кросс. Я знавал это имя. Как поживаете, золотко? Добро пожаловать на пение гимнов.

Сестры располагали пациентов на кроватях, в креслах-каталках и на любимых стульях по окружности, в центре которой находилось пианино. Мисс Фокс сидела с вязаньем на коленях и тихонько бормотала себе под нос что-то насчет Ренни и о том, когда он приедет и заберет ее отсюда. Мистер Барнс стоял в углу в своих обычных ботинках с высокой шнуровкой и в халате: больше ничего. Мисс Филипс сидела в кресле-каталке, вынимая свои зубы и вставляя их обратно. Мистер Андерсон спал в постели, которую сестры откатили к стене. А мистер

Симпсон сидел на табурете и выжидающе смотрел на меня. Остальные тихо переговаривались между собой. Несколько мне известно, этих людей объединяло лишь то, что все они жили в «Ривервью» и знали моего отца.

Я залез в стенной шкаф и достал несколько дополнительных инструментов. Я расставил перед мистером Симпсоном три пятигаллоновых ведра донышками вверх и вручил ему палочки. Потом я передал один тамбурин мисс Фокс, а другой положил рядом с рукой спящего мистера Андерсона. Мисс Филипс получила колокольчик. Потом я начал настраивать свою D-35.

Биг-Биг не стал дожидаться ответа от Делии.

— Теперь просто сядьте рядом со мной и дайте мне послушать этот ангельский голос, о котором я столько слышал, — сказал он. — Давайте покажем этим молодым неучам, как должен звучать настоящий голос.

Биг-Биг до сих пор был достаточно независимым, но несколько лет назад он продал свой городской дом, и я помог ему перебраться в одноквартирный домик из тех, что разбросаны вокруг «Ривервью». Эти домики с прекрасными видами на горы расположены достаточно близко, чтобы жильцы могли получать при необходимости помощь. Но он приходил и уходил отсюда по своему усмотрению и либо готовил у себя, либо ел здесь с кем-то еще. Это был независимый образ жизни для человека, который не знал, как долго еще он сможет поддерживать свою автономность.

Одна из сестер включила проектор и сидела за лэптопом, прокручивая слайды, проецируемые на стену. Делия устроилась рядом со мной и уже собиралась что-то прошептать, когда Биг-Биг завел один из моих любимых напевов. Его голос был скроен, как будто по мерке, именно для этой песни: «Когда объявят перекличку в небесах...»[1]

Я вступил следом за ним, заполняя пустоты своей гитарой, пока его миролюбивый рев проникал в меня и исправлял все, что было неправильным. Через несколько секунд Делия тихо присоединилась к нам, созвучно подпевая. Биг-Биг улыбался и покачивал головой. После того как все проснулись, он исполнил «Я буду солнечным лучом»[2] и неизменный местный хит «В саду».

Вскоре Делия уже стояла рядом с Мэри, распевая и хлопая в ладоши. Мистер Симпсон держал почти идеальный ритм на ведрах-барабанах, а группа перкуссии прекрасно справлялась с тамбурином и колокольчиком. В какой-то момент у мисс Филипс выпала вставная челюсть, отлетевшая по полу к пианино. Удивленная, но не особенно смущенная, Делия подняла ее и протянула обратно. Мисс Филипс быстро вернула зубы на место и продолжила своевременные вступления с колокольчиком. Находясь под впечатлением от ее инициативы, мистер Барнс вышел в центр комнаты, протянул руку и предложил Делии станцевать под припев к «Благословенному обещанию». Она скромно согласилась и сохранила достоинство в танце с девяностодвухлетним стариком, постоянно сбивавшимся с такта. Правда, она едва не остановилась, когда он повернулся, и задняя часть его халата разошлась в стороны. Она закрыла рот одной рукой и указала другой на явившийся ее глазам неожиданный сюрприз.

---

[1] Песня Джонни Кэша.
[2] Христианский гимн на слова Нелли Тэлбот.

— Бог ты мой!

Я покачал головой:

— Иногда он надевает халат задом наперед.

Она засмеялась и отвела взгляд.

— Не надо, пожалуйста!

Все это время Мэри лежала в постели с неподвижным лицом и шеей — и это при том, что она распевала во весь голос. Биг-Биг завел «Явись, источник всех благословений»,[1] и я начал ощупью продвигаться через вступление. При этом мисс Фокс поднялась на ноги, начала хлопать в ладоши, глядя в потолок, и подпевать Делии. Когда мы достигли четвертого куплета, Биг-Биг заиграл потише и отступил на задний план, предоставив возможность солировать мисс Фокс. «Блуждая во тьме, Господи, я чувствую это...»

Услышав звук второго женского голоса, — теперь уже Делия подпевала ей, — осмелевшая мисс Фокс провела нас через заключительную строфу. Хор центра «Ривервью» явился во всем блеске и почти не фальшивил.

После должного признания ее бесценного вклада, когда мисс Фокс опустилась на место под аплодисменты увеличивающейся группы медперсонала и пациентов, Биг-Биг исполнил «Сколь велика Твоя праведность»[2]. Потом он оглянулся через плечо на Мэри, которая сидела с сияющим лицом в ожидании собственного сольного выступления. Биг-Биг сыграл еще несколько аккордов и затих, положив руки на колени и позволив мне заполнить место вступлением для ее соло.

[1] «Come Thou, Fount of Every Blessing» — гимн, написанный пастором Робертом Робинсоном в XVIII веке.

[2] «Great is Thy Faithfulness» — гимн, написанный проповедником Томасом Крисхольмом в XIX веке.

Когда я закончил перебор, то начал тихо бренчать по струнам в ожидании выхода Мэри. Она безупречно рассчитала время, и ее трепетный голос завел: «Когда я вижу крест чудесный, где Князю Славы было суждено...» Непроизвольные аплодисменты заставили ее улыбаться еще шире. Делия подошла к изголовью кровати и стала тихо подпевать ей. Мария нажала кнопку сервомотора, приподнявшего ее голову и плечи больше чем на сорок пять градусов, взяла Делию за руку, и две новые лучшие подруги завершили песню.

Биг-Биг поблагодарил собравшихся за участие, сделал объявление о дружеской встрече с мороженым завтра вечером, напомнил о запрете кормить оленей, а потом, когда в комнате наступила тишина, начал вступление к последней песне. Он повернулся к Делии и спросил:

— Мисс Кросс, могу я попросить вас сесть рядом со мной и спеть для нас?

Она прошла между кроватями и села на скамью спиной к его левому плечу. Потом она открыла рот и запела так чисто и пронзительно, как я уже давно не слышал:

— «О, Господи, когда я пребываю в дивной власти...»[1] — Когда она достигла четвертой строфы, — «Когда придет Христос под ликованье...» — многие сотрудники центра уже вели съемку на сотовые телефоны. Все остальные перестали петь, а Биг-Биг сидел с закрытыми глазами. — «Сколь Ты велик... сколь Ты велик». — Последняя звенящая

---

[1] Строка из гимна «How Great Thou Art», основанного на шведской народной мелодии. Стихи написаны Карлом Густавом Бобергом в 1885 году.

нота сорвалась с ее губ, взлетела к потолку, и в наступившей тишине можно было услышать упавшую булавку. Потом мистер Барнс захлопал, и все остальные присоединились к нему.

Не знаю, какое воздействие эта песня оказала на присутствующих, но знаю, что когда Делия встала и поцеловала Биг-Бига в щеку, ее плечи расправились, морщинки в уголках глаз исчезли, и какие бы рефлекторные барьеры она ни носила в себе, теперь они рухнули и рассыпались у ее ног.

Биг-Биг встал, поклонился Делии и сказал:

— Пожалуйста, мисс Кросс, приходите еще. — Он указал на меня: — Он играет лучше, когда вы здесь.

Мы выкатили кровать Мэри в коридор и повезли в ее комнату. Шелли предложила сфотографировать ее вместе с Делией, пообещав вставить снимки в рамки и повесить на стены, где и так оставалось мало свободного места. Воспользовавшись моментом, Делия залезла на кровать к Мэри, и они стали позировать, как две давно разлученные сестры при первой встрече. Мэри сияла от удовольствия.

Когда мы выходили, Мэри окликнула ее:

— Делия?

Делия повернулась к ней. Мэри потянулась к столу возле кровати и взяла обложку компакт-диска.

— Вы подпишете это?

Это был второй альбом Делии. Прошло уже двадцать лет с тех пор, как мы записали этот альбом в Нэшвилле, незадолго до пожара. Делия подписала обложку и протянула обратно, задержавшись у кровати и глядя на меня. Она постучала пальцами по поручню, удерживавшему Мэри от падения на пол, и спросила:

— Мэри, Купер рассказывал тебе об этом диске?

Мэри покачала головой:

— Что вы имеете в виду?

— Он когда-нибудь говорил, что принимал участие в записи альбома?

Мэри выпучила глаза.

— Нет! — Она посмотрела на меня. — Этого он никогда не говорил!

Делия кивнула:

— Так я и думала. — Она пододвинула табуретку, села и повертела в руке обложку компакт-диска. — А он говорил тебе, что сочинил восемь композиций для этого альбома?

Мэри едва не свалилась с кровати.

— Что?

Пока говорила, Делия двигала пальцем по обложке.

— Он написал вот эту, и эту, и эту, и эту... — Когда она указывала на каждую песню, глаза Мэри становились все более круглыми. — И на гитаре везде играет он сам.

Мэри посмотрела на Делию:

— Это значит... Куп сочинил пять лучших хитов?

— Да, — кивнула Делия.

Мэри повернулась и швырнула в меня подушкой.

— Купер О'Коннор! Я уже двадцать пять лет лежу здесь и вмерзаю в эту кровать, а ты даже не чирикнул об этом. Даже ни разу не предложил сыграть одну из твоих собственных песен! — Она бросила вторую подушку. — Не могу поверить, что ты все это время молчал!

Я пожал плечами и положил обе подушки на кровать, чтобы она не смогла до них дотянуться. Делия похлопала ее по руке.

— Просто подумала, что тебе захочется узнать.

Мэри скрестила руки на груди и улыбнулась.

— Я намерена серьезно побеседовать с ним, когда вы уйдете, и я не буду выглядеть дурой, когда начну орать во все горло.

Когда мы предприняли очередную попытку уйти, Мэри окликнула меня:

— Купер?

Я сунул голову обратно в комнату.

— Мы квиты.

Когда я закрывал дверь, она заливалась хохотом.

— Мы даже не начинали...

Делия молчала, пока мы не подошли к автостоянке. Мы забрались в джип. Я завел двигатель, надел темные очки и собирался включить заднюю передачу, когда Делия мягко накрыла ладонью мою руку. Она откинулась на подголовник и покосилась на меня:

— Спасибо тебе.

— За что?

Она кивком указала на здание, откуда мы только что вышли:

— За это.

— Нет, это *тебе* надо сказать спасибо. Ты сделала многих людей счастливыми на целый день. А у Мэри был самый радостный день за целый год. Возможно, за десять лет. Весьма вероятно, что сейчас видео с тобой как вирус распространяется на YouTube.

— Я ничего не дала им по сравнению с тем, что они дали мне. — Делия закрыла глаза. — Прошло уже много времени с тех пор, как кто-то размещал где-то видео с моим участием.

Когда солнце зашло за гору Принстон, прохлада начала выползать из теней и расселин. Здесь, наверху, холод никогда не уходит полностью, даже в летние месяцы. Он всего лишь прячется за скалами и таится в воде до захода солнца. Но сейчас, на пороге октября, он немного быстрее выползает из-за камней.

Отъезжая с автостоянки, я посмотрел в зеркало заднего вида. Биг-Биг стоял на лужайке и смотрел нам вслед.

Он улыбался.

Глава 7

Хотя Буэна Виста угнездилась за Колледжиэйт Пикс[1], это не зимний горнолыжный курорт, как Вейл, Аспен или Стимбот. Зимняя жизнь здесь тихая и размеренная. Город почти не затронут внешними влияниями. Летом дела обстоят немного иначе. С учетом близости к Континентальному водоразделу[2] с первоклассными возможностями для пеших и автомобильных экскурсий, рафтинга, плавания на байдарках и каяках и поездок на горном велосипеде, население увеличивается на пару тысяч любителей приключений из соседних колледжей, которые составляют команды для рафтинга, наводняют магазины, торгующие снаряжением, разбивают летние лагеря и ищут приключений на природе. Несколько тысяч местных жителей, которые называют «Бью-

---

[1] Колледжиэйт Пикс — горный хребет в Колорадо.

[2] Американский континентальный водораздел — условная линия, к западу от которой в Америке находится бассейн Тихого океана, а к востоку — бассейны Атлантического и Северного Ледовитого океанов.

ни» своим домом, терпимо относятся к притоку и оттоку любителей путешествий, как к таянию снега весной.

Это необходимость.

Театр «Птармиган» был построен как церковь в 1860-х годах. Сооруженные из гранитных блоков, высеченных из горной плоти, его стены четырехфутовой толщины поднимаются изнутри к сводчатому потолку и террасе с видом на сцену с причудливой резьбой. Около 1900 года в связи с резким сокращением количества прихожан церковь была секуляризирована, и местный антрепренер превратил ее в театр с местами на двести человек. Так продолжалось до закрытия театра в 1929 году, после чего он потихоньку ветшал и разрушался в течение пятидесяти лет. От него осталась только внешняя оболочка.

К 1990 году, когда мой отец выкупил дом на городских торгах с понижением цены до десятков пенни за доллар, стены были покрыты граффити, большинство витражных стекол были разбиты или вынесены, крыша протекала, а местные сквоттеры притаскивали сюда матрасы, где скоро расплодились крысы. Для зимнего обогрева некоторые наиболее решительные посетители сожгли несколько церковных скамей и почти все оставленные Библии и сборники духовных гимнов.

Но из-за того, что мой отец называл «конструктивной ошибкой», здешняя акустика была превосходной. Он не знал или никогда не говорил, что хочет сделать с домом, но не мог вынести мысли о том, что разрушение продолжится. Помню, как он стоял на парадном крыльце и качал головой. «Как можно секуляризировать церковь?» Отец не мог этого понять.

В чем бы ни заключались его планы насчет бывшего театра, они так и не осуществились.

Когда я впервые вернулся в Буэна Висту, то почесал затылок, внимательно посмотрел на «Птармиган» и решил закончить начатое отцом дело. По крайней мере, моим рукам найдется какое-то занятие, пока ум не придет в порядок. «Птармиган» был назван в честь высокогорной птицы, похожей на рябчика, которую окрестили «снежной курицей», за способность сливаться с окружающей действительностью, но которая, как выяснилось, называется белой куропаткой. Она предпочитает скалистые горные склоны, а ее голос похож на громкое кваканье.

Идеально подходит для меня.

Но попытка вернуть «Птармигану» его былую славу сталкивалась с одной насущной проблемой. Деньги. Когда я покинул Нэшвилл, то мало что имел при себе. С одной стороны, Джимми, с другой — воспоминания, многие из которых были болезненными. Добавьте к этому наше пронзительное расставание; поэтому я предполагал, что в борьбе между вероломным продюсером и ожесточенной Делией все деньги от написанных мною песен были безвозвратно потеряны. Потом я позвонил в свой банк в Нэшвилле.

Очевидно, наша размолвка была не первым кровавым разводом в Музыкальном Городе. Когда банкир сообщил мой баланс, я едва не уронил трубку. «Прошу прощения?»

За пять лет после моего ухода мои комиссионные накапливались, и на них насчитывались проценты. Я не мог купить реактивный самолет или особняк в Хэмптон-Корт, но у меня были возможности для выбора.

За несколько лет я снова превратил бывшую жемчужину Буэна Висты в притягательно старомодный театр на двести мест. Кроме того, я модернизировал галерку и превратил ее в жилую квартиру, где останавливался зимой, когда снег и лед выдворяли меня из хижины в горах. По собственной прихоти я также установил довольно изощренное оборудование для звукозаписи.

Вскоре «Птармиган» стал известен как акустическая сцена для местных постановок, школьных рождественских мюзиклов и выступлений концертирующих хоровых групп.

Сделав кое-что для «Птармигана», я обратил внимание на «Лэриэт», или «Канат». В этом заведении каждый вечер звучит живая музыка, и оно заработало себе имя среди авторов и исполнителей акустической музыки к западу от Скалистых гор. Платят там немного, но посетителей в избытке, а благодаря летнему наплыву жаждущих студентов новости распространяются быстро и широко. Желая сохранить свое участие в безвестности, я создал ООО под названием «Тимпан и свирель» и выкупил «Канат». За исключением моего юриста, никто не знает, что я его владелец, и это мне нравится.

«Канат» расположен в старом кирпичном здании с двумя просторными, гулкими помещениями. Потолки выше пятнадцати футов, что объясняет, каким образом добровольческая пожарная бригада № 99 умудрялась держать там пожарную машину с выдвижной лестницей в 1950—1960-е годы. В одном помещении подают пиво и полуправду, а в другом играют музыку и говорят другую половину правды. Акустика неплохая, и чем больше пива выставляет Фрэнк, тем лучше она становится.

Фрэнк Грин — это нынешний главный управляющий. Я проинтервьюировал и нанял его по телефону, так что, по его разумению, он никогда не встречался со своим боссом лицом к лицу. Он из местных, и если не считать того, что он лжец, обманщик и воришка, который недоплачивает музыкантам, он вполне хорош для своей работы. Он лысый, с кустистыми бровями, в последние годы заметно раздался в талии, редко отводит глаза от пола, водит двадцатилетнюю колымагу, которая извергает клубы белого дыма, и прикарманивает от трехсот до пятисот долларов в неделю из кассового ящика.

Их он тратит на оплату химиотерапии для своей жены и логопеда для своей дочери.

Фрэнк поднял голову, когда вошли мы с Делией. Он кивнул мне и отложил тряпку, которой протирал стойку бара, затем взял швабру и стал протирать пол. Он сильно горбился.

— Как Бетти? — спросил я.

Он окунул швабру в ведро и отжал ее поворотом рычажка. В воздухе витал запах пайнсола[1].

— Сегодня получше.

Каждый раз, когда я задавал этот вопрос, его глаза не отрывались от пола, и он всегда отвечал одинаково. Однако за эти годы Бетти не менее десяти раз ложилась в больницу и выходила оттуда. Отделение интенсивной терапии; борьба с одной инфекцией, потом с другой.

На стене над ним висел плакат с изображением идиллического острова для отпуска посреди океана. Пальмы, легкий бриз, маленькие коктейли с зонтиками. Фрэнк никогда не уезжал из Колорадо. То же

---

[1] Жидкость для мытья полов.

самое относилось к его жене и дочери. Края плаката загибались наружу, и это было ясным напоминанием об отпуске, который он никогда не возьмет. Раньше мне доводилось видеть Фрэнка, разглядывавшего эту картинку. Теперь уже нет.

Несколько раз, когда он слишком глубоко залезал в бутылку бурбона, он пересказывал мне воспоминание о том, как его отец, — с самого раннего детства, которое он мог припомнить, — награждал его подзатыльниками и приговаривал со слюной в уголках пьяного рта: «От тебя нет никакого толку. Из тебя никогда не выйдет ничего путного. Сделай нам одолжение и сдохни прямо сейчас».

Потом Фрэнк смотрел в окно на улицу, поднимал стакан, глотал, вытирал губы тыльной стороной ладони, со стуком опускал стакан и натужно улыбался. «И он был прав!» — добавлял он. И каждый раз, когда он это делал, я не замечал силу его рук, как у морячка Попая[1], мощь его ног, похожих на древесные стволы, или браваду в его голосе, но видел лишь слезы в его глазах.

Первые несколько лет, когда он работал на меня, он был довольно честным и справедливым. Это было до того, как его жена заболела.

Фрэнк прячет свой стыд внутри.

Я опустился на табурет в углу и подключил Эллу к усилителю. Принимая во внимание мощь легких Делии, мне был нужен инструмент с рыком и ударной мощью, и хотя я смягчал и даже приглушал звук гитары в замкнутом пространстве комнаты в «Ривервью», D-35 обладала этими качествами. Делия стояла справа от меня и немного впереди. Микрофон

---

[1] Моряк Попай — герой американских комиксов и мультфильмов.

перед ней. Выцветшие джинсы. Шерстяная рубашка, застегнутая на все пуговицы. Волосы зачесаны вверх и назад. Ее правый рукав был расстегнут и спускался до костяшек пальцев, прикрывая большую часть бандажной повязки. Шик и блеск некогда восходящей звезды остались в прошлом. Никакой претенциозности, никаких попыток изображать предыдущую версию себя. Делия стояла там просто как Делия.

Я настраивал гитару, пока она ждала, поглядывая на меня через плечо.

— Я куплю тебе электронный тюнер на Рождество, — с улыбкой прошептала она.

Я постучал себя по уху.

— У меня встроенный тюнер. Как точилка в торце коробки с карандашами.

Вопрос вертелся у нее на языке. Я почти видел, как он торчит там, видел, как она пытается проглотить его. Поэтому я ответил, не дожидаясь ее вопроса:

— Хирург в Нэшвилле постарался на славу, когда восстанавливал проколотую барабанную перепонку, потому что я могу слышать, как Стив Остин[1].

— Кто?

Я дернул басовую струну «ми» на гитаре и опустил ее на две октавы ниже, полностью сбив настройку.

— Его называют «Человек на шесть миллионов долларов».

Она рассмеялась, и напряжение сползло с ее скул по плечам и отправилось за дверь, где тлели остатки боли нашего общего прошлого.

Некоторые люди нервничают на сцене. Потеют, запинаются, спотыкаются. Слишком много говорят,

---

[1] Стив Остин (р. 1964) — киноактер, бывший профессиональный рестлер по прозвищу Ледяная Глыба.

потому что тишина пугает их. Другие рождены для сцены. Одна из моих любимых вещей в живой музыке — это радость играть с человеком, который забывает о деньгах, когда выходит на сцену. Лицо Делии говорило мне, что она могла бы петь и бесплатно, несмотря на то что Фрэнк поспешно извинился и исправил свою «ошибку», согласившись заплатить ей обычные триста долларов за живое выступление.

Еще более интригующим было то обстоятельство, что, кроме меня, Фрэнка и Делии, в баре находились лишь два человека, наполовину осушившие третью и четвертую кружку пива соответственно. Это означало, что через двадцать минут они, вероятно, даже не услышат ее.

Вечер обещал быть интересным.

Я разогревал пальцы, поигрывая гаммы, когда она снова оглянулась через плечо.

— Хочешь, куплю тебе пива?

Я кинул в рот таблетку от изжоги.

— Мне и так хорошо.

Она приподняла брови.

— Кислотный рефлюкс?

— Что-то вроде того.

Она посмотрела, как я перебираю струны, и ухмыльнулась.

— Ты готов или тебе нужно еще попрактиковаться?

— После вас.

Она снова ухмыльнулась:

— Ну хорошо, тогда начнем в тональности ми. Ты знаешь, где это?

Мои пальцы прошлись по тональности ми мажор, перебирая лады и струны.

— Подожди минутку, я поищу.

Без приглашения и без лишней помпы, без попытки успокоить нервы лишними разговорами, Делия открыла рот, и, когда она запела, мне показалось, что на сцену вышла сама Дженис Джоплин. После «Я и Бобби Макги» она сразу же перешла к «Кусочку моего сердца». Когда мы немного размялись и она разогрела голосовые связки, то сделала левый поворот к норме и поднялась на три пролета к невозможности с вариантом «Я всегда буду любить тебя» в исполнении Уитни Хьюстон.

Я перестал играть, чтобы лучше слышать ее, отчего она посмотрела на меня с выражением «Что ты творишь?», но когда мои пальцы легли на гриф и зазвучали ноты, сопровождающие ее голос, я подумал: «Кто в здравом уме попытается петь, как Уитни Хьюстон?»

Вокруг послышались разговоры, а может быть, ее голос был хорошо слышен на улице. Так или иначе, но после шести песен мы уже видели толпу в пятьдесят-шестьдесят человек, подошедших из соседних ресторанов или просто проходивших мимо. Многие из них стояли с выпученными глазами. Все были зачарованы. Никто не смотрел на меня, и это означало, что я справляюсь со своей работой. К тому времени, когда она завершила первую часть выступления пылкой серенадой, двери были распахнуты настежь, и люди пили пиво на тротуаре и заглядывали в окна снаружи. Сесть было уже негде.

Когда-то в музыкальной истории появился романтический идеал, связанный с жизнью музыкантов. О том, что они почему-то более искренние и честные, глубже понимают суть человеческого бытия и тайны вселенной и в то же время ведут неустанную безмолвную борьбу с разрушительными наклонностями и внутренними демонами. В этом вихре душераздирающей тоски, гнева и муки одинокий голос ведет доблестную борьбу и в конце концов обретает свою силу и завершенность в песне.

Все это не имело отношения к Делии.

Делия черпала энергию для своих песен из другого источника, чистого и неизменного. Чего-то такого, что она защищала, несмотря на то что никто не защищал ее. Ни войны. Ни тоски. Ни внутренних демонов. Она просто выносила песню на сцену, открывала рот и дарила ее людям.

Это был акт дарения.

Песня Делии изливалась из нее, как вода. А те, кто слушал, до сих пор блуждали в пустыне.

Где-то в середине второй части один из парней, которые были в баре с самого начала, встал и нетвердой походкой направился к импровизированной сцене. Его лицо выражало недоверие, смешанное со щенячьим обожанием. Я подвинулся вперед на краю табурета, но Делия сделала знак рукой, чтобы я остановился. Он полез в карман, вытащил несколько мятых купюр и бросил их на пол к ее ногам. Она прошептала «спасибо» одними губами, и парень вернулся на свое место, пятясь от нее задом. Вскоре его примеру последовали другие. Когда мы завершили вторую часть выступления, Фрэнк принес пустую галлоновую банку от пикулей и поставил ее у ног Делии. Купюры заполнили банку почти до половины.

Сценическое присутствие Делии было доведено до совершенства двумя десятилетиями жизни на дороге. Она устанавливала визуальный контакт, разговаривала со слушателями.

— Откуда вы родом?

— Вы давно женаты?.. Вот, в честь пятнадцатиле-
тия совместной жизни.

— Привет. У вас есть любимая песня?

— А, сегодня ваш день рождения. Поздравляю!

Супружеская пара с дочерью восьми или девяти
лет протолкалась в переполненный бар; маленькая
девочка гримасничала и что-то быстро говорила.

Делия указала на них.

— Эй, мама и папа! Она может спеть со мной? Не
возражаете? О'кей, иди сюда.

Девочка прошла вперед через толпу, которая
расступалась перед ней, как воды Красного моря.
Делия поставила высокую табуретку и подсадила
ребенка. Девочка уселась поудобнее, ее ножки болтались в воздухе. Делия опустилась на корточки и
спросила:

— Что будем петь?

Девочка что-то прошептала ей на ухо.

Я никогда не слышал более красивого исполнения
«Над радугой». Делия буквально кормила нас с рук.
Я был так же зачарован, как и остальные, и в конце
концов перестал играть, чтобы слушать. Она снова
выразительно посмотрела на меня, но я покачал головой. Потом они спели «Тарелку спагетти». Пока толпа аплодировала, девочка снова зашептала что-то на
ухо Делии, после чего они триумфально исполнили
«Ты мое солнышко».

Рэй Чарльз, Рой Орбисон и еще два десятка песен, — ее голос золотым дождем осыпал жаждущих
слушателей. Они утопали в нем. Когда она завела
«Высоко в Скалистых горах» Джона Денвера, все
дружно подхватили, сотрясая окна. Когда она дове-
ла их до слюнявого неистовства, то исполнила «Ты
перестал любить» и без подготовки перешла к «Рас-

кованной мелодии»[1]. На этом этапе каждый мужчина в баре хотел расцеловать Делию. Включая меня.

Делия допелась до того, что взмокла от пота, что побудило Фрэнка принести ей полотенце и поднять одну из гаражных дверей, позволяя нашему концерту выплеснуться на улицу. Делия вытерла лицо и руки и пошутила насчет того, что если остальные девушки запотевают, то она потеет. Наконец, почти через три часа, она уселась на табурет и сказала:

— Думаю, мы играли достаточно долго, и хотя вы все были очень добры ко мне, пожалуйста, — тут она отступила в сторону, — похлопайте лучшему гитаристу, которого я когда-либо слышала, а тем более пела вместе с ним, — Куперу О'Коннору.

Толпа, теперь составлявшая уже не менее ста пятидесяти человек, были не готова к окончанию представления. Топая ногами и стуча кружками по столам, они дружно требовали продолжения. Делия согласилась и исполнила «Не могу насытиться твоей любовью». Ей не хватало лишь дискотечного сверкающего шара и Барри Уайта[2] собственной персоной. «Теперь я видел все», — подумал я.

Пока я наблюдал за ее выступлением, меня посетила еще одна мысль. Я сыграл несколько нот, и Делия повернулась ко мне.

— Помнишь эту? — Я мимически изобразил гром и молнию. Делия повернулась к слушателям и объявила:

---

[1] Песни дуэта Righteous Brothers (Билла Медли и Бобби Хэтфилда), записывавшего свои композиции с 1962 по 1975 год.

[2] Барри Уайт (1944—2003) — певец и музыкант в стиле ритмэнд-блюз, пик популярности которого пришелся на 1970-е годы. Тираж его дисков превысил 100 млн, и он считается одним из самых продаваемых исполнителей.

— Прошло уже много времени с тех пор, как я исполняла эту песню. С тех пор, как я хотела это делать.

— Думаешь, ты сможешь вспомнить слова? — прошептал я.

Она снова встала, подняла микрофон и с улыбкой ответила:

— Думаешь, ты сможешь вспомнить аккорды?

Люди подхватили мелодию, а некоторые стали поднимать телефоны и снимать ее выступление на видео. Это было едва ли не самое большое веселье, которое я видел за последние двадцать лет. Когда Делия закончила на последней восходящей ноте, на ее шее выступила пульсирующая розовая жилка. Тогда я понял, что она вложилась до конца.

Когда она замолчала, ни один человек не остался сидеть на месте. Аплодисменты не стихали пять минут.

— Поскольку мы все стоим, давайте закончим старинной застольной песней, — сказала она. — Мой голос будет тостом, а ваши камеры засвидетельствуют это. Но мне понадобится помощь. Давайте мы все будем петь!

Человек, который написал это, провел много времени за решеткой. Он написал эти строки в трюме корабля рабовладельцев, когда наконец понял, в какой бардак он превратил свою жизнь. Мне нравится думать, что он написал эти слова, потому что нуждался в этом, и если сегодняшний день мне что-то напоминает, я тоже нуждаюсь в этом. Может быть, вы иногда чувствуете то же самое. — Она жестом попросила меня встать рядом с ней и поставила микрофон между нами. Потом она прикоснулась к шее, слегка покачала головой, наклонилась и прошептала:

— Помоги.

Думая о том, что Делия уже на исходе сил, я благоговейно смотрел, как она возглавила полупьяный хор из бородатых и татуированных сыновей шахтеров, водителей грузовиков, речных проводников, лыжников-любителей и любительниц молодых спортсменов во вдохновенном исполнении «Изумительной благодати»[1].

Где-то на середине второй строфы она взяла меня за руку и потянула к микрофону, словно спрашивая: «Почему ты не поешь?»

Мой отец был шести футов и пяти дюймов роста, с глубоким грудным голосом, и когда он пел, то каждый раз поднимал руки. Не важно, где он находился. Его не беспокоило, что могут подумать другие. И когда он делал это, все обращали внимание, потому что его голос и тело выделялись на общем фоне. Должно быть, мне было не больше четырех лет, когда я стоял рядом с ним и пел эту песню. Моя макушка доходила ему до середины бедра. Биг-Биг исполнил вступление на пианино, и когда отец проревел слово *Изу-мии-тельная*, то помню, как звук завибрировал и зарокотал у меня в груди, словно прибой на пляже. Испуганный и взволнованный, я обхватил его ногу и крепко держался, зная, что последует дальше. Помню пот, выступивший на его лице и стекавший по рукам.

Когда я открыл рот и выдавил несколько нот, Делия повернулась ко мне. Она отклонилась назад, пере-

---

[1] «Изумительная благодать» («Amazing Grace») — самый популярный христианский гимн, написанный поэтом и священником Джоном Ньютоном. Издан в 1779 году. В словах Делии есть доля истины: в ранней юности Ньютон служил на судне работорговцев, и его запирали в трюме с рабами за буйное поведение и даже хотели продать в рабство на плантации. Интересно, что первоначально стихи были посвящены его другу Куперу.

стала петь и только слушала. Слезинка, выкатившая-
ся из ее правого глаза, дала мне понять, что мои слова
глубоко проникли. Должно быть, остальные разделяли ее изумление, потому что я самостоятельно допел
половину третьей строфы. Только я и гитара.

Давненько я этого не делал.

Делия зааплодировала вместе с остальными и снова запела. Хор грянул вдвое громче предыдущего, и
теперь вечер обрел собственную мелодию.

Когда мы наконец достигли строфы: «Пройдут десятки тысяч лет, / Забудем смерти тень», все воз-
высили голос и подняли кружки, расплескивая пиво
и пену. Со своего наблюдательного пункта через открытую гаражную дверь я видел улицу и три квартала в сторону центра «Ривервью», который находился
по другую сторону моста. Огромный человек с высоко поднятыми руками расхаживал взад-вперед по
мосту, купаясь в желтом сиянии уличных фонарей.

Звук может переносить человека во времени.

Мы завершили вечер под общий свист, аплодисменты и просьбы о фотографиях и автографах.
Фрэнк, который явно обрел новую религию, объявил
выпивку за счет заведения, и «заведение» оценило
этот жест. Делия, только что поставившая подпись
на груди какого-то парня и сфотографировавшаяся с
шестью студентами, обняла меня и прошептала мне
на ухо:

— Кажется, они говорили, что ты больше никогда
не будешь петь?

Я убрал Эллу в футляр и кивнул ей.

— Да, они так говорили.

Она взяла меня под локоть.

— Я рада, что они ошибались.

Я не потрудился ответить ей, что они не ошибались.

Я был на двадцать лет моложе. Врач сидел на табурете из нержавеющей стали на колесиках возле кровати и глубоко вздохнул, прежде чем заговорить, — тихо, как будто тон голоса мог смягчить удар.

— Вы больше никогда не будете петь. — Он помедлил и покачал головой. — Возможно, даже говорить. — Он взглянул на мою забинтованную руку. — Не сможете играть на инструменте правой рукой. Наверное, вы останетесь глухим на правое ухо. А потом еще ваша печень...

Я никак не мог сфокусировать взгляд, и окончательность его приговора не помогала этому.

— Прогноз не...

Пока его губы шевелились, а фигуры в холле сновали туда-сюда, торопясь по обычным делам, я думал: «Он не может говорить такое обо мне. Мои песни звучат на радио. Я делаю звукозапись. Собираюсь жениться. У меня есть планы на жизнь».

Он закончил говорить, и наступило тяжелое молчание. До меня дошло, что он, в сущности, на самом деле говорил обо мне.

Мои губы распухли и потрескались.

— До каких пор? — прошептал я.

— Научитесь жить по-другому.

Хриплый шепот:

— Как заключенный в камере смертников.

Он наклонил голову набок.

— Кто-то может сказать и так.

— А как бы вы сказали... если бы лежали здесь?

Он не ответил.

Я посмотрел в окно на ослепительно голубой горизонт Нэшвилла.

— Сколько времени у меня есть?

Он пожал плечами:

— Трудно сказать...

Глава 8

Полночь быстро миновала, когда мы выехали из Буэна Висты на запад по шоссе 306, свернули на юг по шоссе 321 и двинулись вокруг национального парка Хот-Спрингс у горы Принстон, мимо меловых утесов и по гравийной дороге, ведущей к заброшенному шахтерскому городку Сент-Эльмо.

Сент-Эльмо расположен на высоте примерно двенадцати тысяч футов. Этот городишко процветал во времена серебряного бума. После принятия Серебряного акта[1] цена на серебро устремилась вниз, как и численность населения Сент-Эльмо. Все случилось во многом так же, как это произошло в Лидвилле. За две недели 90 процентов жителей собрали свои вещи, заколотили дома и выехали из города. Но когда кто-то добрался до основной рудной жилы в верхней шахте Мэри Мэрфи, народ вернулся, и Сент-Эльмо снова расцвел. Кто-то должен был обрабатывать руду, а ни одна шахта не была более продуктивной, чем Мэри Мэрфи. С учетом высоты, зимой город становился почти недоступным. Немногочисленные закаленные старожилы умудрялись перезимовать, но нужна была особая стойкость, чтобы пережить местную зиму.

И до сих пор нужна.

Делия во время поездки почти все время молчала; казалось, она наслаждается тишиной и лунным пейзажем. К тому времени, когда мы завершили

---

[1] Закон Шермана о госзакупке серебра 1890 года, ограничивший свободное обращение серебра в виде монет, привел к резкому падению цен на серебро.

длинный поворот и миновали спуск к ревущему водопаду Чок-Крик, она свернулась на сиденье боком и задремала. Я изо всех старался объезжать ухабы и не смотреть на нее. С ухабами мне удавалось неплохо справляться.

Пергидроль оставался для меня загадкой. Когда-то у нее были прекрасные, шелковистые темные волосы. А теперь кожа на ее руках потрескалась, а ногти были обкусаны до мяса. Под рокот двигателя и шорох покрышек я различал ее тихое сопение.

Мы поднялись между рядами ясеней к Сент-Эльмо и повернули на грунтовую дорогу 295, которая вела к шахте Мэри Мэрфи и дальше. Здесь дорога начинает круто подниматься, поэтому я остановился, переключился на четвертую пониженную передачу и сбавил обороты.

Она проснулась, вытерла слюну в уголке рта и застегнула ремень безопасности.

— Ты здесь живешь?

— Недалеко отсюда. — Я переключился на вторую передачу. — Это было одно из любимых мест моей матери. Отец смеялся и говорил мне, что Бог сотворил меня здесь, под ясенями. У меня ушло несколько лет, чтобы понять, о чем он говорил. Они находились в процессе строительства домика, когда она заболела. Весной мы с отцом похоронили ее и приехали сюда, когда мне было пять лет. С каждым годом лето затягивалось дольше, и мы оставались здесь до тех пор, пока снег не выгонял нас отсюда. Когда я... когда я уехал из Нэшвилла, то отправился на запад. Провел несколько лет, глядя на Тихий океан, пока мое тело выздоравливало. Когда немного поправился физически, то стал заниматься мелкой работой. Всем, что могло отвлечь, что могло занять руки и ум на несколько недель. Потом я столкнулся кое с чем, что напомнило о прошлом, и снова отправился в путь. — Еще одна пауза. — Еще несколько шишек, и оказалось, что я хожу кругами вокруг единственного дома, который когда-либо знал. С тех пор я здесь.

Она накрыла ладонью мою руку и попыталась заговорить, но слов было слишком много, и она слишком устала. Делия выглядела не так, как будто ей нужно было хорошенько выспаться и проснуться отдохнувшей. Она выглядела так, как будто ей нужно было проспать шесть недель, проснуться, поесть, а потом поспать еще шесть или восемь недель.

Через милю мы сравнялись с линией гор, а затем пересекли ручей под хижиной. Мамины ясени росли по обе стороны от дороги. В кронах играл легкий ветер, заставляя листья тихо шелестеть, оставляя белые и зеленые проблески в свете фар.

— Слышишь? — спросил я. — Отец в шутку говорил, что это единственные аплодисменты, в которых он нуждается.

Когда она увидела хижину, выраставшую на склоне холма, то указала на нее:

— Твой отец это построил?

— Он начал, когда еще ходил на свидания с моей матерью. После ее смерти мы закончили постройку. — Я улыбнулся. — Все удобства в наличии. Электричество, горячая и холодная проточная вода. И мобильная связь нормально работает, если стоять в нужном месте на крыльце.

Мы поднялись по ступеням крыльца, где она остановилась в ожидании, что я отопру дверь. Но мои руки были заняты.

— Входи, не заперто, — произнес я, едва удерживая четыре пакета с продуктами.

Я отнес продукты на кухню, зажег огонь, чтобы стало теплее, а потом нашел ее на заднем крыльце, созерцающую мир. Была ясная ночь, и луна высоко стояла в небе. Я протянул руку и указал пальцем:

— Вон тот пик находится в двухстах милях от нас. Отец стоял на том же месте в такие же ночи и говорил: «Здесь Божий покров особенно тонкий».

— Он был прав, — прошептала Делия.

Она прислонилась ко мне и взяла меня за руку, слишком усталая для разговора. Я отвел ее в свободную спальню, где приоткрыл окно, а она сняла сапоги и легла. Я накрыл ее одеялом, выключил свет и встал у двери.

— Могу я спросить тебя кое о чем?

— О чем угодно.

— Почему ты сегодня вечером не спела ни одной своей песни?

— Когда я работала над своим третьим альбомом, Сэм решил, что мне нужно стать более резкой. Более... — она подняла пальцы и обозначила кавычки в воздухе, — более *современной*. Прошло несколько лет, и я стояла на сцене где-то в Калифорнии или, может быть, в Вашингтоне и вдруг осознала, что слушатели в зале не знают песен. Не знают слов. Не подпевают. И, учитывая огромное количество прожекторов, лазеров, грима и сценических хлопушек, я не могла их винить. В этих песнях не было ничего хорошего. Просто барахло. К чему и было беспокоиться? Я определенно не беспокоилась, и они это понимали по тому, как я пела. Но мне нужно было зарабатывать на жизнь, поэтому я стала исполнять вещи, которые они знали. Кавер-версии. Песни, которые нравились публике. — Короткая пауза. — Этого хватало на оплату счетов... какое-то время.

— Кстати, о Сэме: как он поживает?

Она опустила глаза.

— Мы долго не разговаривали. Когда я позвонила ему, он позвал меня назад, но... Не думаю, что он простил себя за то, что стрелял в тебя. Если бы он знал, что это ты, то никогда бы не нажал на спусковой крючок. Он думал, что это просто двое парней...

Я оставил эту историю без комментариев. Решил, что сейчас не время корректировать ее взгляд на события.

— Что между вами произошло?

Я слышал замешательство в ее голосе.

— Я смотрела на Сэма как на взрослого дядю. Он смотрел на меня, как на... в общем, я была молода. Мне понадобилось время, что понять, что мужчина на тридцать лет старше меня может хотеть от меня чего-то более интимного. — Она пожала плечами. — Через несколько месяцев после твоего отъезда он пришел ко мне в некотором волнении и заявил, что собрал коллекцию действительно великих песен и теперь хочет сделать дополнительную запись вслед за успешным альбомом, который мы с тобой сделали. Так мы и поступили. И он был прав, это была превосходная коллекция баллад. Прямо в яблочко. Два платиновых альбома, пять первых мест в списках хитов. Мы оседлали волну. На первый взгляд все шло замечательно.

Потом он развелся с Бернадеттой. Когда я вернулась домой после турне, меня ждал ужин при свечах, он сидел в рубашке, расстегнутой до середины груди, и это выглядело как романтическое свидание. Он положил руку на мое бедро, но я оттолкнула его и сказала, что отношусь к нему совсем по-другому.

Я съехала с квартиры, которую он снимал для меня, и отдала ему ключи. Чувствовала, что это лучше для наших отношений. Мне надо было оставаться на профессиональном уровне. Он повел себя очень хорошо... сказал, что его устроит любой вариант, лишь бы я была счастлива.

Она села на кровати и подтянула ноги к груди, обхватив себя за колени.

— Потом я пришла в студию для записи четвертого альбома. Его помощник вел мой «Мерседес», и песни, которые я должна была записать, были не похожи ни на что из того, что я делала в прошлом. Они были безжизненными. Поверхностными. Попсовые карамельки. Когда я связалась с Сэмом, он сказал, что современный список доступных песен весьма ограничен. Такое случается в бизнесе. Жизнь в Нэшвилле — это производное от того, кто пишет лучшие песни. Это было лучшее, что он мог предложить. — Она взглянула на меня. — Потом он нашел новую девушку, и она сделала запись, где некоторые песни были больше похожи на мои, чем на ее. Потом появились еще две девушки, точно такие же, как она. Несколько песен имели реальный успех.

Траектория карьеры Делии к этому времени резко пошла вниз, поэтому я продолжил расспросы:

— Что случилось с твоим четвертым альбомом?

Она прислонила голову к изголовью кровати.

— Индустрия изменилась. Около года я проболела. Какая-то зараза в горле плюс непреодолимая усталость. Мне делали инъекции в голосовые связки, чтобы я могла хотя бы выполнять свои обязательства. Это не помогало. Мне хотелось только спать, как будто я страшно устала. Я могла только открывать рот, но звуки были безжизненными.

Я долго хотел узнать, что произошло после того, как я уехал из Нэшвилла. Теперь я знал. Двадцать лет она ходила по земле, принимая Сэма за доброжелательного дядюшку, не держа никакой обиды и попросту веря в то, что она была талантливой певицей, которой не повезло с записями. Сэм был хорошим парнем, который «по ошибке» стрелял в меня и чувствовал себя виноватым. Именно поэтому он замял это дело. Так и не выдвинул обвинения в преступлении, которое, как он утверждал, было совершено. Более того, он защищал Делию и ее карьеру, — по крайней мере, она так думала.

Это был один из возможных сценариев, который не приходил мне в голову.

Она моргнула. Из уголка ее глаза выкатилась слезинка и поползла по носу. Она еще ближе подтянула ноги к груди.

— Я высматривала тебя в толпе, — прошептала она.

Я открыл окно, задернул занавески и положил к ее ногам еще одно одеяло.

— Здешние горы поют нежные песни. Они убаюкают тебя.

Она заснула, прежде чем я закрыл дверь.

Я добавил в камин дров, а потом взял полотенце. Потом я пошел к ручью, разделся при свете луны, забрел в воду по уши и отмокал до тех пор, пока ледяная вода не стала казаться теплой.

С учетом снеготаяния, температура воды в ручьях и речушках вокруг Буэна Висты зимой остается немного ниже пяти градусов по Цельсию. Добавьте к этому силу течения, которое омывает вашу кожу с постоянной скоростью, и вы получите нечто вроде упаковки тела в сухой лед. Здесь, на заднем склоне горы Антеро и горы Принстон, где сходятся горы Боулдер, Мамма, Гризли, Циклон и Уайт, образовался странный феномен. Это глубокая каменная чаша с высокими стенами, которую мой отец любовно называл «Божьим тазиком для бритья».

Независимо от августовской жары, в этой чаше каждый год лежит снег, и так было всегда на людской памяти. Есть вероятность, что там до сих пор лежит снег, выпавший пятьдесят лет назад. Как бы то ни было, талая вода из «Божьего тазика для бритья» течет в озеро Болдуин и озеро Померуа. Чтобы попасть туда, она пробивает природную скважину в горной породе, образуя водопад высотой в десять футов, и наполняет второй каменный бассейн как раз над нашей хижиной. Отец называл его «Божьей тарелкой каши». Думаю, он был голоден, когда придумал такое название. Оттуда вытекает ручей, образующий серный душ, под которым трудно стоять, принимая во внимание холод и давление воды. Чувствуешь, как будто тысячи игл вонзаются под кожу. «Божья тарелка каши» имеет размеры среднего плавательного бассейна и полна нежнейшей шестидюймовой форели, которая мечется вокруг каменных выступов и, насколько мне известно, не встречается больше нигде в мире. Ледяная вода переполняет чашу и начинает головокружительный спуск в долину, где в конце концов тонкой струйкой впадает в реку Арканзас.

Для меня было ценным то обстоятельство, что «Божий тазик» создавал равномерный поток воды, которая была в формальном смысле холоднее льда и находилась лишь в ста футах от моей задней двери, независимо от того, насколько жарким был летний воздух.

Первые тридцать-шестьдесят секунд были наиболее болезненными. После этого я практически ничего не чувствовал. По правде говоря, через пять-шесть минут разум начал подсказывать мне, что я согрелся.

Глава 9

В первый день она крепко спала. Даже не переворачивалась с боку на бок. На второй день я проверил, нет ли у нее лихорадки, откинул с лица рассыпавшиеся волосы и сел рядом на кровати, вдыхая ее аромат. Я оставался там целый час, может быть, два часа. Я много думал о том, что она знала, о том, чего она не знала, и о том, будет ли хоть какая-то польза от правды.

На третий день я приподнял ее голову, накормил куриным бульоном и заставил съесть тост с арахисовым маслом. Когда она закончила, то откинулась на подушку, закрыла глаза и выпростала руку из-под одеяла. Она потянулась ко мне: я взял ее руку в ладони и держал, пока она не уснула. Ее рука была огрубевшей, и если по ней можно было прочитать какую-то историю, то это была не история нежности.

Когда она проснулась на четвертое утро, я услышал, как она разговаривает по моему стационарному телефону. Я не мог разобрать слова, но ее тон был извиняющимся, как будто собеседник на другом конце линии был недоволен. Она повесила трубку и тут же позвонила еще раз. Судя по голосу, она хотела получить какую-то информацию. Когда она появилась несколько минут спустя, я так и не пришел к определенному решению. Правда о нашей жизни могла лишь открыть ящик Пандоры, и я задавался вопросом, не будет ли так еще больнее. Она и без того много страдала.

Ее глаза были затуманены после долгого сна, она надела один из моих флисовых пуловеров от «Меланзаны». Она налила себе кофе и нашла меня на крыльце с Джимми на коленях. Не знаю, как долго она простояла там, когда я увидел ее у дверного косяка.

В долинах под нами проплывали облака. В ста милях к западу темный облачный фронт угрожал первым в этом году снегом. Когда она заговорила, ее голос был мягким, но не безмятежным. Беспокойство вернулось вместе с защитной оболочкой. Она как будто оправдывалась передо мной.

— Слушай, я... я просто поговорила с ребятами из Билокси. Они теряют терпение. Предполагалось, что я приеду туда позавчера. Они сказали, что по Интернету гуляет видео, где я пою в баре. Масса просмотров, и люди уже звонят, чтобы узнать насчет меня. Музыкальные площадки начинают продавать билеты. Это может быть неплохой шанс.

Пока она говорила, я рассматривал ее. Он сняла бандажную повязку. Ее рука была еще припухшей, но синяк стал уже темно-лиловым. Между тем круги под глазами исчезли, и в них снова теплился свет.

— Мне очень жаль... Я узнала расписание автобусов. Могу я попросить тебя, чтобы ты подбросил меня до автобусной станции?

Мое сердце испытало чувство, которое оно не испытывало уже очень долгое время. Пожалуй, самым близким словом для его описания было «боль». Я отложил Джимми и надел ботинки.

— Разумеется.

Она смотрела на Джимми, сдвинув брови. Когда она прикоснулась кончиком мизинца к дырке от пули, я снова увидел, как вопрос вертится у нее на языке. Должно быть, она передумала, потому что сказала лишь:

— Я быстро приму душ.

Когда она вернулась из душа с влажными волосами и благоухая мылом, я положил в карман ключи от джипа.

— Готова?

На ней была ее одежда и полупустой рюкзак.

— Да.

Мысль о том, что она приедет в Миссисипи без инструмента, не давала мне покоя.

— У тебя есть еще три минуты? Хочу тебе кое-что показать.

На ее лице появилось умоляющее выражение, которое я не знал как истолковать.

— Да, конечно.

Рядом с кухней находилась тяжелая деревянная дверь с тремя замками. Я отпер все три, включил свет и распахнул дверь.

— Когда мы с тобой познакомились, я не мог оторвать руки от твоей гитары. — Я рассмеялся. — С тех пор не так уж много изменилось.

Она вошла в комнату, словно в больничную палату; движения ее челюсти и бровей находилось в противофазе. Она начала считать, поводя пальцем вверх-вниз от одной стойки к другой.

— У тебя шестьдесят четыре гитары? — спросила она, когда закончила.

Количество удивило меня самого. Это звучало впечатляюще.

— Даже сам не знаю, как так получилось...

Она огляделась по сторонам и пробормотала себе под нос:

— У тебя их так много, что ты сбился со счета.

Я обшил комнату панелями из западного красного кедра и установил осушитель воздуха. Он автоматически включался, если влажность превышала 50 процентов, но с учетом аридного климата это случалось не часто.

Делия двинулась по комнате, прикасаясь к каждой гитаре. Тут были «Мартины», «Макферсоны», «Гибсоны», несколько «Коллингзов», «Тейлоров» и другие. Она выглядела искренне потрясенной.

— Это прекраснейшая коллекция, какую мне приходилось видеть. Ты настоящий гитарный скопидом.

— Меня называли по-разному, но это новое прозвище. — Я отошел в сторону, пока она продолжала расхаживать между рядами. Гитары висели на стойках одна над другой, как одежда в прачечной.

— Если я играю слитно, ничто не сравнится с «Макферсоном». Знаешь, как говорят: ты можешь взять аккорд, сходить на ланч, а когда вернешься, гитара еще будет звенеть. Гармоническое совершенство. Но иногда мне нужно, чтобы нота затихала, а не продолжала звучать, так что если я пощипываю струны или играю перебором, ответ зависит от того, какой сегодня день недели. — Я пожал плечами. — Трудно превзойти D-28 или D-35.

Она повернулась ко мне:

— Я ужасно рада за тебя.

Я махнул рукой в сторону гитар:

— Выбери одну.

— Что?

— Любую, какую захочешь.

Она отступила назад.

— Пег, я не могу.

Она впервые назвала меня Пегом. Это прозвище естественно и бездумно слетело с ее языка. За один удар сердца мы стали на двадцать лет моложе. Мой голос остановил ее отступление.

— На чем ты будешь играть, когда попадешь туда, куда собираешься?

Она отмахнулась, но я понимал, что эта мысль ее беспокоит.

— Спасибо, но у меня есть какие-то деньги. Я что-нибудь подберу.

— Ты не очень хорошая лгунья.

Она прошла между рядами, прикасаясь к колкам.

— Они говорят, что я смогу что-нибудь позаимствовать у них.

Значит, она уже договорилась с людьми из Билокси. Это доказывало мои подозрения; она беспокоилась из-за инструмента. Я выбрал «Макферсон» и протянул ей:

— Это Роза. Ее голос подходит к твоему. — Я положил инструмент ей на руки. — Пожалуйста.

— У нее есть имя?

— У всех моих гитар есть имена.

— Но, Купер...

— Пожалуйста, — повторил я. — Ради старых времен.

Она повернула гитару в руках.

— Я не могу себе позволить...

— Это подарок. Тебе не нужно платить.

Осторожно, чтобы не повредить руку, она исполнила несколько аккордов, потом снова повернула гитару и сказала:

— Она прекрасна. — Подойдя ближе, она поцеловала меня в щеку. — Спасибо тебе. — Она поцеловала меня еще раз, на этот раз ближе к уголку рта. — В самом деле, я не знаю, что...

Я снял с полки жесткий футляр и положил туда гитару, добавив несколько наборов легких струн и дюжину медиаторов, и направился к джипу. Она тихо пошла за мной.

Спускаясь по склону, она грызла ноготь и старалась не смотреть на меня. Но у нее не слишком хорошо получалось.

Автобусная станция Буэна Виста — не более чем место на тротуаре, где останавливается автобус по пути из Лидвилля в Салиду. Вы покупаете билет на почте, а когда видите автобус, то машете рукой. Это старомодный, но эффективный способ.

Я купил ей билет до Миссисипи, несмотря на протесты. Потом я отвез ее в кофейню, где заказал для нее «Хопи бэджер», а потом мы прогулялись по тротуару и стали ждать автобус. Пока ее губы были покрыты молочной пенкой, я достал бумажник и протянул ей деньги, которые у меня были с собой. Несколько сотен долларов. Вместе с тем, что она собрала на улице и когда пела в «Канате», это составляло около тысячи. Вероятно, больше, чем у нее водилось уже долгое время.

Она пыталась возражать, пыталась выглядеть строгой и суровой:

— Нет, Купер. Я не могу.

Я снова протянул сложенные купюры:

— Я заработал эти деньги на твоем голосе.

Она посмотрела на доллары.

— Мой голос уже давно никому не приносил денег.

Я засунул деньги в карман ее куртки. Она стояла со скрещенными на груди руками, высматривая транспорт, идущий на юг. Какое-то время мы оба молчали.

— Я хорошо повеселилась вчера, — наконец сказала она. — Или когда это там было, когда мы играли. Кажется, будто вчера.

— Я тоже.

Она посмотрела на горы.

— Я уже долго не чувствовала себя такой отдохнувшей.

Мой взгляд остановился на вершинах хребта Колледжиэйтс. Потом я посмотрел на часы, оставалось еще несколько минут.

— Горы имеют такое свойство.

Я много раз репетировал эту речь. Теперь, когда представился случай, я не мог подобрать вступление. Я хотел, чтобы Делия знала правду. Хотел исправить нашу историю. Но мне нужно было остановиться в шаге от полной правды. Ложная надежда еще хуже, чем ложная история.

Мой голос упал до хриплого шепота.

— Помнишь, когда мы только познакомились, я рассказал тебе, как моя мама подарила отцу гитару после того, как они поженились?

— Да.

— Я рассказал тебе, как вырос, играя на этой гитаре, а когда я уехал, то украл ее у отца.

Она кивнула.

— А помнишь, когда я приехал в Нэшвилл, то кто-то украл ее у меня?

Еще один кивок.

— Ты помнишь имя этой гитары?

Она порылась в памяти.

— Фрэнки? Арчи? Что-то с «и» на конце.

— Джимми.

— Точно.

— Сегодня утром ты видела, как я играл на D-28 с дырочкой под резонаторным отверстием. Ты еще сунула туда мизинец.

Она кивнула.

— Это Джимми.

Делия замешкалась. Кусочков головоломки было слишком много, а мы не приблизились к цели.

— Где дырочка?.. — Она замолчала.

— После пожара Сэм рассказывал две истории, помнишь?

Она едва заметно кивнула, вероятно, недоумевая, зачем нужно бередить старую рану.

— Что, если ни одна из них не была правдой?

— Это трудно доказать.

— Но что, если так?

Ответа не последовало.

— Что, если существует третья история? Правдивая.

— Тогда возникает простой вопрос, почему ты не любил меня так, чтобы сказать мне. Чтобы бороться за меня.

Я уже собирался открыть рот, когда за моим плечом появился автобус, и пронзительное шипение пневматических тормозов оборвало ниточку надежды, протянувшуюся в воздухе между нами. Иногда поднять вопрос о возможности существования правды бывает лучше, чем сказать правду. К тому же мое время истекло.

— Что, если я любил тебя недостаточно сильно, чтобы сказать тебе?

Автобус остановился, и дверь открылась. Водитель ждал.

Делия надела рюкзак на плечо и подняла «Макферсон». Тяжесть прошлого снова легла ей на плечи.

— Ты когда-нибудь думаешь о «Раймане»?[1]

Я поцеловал ее в щеку.

— Только когда я дышу.

Она задержала мою руку.

— Ты когда-нибудь думаешь о том, что могло быть? О нас?

— Больше, чем о «Раймане».

— Думаешь, у нас еще есть шанс?

— Думаю, до сих пор твоя жизнь была прелюдией. Лучшее еще ждет тебя впереди.

— Я уже давно перестала верить в себя.

— А я не перестал.

Она снова поцеловала меня, прижавшись к моим губам. Ее губы были теплыми, мягкими, влажными, призывными и дрожащими. Она отпрянула, чтобы посмотреть на меня, потом снова поцеловала, на этот раз держа мое лицо в ладонях. Наконец она повернулась к автобусу.

— Хочешь поехать? — спросила она. — Можешь остаться на неделю-другую. Считай это отпуском. Или можешь остаться навсегда.

Каждая унция моего тела хотела подняться в этот автобус. Заключить ее в объятия и не оглядываться назад.

---

[1] Имеется в виду исторический музыкальный зал «Райман» почти на 2500 мест в Нэшвилле, штат Теннесси.

Она заплакала. Чтобы она не смущалась в автобусе своих припухших от слез глаз, я вручил ей темные очки.

— Позвони мне, когда устроишься. Дай знать, как твои дела.

Она вздрогнула и обхватила себя за плечи. Потом собралась с духом и поднялась в салон. Когда водитель открыл багажное отделение внизу, я отдал ему билет и сунул в багаж ее рюкзак вместе с гитарой. При этом я раскрыл боковую молнию и положил внутрь три блокнота. Мои лучшие вещи. Каждая написана с мыслью о ней, о ее голосе. По правде говоря, все песни, написанные мною за последние двадцать лет, я писал с мыслями о ней.

Водитель поднялся в кабину, дверь закрылась, и я остался на тротуаре, когда автобус отъехал. Вид ее уменьшавшегося лица, смотревшего через стекло, был еще одним источником боли. Эта боль была томительной. Но другая боль была горькой: прошло двадцать лет, а я так и не сказал ей правду.

Как бы мне ни хотелось побежать вслед за автобусом, колотить в дверь, кричать водителю, чтобы он остановился, я не мог заставить себя сказать ей те слова, которые она хотела услышать.

Я до сих пор слишком любил ее.

Глава 10

Я доехал до дома. Медленно и тихо. Я собирался открыть окна и двери, но остатки аромата Делии и «Коко Шанель» до сих пор витали в воздухе, так что я не стал ничего открывать и просто прошелся по комнатам, глубоко дыша. Мне не хотелось есть. Наконец я вошел в ее комнату, сел рядом с ее кроватью, откинул голову и закрыл глаза.

Эпизоды, пережитые мною за последние двадцать лет, стали возвращаться чаще, почти без предупреждения, и продолжались дольше. Сидя у кровати, я почувствовал приближение еще одного. Я быстро направился к ручью, снял рубашку и вошел в воду. С годами я обзавелся привычкой не снимать штаны, поскольку если дела обернутся плохо, то кто-нибудь выловит мое тело из воды за брючный ремень.

Дальнейшее происходит волнами. Сначала приходит холод. От него буквально перехватывает дыхание. Потом приходит боль, и мозг не знает, как интерпретировать ее, потому что он получает сигналы «вытащи меня отсюда» от каждого дюйма тела. Я стараюсь не обращать на это внимания. Третья стадия — нечто вроде вялого паралича, сопровождаемого странным ощущением колючего тепла. Через две-три минуты боль проходит, и вы больше не чувствуете тепло или холод. Вы просто оказываетесь в помещении с темными стенами и светом впереди. Когда стены начинают смыкаться, пора либо выбираться из воды, либо двигаться к свету.

Я услышал, а может быть, почувствовал, как кто-то подошел к каменному бассейну, а потом меня накрыла тень. Огромная рука ухватилась за мой ремень и вытащила меня из воды, как стрела подъемного крана, а потом аккуратно опустила на берег. Я открыл глаза, откашливаясь и отплевываясь, попытался вернуть подвижность окоченевшим конечностям и увидел Биг-Бига, смотревшего на меня сверху вниз.

— Я сказал твоему отцу, что буду присматривать за тобой, но это становится все труднее.

Я принял позу зародыша и спросил, стуча зубами:

— Как ты сюда попал?

— Я стар. Но еще не умер. — Он протянул мне полотенце.

Он натаскал дров для костра, начиная с растопки, потом сломал несколько крупных веток через колено и сложил пирамиду. Потом он зажег сосновые иглы, опустился на колени и тихо подул на пламя. Когда оно занялось, он постепенно стал кормить его новыми веточками. Через несколько минут костер трещал и ревел. Я потихоньку подвинулся ближе.

— Собираешься вот так сидеть здесь? — Судя по тону, он был не слишком рад. — Скорбеть о ее уходе?

Я не ответил.

— Если она оказалась избитой и без денег в твоем городе, на твоем перекрестке, перед твоим джипом, то ты считаешь это огромной вселенской ошибкой?

Я снова промолчал. Он покачал головой.

— Твой отец бы погнался за этой девушкой. Помчался на всех парах.

— Мой отец умер. А я скоро последую за ним.

Он сплюнул.

— Вопрос не в том, будешь ты жить или умрешь. И ты точно не знаешь насчет отца. — Биг-Биг несколько оживился. — Эта девушка заслуживает правды. Она должна знать, что все это не имело никакого отношения к ней. Что причина заключалась в другом.

Я покачал головой:

— Я не могу просить ее, чтобы она полюбила умирающего мужчину.

— Ты умирал с тех пор, как вернулся на эту гору двадцать лет назад. Хочешь потерять еще двадцать лет? Ты живешь, как отшельник, в этих холмах. Любовь создана для того, чтобы ее отдавать. Почему ты держишься за свою любовь?

— Правда обо мне лишь причинит ей боль.

— Раньше я думал то же самое. Думал, что если буду держать это при себе, то смогу защитить тебя. Но правда... — Он покачал головой и снова сплюнул. — Правда — это единственная вещь, которая не причиняет боли. Правда — это огромная рука. Она одновременно освобождает и крепко нас держит.

— Ты сам это придумал?

— Нет, это твой отец. — Он сцепил руки, подыскивая слова. — Мне нужно тебе кое-что сказать.

Его тон изменился. Я ждал, пока в теле закипала боль. Он со свистом втянул воздух сквозь зубы.

— Твой отец умер в этой воде. Он утонул прямо здесь.

Я выпрямился. Это была совсем другая история.

— Кажется, ты говорил, что он умер дома от сердечного приступа.

Он кивнул:

— Да, его сердце остановилось, но другое дело, почему это произошло.

— Хорошо... почему оно остановилось?

Биг-Биг уставился на меня.

— Осложнения.

— От чего?

Взгляд Биг-Бига метнулся вправо, потом влево и остановился, пронзая меня насквозь.

— Просто оно было разбито.

Судя по его виду, он хотел сказать что-то еще, но решил не продолжать. Вместо этого он достал из кармана жилета видавшее виды письмо и осторожно положил его рядом со мной. Когда-то я держал его жирными пальцами. В другой раз я пролил на него кофе. Однажды я разорвал листки пополам. Теперь они были склеены скотчем. Почти каждый раз на них оставались мои слезы.

— Твоя очередь, — сказал Биг-Биг.

Мой отец написал это письмо ночью после моего отъезда. Биг-Биг нашел его лежавшим на столе после его смерти, как будто отец хотел, чтобы письмо нашли. Это я знал и раньше. После моего возвращения Биг-Биг отдал мне письмо, и я долго относился к этим листкам, как к сокровищу, запоминал все, что на них написано. Последние слова моего отца. Через несколько лет Биг-Биг попросил перечитать письмо. Я видел, как сгорбились его плечи, когда он держал листки. Видел безжизненное выражение его глаз. Так мы стали по очереди держать это письмо при себе и передавали его друг другу примерно через год. Со временем нежность улетучилась, и, наверное, однажды я взбесился. Отсюда и клейкая лента. Теперь мне не нужно было читать письмо, я и так знал все слова наизусть. Я перечитывал его столько раз, что мог процитировать хоть задом наперед. И хотя оно отвечало на большинство вопросов, возникающих в моем сердце, но не отвечало на один, который еще оставался в моей голове.

Биг-Биг повернулся и мягко положил руку мне на плечо. Он тепло прошептал:

— Купер?

Я знал, что он собирается сказать. Он уже говорил это раньше. Я накрыл ладонью его руку.

— Ты не можешь сказать мертвому человеку, что тебе жаль.

Я развернул письмо и в тысячный раз окунулся в звуки отцовского голоса.

«Дорогой сын,

сегодня вечером ты покинул нас. Уехал от Водопада. Я стоял и смотрел, как красные задние фонари автомобиля становятся все меньше и меньше. Теперь я сижу здесь и гадаю, следовало ли мне отпускать тебя. Спрашиваю себя, следовало ли мне все делать так, как я делал. Возможно, я ошибался. Не знаю. Я знаю, что мое сердце болит, и полагаю, что тебе тоже больно...»

Рукописное письмо на трех страницах. Я знал его наизусть. Вода для страждущего в пустыне.

Отец пять раз подписал письмо: два раза синими чернилами и три раза черными. Дату наверху соскребали пять раз и вписывали новую. Все это происходило в очередную годовщину моего отъезда. Это означало, что отец каждый год доставал письмо, перечитывал его, потом изменял дату и ставил новую подпись.

Может быть, мысль об этом была наибольшим утешением для меня.

Я сложил письмо и убрал в конверт. Спустя двадцать пять лет эхо слов моего отца все еще продолжало звучать. Эхо его последних слов, обращенных ко мне. И когда они утвердились в центре моего существа и я снова осознал, что слова, которые мне так долго хотелось сказать, слова, с которыми я вернулся домой, никогда не будут произнесены, но останутся в горьком безмолвии, где они будут резать мою душу, как осколки витражного стекла, то я расплакался, как ребенок.

Часть 2

Глава 11

Когда я подрастал, отец практически не говорил о моей маме. Дело не в том, что он не хотел этого делать. Думаю, ему просто было слишком больно. Он рассказал мне, что они познакомились в баре, где он играл, а она обслуживала столики. Через несколько недель она перестала подавать ему пиво, потому что влюбилась в его голос, и говорила, что он слишком чистый для того, чтобы отравлять его большим количеством алкоголя.

Она не знала, что он заказывал пиво лишь ради того, чтобы она подошла к нему. Дело в том, что он не любил вкус пива, поэтому когда она отходила в сторону, он выливал кружку в щель между досками пола. Отец сказал, что обрадовался ее мнению, потому что он предпочитал кофе, а во время выступлений ему наливали бесплатно, так что он мог чаще видеть свою возлюбленную.

Однажды вечером она поставила кофейник на стол и спросила:

— Почему ты не пригласишь меня погулять? Никто на свете не может пить столько кофе.

Он говорил, что эти ее слова тоже были очень кстати, поскольку ему приходилось каждые пять минут бегать в туалет.

Еще он рассказывал, что когда мама была беременна мною, он пел по ночам для ее живота. Прижимался губами к ее коже. Он пел «Иисус любит меня» или любой из старых гимнов. Я бы солгал, если бы сказал, что помню это, но у меня есть смутное осознание, что я слышал пение до того, как услышал человеческую речь. Думаю, поэтому я запел раньше, чем заговорил. Я носил в себе мелодию еще до того, как впервые произнес слова «мама» или «папа». Когда я все-таки заговорил, то, к восторгу моего отца, моим первым словом было «Джимми».

Джимми был свадебным подарком отцу от моей матери. На эту покупку она портратила все чаевые, сэкономленные за год. «Мартин D-28». Если вы играете на гитаре, то не нуждаетесь в объяснении. Если нет, это просто. D-28 — это гитара, по которой судят обо всех остальных гитарах, и точка. Независимо от того, знаете ли вы это или нет, но когда вы думаете о *гитаре*, то думаете о D-28. Принимая во внимание историю и родословную, Джимми всегда был самым ценным предметом в нашем доме.

В результате я вырос в доме, где музыка и пение были такими же естественными, как дыхание. Попросить меня представить жизнь без музыки было все равно, что попросить рыбу представить жизнь без воды. Когда мне еще не исполнилось одного года, отец усаживал меня на колени и учил координации. Детская еда в одной руке, медиатор в другой. Нет, я не помню этого, и, конечно, я не понимал сути этих действий, но мой мозг как-то реагировал на это. Как пение у маминого живота, эти уроки сформировали в моем мозге канал, через который я начал воспринимать и осмысливать мир, окружающую обстановку и свои чувства посредством музыки. Отец говорил, что я стал брать аккорды на укулеле[1] еще до того, как научился ходить. У меня сохранилось мало воспоминаний о маме, и я не могу видеть ее лицо, кроме как на фотографиях, но иногда я слышу ее пение. Отец говорил, что он просто таял от ее голоса и что ближайшим его подобием, которое ему приходилось слышать, был мой голос в раннем детстве.

Наша хижина расположена на высоте около тринадцати тысяч футов, на склоне горы недалеко от вершины. Иногда бывает трудно добраться сюда или выбраться отсюда. Немногие люди бывали на такой высоте. Даже шахтеры, раньше добывавшие поблизости серебряную руду, не думали, что здешняя земля стоит того, чтобы с ней возиться. Поскольку она оказалась никому не нужна, моим родителям удалось купить ее.

До недавних пор это мало что значило. Хотя земля действительно не имеет большой ценности, этого нельзя сказать про права на воду. А она здесь в изобилии. Вода может показаться не таким уж важным капиталом, но в Колорадо люди убивают друг друга ради возможности пользоваться сю. С учетом того, что мы владели горой, включая вершину и любой ручей или источник внутри ее, никто, кроме нас, не имел прав на эту воду.

Моя мама полюбила моего отца в том числе и из-за его профессии. Он был странствующим проповедником. Он немного занимался горными изысканиями, когда мы были дома, но его настоящей работой были проповеди. Его ривайвелистские[2] выступления были популярны в Колорадо и окрестностях, поэтому мы

---

[1] Гавайская гитара.

[2] Ривайвелизм — протестантское движение, возникшее в XVII веке и опиравшееся на чувственный опыт прямого общения с Богом, экзальтацию и проповедь второго пришествия Христа.

много путешествовали. Дело не в том, что он не верил в церкви, построенные из кирпича и известки, но он чувствовал себя как дома в храме, который не имел стен. Его стиль общения с прихожанами привлекал людей из самых разных слоев общества, включая многих, кто чувствовал себя неуютно под сводами церкви. Татуированные байкеры сидели рядом с немытыми хиппи, мужчинами в ковбойских шляпах, распевающими гимны, и женщинами в платьях до лодыжек и волосами, собранными в пышный узел с начесом. Я вырос среди этого, и тогда все это казалось мне нормальным. Теперь я думаю, что, должно быть, это больше походило на передвижной цирк, чем на церковное собрание.

Когда мне исполнилось три года, к отцу начали поступать предложения от церквей в соседних штатах, из Техаса и Нью-Мексико, поэтому в среду или четверг мы собирали вещи и ехали всю ночь, чтобы он мог выступать с проповедями от вечера пятницы до утра воскресенья. Иногда воскресная утренняя проповедь затягивалась до середины дня или даже до вечера, поэтому к тому времени, когда он снимал свой шатер, складывал стулья и грузил пианино, мы возвращались домой во вторник только для того, чтобы снова уехать в четверг. Отец был рослым мужчиной, но и ему было трудно в одиночку справляться с погрузкой и разгрузкой. Потом он встретился с Большим Айвори Джонстоном.

Поскольку проповеди в основном происходили по вечерам, отец проводил массу времени в городках, где он проповедовал, подогревая интерес к своим выступлениям. Он ел в местных кафе, беседуя с официантками, брился в местной парикмахерской, приносил кучу белья в прачечную самообслуживания. Кроме того, поскольку местные жители были довольно увлеченной публикой, разговоры о нем проникли в местные тюрьмы. Так он познакомился с Большим Джонстоном, который отбывал пятилетний срок за разбойное нападение, которое, принимая во внимание его размеры, не составляло для него особого труда. Большой Айвори Джонстоп был шести футов и шести дюймов роста, весил около двухсот восьмидесяти фунтов, и, хотя его зубы были белыми, как слоновая кость, его кожа была кофейно-черной. Когда его выпустили, отец оказался единственным человеком, который предложил ему работу.

Отец ожидал Биг-Бига, когда тот вышел из тюрьмы. По словам самого Биг-Бига, отец опустил окошко водительского сиденья в своем автобусе и спросил: «Есть хочешь?»

«Я посмотрел на этого белого и решил, что он рехнулся, — сказал Биг-Биг. — Но у меня подвело живот от голода». Их дружба началась с завтрака.

Мне трудно говорить «Айвори», поэтому я называю его Биг-Бигом. С того дня наш автобус никогда не выезжал без Биг-Бига, сидящего за рулем или на месте штурмана.

Мне было четыре года, когда умерла мама. Я помню лишь, что она заболела, а потом ее не стало. К тому времени Биг-Биг около года проработал у моего отца. Люди приехали по похороны буквально отовсюду, и траурная процессия протянулась на целую милю. Ее похоронили под ясенями, потому что она любила слушать, как ветер шелестит в их кронах, и Биг-Биг помог опустить ее гроб в землю.

Если у моего отца и случился кризис веры, это было тогда, когда он нес бессонную стражу над моей измученной лихорадкой, метавшейся в поту, бредившей матерью. Биг-Биг потом сказал мне, что ее медленная смерть действительно потрясла его. Сказал, что никогда не видел, чтобы мужчина так плакал. Сказал, что отец был опорой для многих людей, но она принадлежала только ему. Как и я. Это объясняет мое прозвище, Пег[1]. Оно пристало ко мне, как прозвище Биг-Бига пристало к нему. С тех пор люди называли меня Пегом.

После похорон отец взял меня за руку, не скрывая слез, и сказал: «Не возражаешь, если мы какое-то время не будем петь?» Вскоре до меня дошло, почему. В течение первого года отец мало разговаривал. Мы переехали в горы, и он ходил среди ясеней с Джимми в руках и перебирал струны. Он пытался петь, но чаще всего слова не приходили к нему, а если это случалось, то лишь какими-то судорожными толчками. Иногда он пробовал мыть золото в ручье. Он мог часами рассматривать лоток в поисках золотого проблеска. Но, думаю, он скорее искал не золото, а мамино отражение.

Поскольку у меня было много свободного времени, гора стала моей площадкой для игр. Отец отпускал меня после занятий и говорил: «Только не уходи туда, где ты не сможешь услышать мой свист». Это давало мне большую свободу для прогулок.

Поздно вечером, когда поднимался ветер, он ходил между ясенями с поднятыми руками. Потом он возвращался с покрасневшими, припухшими глазами. Он говорил: «Мы видим сотни и даже тысячи деревьев. Но под землей их корни соединяются и образуют один гигантский организм. — Он делал паузу и продолжал: — Если заболевает одно дерево, всей роще становится плохо».

На следующий год он вернулся к странствиям и проповедям, и в возрасте шести лет я проводил

---

[1] Peg (*англ.*) — колышек, подпора.

больше ночей на раскладушке, чем дома. Отец проповедовал, Биг-Биг играл на пианино. Чем старше я становился, тем яснее понимал, что хотя мой отец был крупным человеком, Биг-Биг был почти вдвое больше. Принимая во внимание размеры этих мужчин и разительный контраст в цвете их кожи, я начал догадываться, что некоторые люди приходят, чтобы просто посмотреть на них.

Одним из преимуществ внушительной фигуры была бочкообразная грудь и гулкий баритон достаточной мощи, чтобы устроить перекличку между горными хребтами. Отец редко пользовался микрофоном. А у Биг-Бига были медвежьи лапищи вместо рук, а его пальцы были размером с сосиски, но он умел играть на пианино. Я до сих пор не понимаю, как он извлекает аккорды, не задевая соседние клавиши. Я много раз сидел рядом и смотрел, как его пальцы скользят по клавиатуре. Довольно часто церковь, куда мы приезжали, предоставляла нам свой хор, чтобы восполнить женский голос, которого не стало после смерти мамы.

Когда мы возвращались домой, отец выгружал вещи и отправлялся на прогулку по ясеневой аллее. Через несколько минут до меня доносилось эхо его голоса. Это всегда была одна и та же песня. Хотя я слышал мелодию и понимал слова, я воспринимал песню своим сердцем. Это была погребальная песнь. Это была песнь утраты. Думаю, отец исполнял ее с такой пронзительной чистотой, потому что знал боль обездоленного человека.

Однажды вечером, когда он вернулся с влажными, покрасневшими глазами, я спросил его:

— Папа, что это за песня?

Он налил себе кофе, и мы уселись на крыльце, где он положил ноги на перила. Перед нами раскинулся штат Колорадо. Глядя на запад, в двухстах милях от нас, я видел горные хребты.

Несколько минут отец молчал.

— Слепой арфист О'Коэн написал эту мелодию в Ирландии в шестнадцатом или семнадцатом веке, — начал он. — Прошло двести лет, пока один бродячий скрипач не исполнил ее на английской улице. История не сохранила имени этого скрипача, но коллекционер музыки по имени Джейн Росс услышала ее, положила на ноты и опубликовала ее. Она называется «Жалоба О'Коэна». На кокое-то время о ней все забыли, пока семья Уизерли не приехала из Англии в эти самые горы в поисках серебра.

Отец сделал широкий жест вокруг себя.

— Большая часть серебряной лихорадки происходила в этих местах, которые ты можешь видеть отсюда, поэтому мне нравится думать, что последующие события были как-то связаны с этими горами. Твоя мама определенно так думала. — Отец отхлебнул кофе. — Тут все немного сложно, но ирландка по имени Джесс Уизерли исполнила эту мелодию для своего шурина Фреда, который вроде как был композитором-песенником. За свою жизнь он написал и опубликовал около тысячи пятисот песен. За несколько лет до того он написал одну песню, но так и не смог подобрать нужную мелодию для нее. Где-то в 1911 или 1912 году Джесс исполнила эту мелодию для Фреда. Он немного переписал стихи, подстраивая их под музыкальный ритм, и опубликовал ту песню, которую ты слышишь.

Мы в молчании смотрели на облака, проплывающие над вершинами гор.

— На мой ограниченный взгляд, это, наверное, лучшая баллада из когда-либо написанных. В восходящих и нисходящих тактах мелодии происходит нечто, что обращается к нам на более глубоком уровне, чем мышление. Эту вещь исполняли на похоронах президента Кеннеди, а потом записывали самые разные люди, от Джуди Гарленд и Бинга Кросби до Джонни Кэша. — Отец улыбнулся. — Элвис сказал, что она написана ангелами и что он хочет, чтобы ее играли на его похоронах. Наверное, ты этого не помнишь, но в ту ночь, когда умерла твоя мама, она попросила меня сесть рядом с ней на больничной кровати. Она обняла тебя и пела колыбельную, пока ты не заснул у нее на руках. — Отец надолго замолчал. — Я сидел рядом с кроватью и пытался слушать. Поэтому теперь... — он указал на ясеневую рощу, — теперь я иногда хожу туда, чтобы вспоминать...

Я подождал минуту-другую и спросил:

— Ты научишь меня этой песне?

Отец медленно кивнул.

— Хочешь я возьму Джимми?

— В этом случае Джимми будет молчать. — Отец поставил чашку, откашлялся и попробовал запеть, но у него перехватывало дыхание. — Это будет труднее, чем я думал.

Он попробовал еще раз, и теперь слова пришли к нему:

«О Дэнни, мой мальчик, слышишь, зовет свирель...»

За долгие годы мы пели эту песню не менее ста раз. Она была нашей; мы сделали ее такой. Это был наш способ почтить маму и разделить воспоминания о ней, не говоря об этом. Мы признавали боль и шли через нее, не позволяя ей искалечить нас. «Дэннибой» был песней, показавшей мне, какую силу имеет музыка. Она лечит нас изнутри.

Сидя в тот вечер на моей кровати и подтыкая мое одеяло, отец закончил историю.

— Джесс Уизерли не получила никакого признания, — сказал он. — Она умерла в 1939 году без гроша в кармане, а вот Фред стал богатым и знаменитым.

Я не мог понять, почему могла случиться такая несправедливость, и отец уловил мое расстройство.

— Песни переживают нас, — сказал он. — Так уж заведено. Мы пишем их ради того, чтобы делиться ими, но... — он улыбнулся и похлопал меня по груди, — просто внимательно смотри, с кем ты делишься.

Отец говорил, что они с Джимми могут повести людей почти куда угодно. Иногда он начинал с конца, продвигаясь в обратном направлении. Почти никогда не наигрывал аккорды. Он просто выстукивал медленный ритм на сосновой крышке; он пользовался гитарой как барабаном. Отец знал любые мелодии и мог исполнить большинство из них, но когда речь шла о людях, испытывавших внутреннюю боль, он исполнял старые гимны. Чем проще, тем лучше. Несмотря на свой простецкий вид, отец имел классическую музыкальную подготовку. Он знал Баха, Моцарта и Пахельбеля, и хотя он любил эту музыку, и у него были волшебные пальцы, которые могли извлекать больше нот, чем многие способны себе представить, он говорил, что когда играешь для людей, то чем меньше, тем лучше. Меньше нот. Меньше шума. Простое сопровождение. Он говорил:

— Если ты играешь слишком много и увлеченно, люди сидят и смотрят на тебя, удивляясь твоему мастерству. Играй проще, и люди присоединятся к тебе. Пой вместе с ними. Кстати, это и есть наша цель. Наша задача — вложить песню в их уста, чтобы они пропели ее для нас. На самом деле, это все, что

нужно. — Он помолчал и добавил: — Великие исполнители велики не потому, что могут сыграть все
ноты, а потому, что они этого не делают.

Однажды мы проезжали мимо заправочной станции, рядом с которой были развешаны на бельевой
веревке вельветовые «Элвисы». Отец кивком указал
туда.

— Поп-звезды могут поставить мир вверх тормаш-
ками, но они приходят и уходят, как и их песни. Но
хорошие гимны живут гораздо дольше людей, которые их пишут. Гимны не умирают. — Она посмотрел
на меня. — Сколько премий «Грэмми» получил Элвис?

Я пожал плечами.

— Две. — Он вытер пот с лица. — А за какую
песню?

Я снова пожал плечами.

Отец любил историю музыки и охотно делился
своими знаниями.

— В середине 1880-х годов шведский проповедник Боберг написал стихотворение и издал его. Без
музыки, только стихи. Несколько лет спустя он посетил молитвенное собрание и услышал песню с
собственными стихами, положенными на старинную
шведскую мелодию. Неизвестно, кто и как это сделал. Потом, в 1920-х годах, миссионер по фамилии
Хайн путешествовал по Карпатским горам, где услышал, — обрати внимание, — русский перевод шведского стихотворения Боберга, положенный на шведскую мелодию. Хайн стоял на улице и проповедовал
третью главу Евангелия от Иоанна, когда налетела
сильная гроза, поэтому местный учитель приютил его
на ночь. Пока Хайн наблюдал за грозой в горах, он
сочинил то, что мы теперь называем первой строфой.
Потом он перебрался в Румынию и Буковину, и там,

среди деревьев и птиц, он сочинил вторую строфу. Он закончил третью строфу после того, как некоторое время пожил у карпатских горцев, а четвертую — после возвращения в Британию. Песня, которую мы знаем, оказалась в молодежном лагере в Калифорнии в начале 1950-х годов, где евангелист Джордж Беверли Ши передал ее человеку по имени Билли Грэм. Потом, в 1967 году, человек по фамилии Пресли записал гимн «Сколь Ты велик», и его альбом стал платиновым. — Отец поднял два пальца. — Дважды.

Через несколько минут по ветровому стеклу хлестнули струи дождя. Стеклоочистители заработали в мерном, неспешном ритме. Отец тихо запел, больше для себя, чем для кого-либо еще: «О, Господи, когда я пребываю в дивной власти...» Эти слова чаще убаюкивали меня, чем приводили в восторг.

Я никогда не мог понять, почему отец был странствующим проповедником. Читать проповеди в церкви было бы гораздо проще, не говоря уже о физических усилиях. Хуже того, он никогда не принимал пожертвований. Это не означало, что люди не хотели давать ему деньги; как раз наоборот. Но отец никогда не просил об этом. Он хотел лишь одного: чтобы люди делились друг с другом по своим убеждениям. Принимая во внимание количество отброшенных костылей и опустевших инвалидных кресел за все эти годы, он мог бы сколотить целое состояние и, возможно, даже летать из одного штата в другой на собственном самолете, но я ни разу не видел, как отец выставляет блюдо для пожертвований.

Когда дело касалось музыки, отец говорил, что его задача — напомнить людям слова и позволить им петь. Он был достаточно одаренным в музыкальном смысле, чтобы играть сольную партию или задавать ритм для кого угодно, но всегда говорил, что его музыка должна служить фоном. «Выведи песню на свет и отдай ее людям. Вложи ее в их уста. Песни не принадлежат нам. Песни — это свет, который мы зажигаем в других людях, а не обращаем на себя».

Однажды в жаркий день мы обустраивали сцену и присели отдохнуть. Я понимал, что мой отец не похож на других отцов, и мне стало интересно кое о чем его расспросить.

— Папа, зачем ты делаешь то, что делаешь? — поинтересовался я. — Я имею в виду, ты не хочешь получить настоящую работу, как другие отцы?

Он рассмеялся.

— Искренне надеюсь, что такого со мной не случится. — Он указал туда, где собирались люди. Вдали можно было видеть автостоянку. — Моя работа — приводить людей оттуда сюда. Собирать их и указывать на присутствие Того, кто может им помочь. А потом... — Он улыбнулся. — Потом я должен отойти в сторону.

— Почему? — спросил я.

— Потому что у Него есть то, что им нужно. Не у меня. Люди хотят одеть меня в модный костюм и показывать по телевизору. — Он покачал головой и указал на осветительные лампы. — Эти вещи оказывают странное воздействие на людей. Но помни, алмазы становятся бриллиантами, только когда они отражают свет.

Я лишь недавно узнал о деньгах и успехе, узнал о том, что у других все это есть, а у нас нет.

— Папа, можно у тебя кое-что спросить?

— Конечно.

— У меня есть наследство?

Он рассмеялся:

— Кого ты слушал?

— Я хочу сказать, у меня когда-нибудь будут деньги?

Отец немного подумал и ответил:

— Да, сынок, у тебя есть наследство.

Я улыбнулся. Я так и знал! Мы были богаты! Отец просто скрывал это. Он нашел серебряную жилу где-то на склоне горы, но держал это в секрете, пока я не подрасту, и тогда мы построим большой дом и купим «Кадиллак».

Потом он сказал:

— Я не оставляю что-то *для тебя*. Я оставляю кое-что *в тебе*.

Мне не понравилось, как это прозвучало.

Глава 12

Мое первое важное воспоминание о влиянии моего отца на других людей и о том, чем он на самом деле занимался, относится к восьмилетнему возрасту. Он становился все более известным. Люди приезжали из Калифорнии, чтобы послушать его, и он начал искать более просторные площадки. Мы наняли четырех работников только для того, чтобы парковать приезжающие автомобили, и люди собирались уже не в одном шатре, а в пяти, они были соединены в форме креста с центральной сценой. Каждый шатер мог вместить более двухсот человек, и по вечерам все места были заняты. Более того: люди, которым не хватило свободных мест, стояли по краям в четыре-пять рядов. Дети сидели на плечах у отцов, матери нянчили младенцев, старики приезжали в креслах-каталках.

Проповеди отца имели большой успех, поэтому отцу приходилось искать новые места для роста.

Он продолжал долгие пешие прогулки, когда можно было подумать в тишине и покое. В нескольких милях к югу от Буэна Висты отец нашел каньон с высокими стенами у подножия горы Принстон, вызвавший у него острый интерес. Он достал топографическую карту и показал мне. Сверху это выглядело так, будто кто-то из склона горы вырезал кусок пирога. Участок в форме воронки площадью сорок-пятьдесят акров выходил из каменных стен, вертикально поднимавшихся на несколько сотен футов. Для отца, который регулярно обращался к сотням, если не к тысячам людей одновременно, это была превосходная сцена.

Оставалась лишь одна проблема. Этой землей кто-то владел. Желая показать мне это место, отец провел меня мимо бесчисленных табличек, где было написано: «Вход воспрещен». Мы поднялись через хвойный лес национального парка, граничившего с нашей землей, на высокий скальный карниз с видом на ранчо внизу. Открывался вид будто бы с высоты птичьего полета. Отец указал вдаль.

— Мы установим сцену вон там, где каньон начинает сужаться. — Он указал в другую сторону. — Все наши шатры будут располагаться недалеко от автостоянки и передвижных туалетов. — Он потер ладони, будто стряхивая пыль. — Пара пустяков.

Я почесал затылок.

— Но, папа, это ведь не наша земля.

— Так или иначе, она кому-то принадлежит, — отмахнулся он.

На следующей неделе отец нанес визит землевладельцу мистеру Тому Слокомбу — скотоводу, чья семья владела этой землей более ста лет. Мы с

Биг-Бигом проехали загон для скота и остановились перед ранчо. Отец обратился к нам обоим:

— Пойдемте. Если я не понравлюсь мистеру Слокомбу, может быть, вы ему понравитесь.

Отец постучался, и нам открыл низенький, жилистый человек в шляпе, сапогах со шпорами и пряжкой ремня размером с его голову. Он поочередно смерил нас взглядом, задержавшись на фигуре Биг-Бига. Судя по его виду, он был не в настроении беседовать с нежданными просителями.

— Чем могу?.. — буркнул он.

Отец пожал ему руку и объяснил, кто он такой, и чего он хочет. Мистер Слокомб слушал, с поразительной ловкостью перекатывая во рту зубочистку. Каждые несколько секунд он переворачивал зубочистку и засовывал ее в уголок рта, где она еще несколько минут торчала неподвижно, после чего его язык снова принимался за работу. Где-то на середине отцовской речи он запустил руку в задний карман и достал кисет с жевательным табаком. Он открыл кисет и запустил туда пальцы, как будто перемешивал салат. Тогда я заметил, что у него нет указательного пальца на правой руке. Когда он как следует перемешал свой салат, то извлек здоровенный комок коричневого листового табака и заложил за щеку. Со стороны казалось, будто он жует мячик для гольфа. И пока он слушал отца, из одного уголка его рта свисала зубочистка, а другая половина смачно пережевывала табак. Я ждал, когда он сплюнет, но так и не дождался.

Когда отец замолчал, мистер Слокомб посмотрел на меня, потом на него, потом на Биг-Бига, потом снова на меня и наконец остановился на отце. Он немного сдвинул шляпу на затылок и засунул большие пальцы в петли для ремня.

— Давайте-ка повторим для ясности, — сказал он. — Вы случайно оказались на моей земле, где я расставил двести табличек, на которых написано «Вход воспрещен», и случайно набрели на мой славный зеленый лужок вон там. И вы подумали: здесь будет отличное место для проповедей о возрождении в Царствии Небесном, где вы поставите сцену и волшебным образом разобьете свои шатры. А этот парень, — он указал на Биг-Бига, — этот парень, который больше любого человека, которого мне приходилось видеть, будет играть на пианино, пока вы... — он взглянул на меня, перевернул зубочистку и уставился на отца, — пока вы будете призывать огонь и серу на головы нескольких сотен, а может быть, нескольких тысяч самозваных и внимательных грешников, которые как по волшебству нагрянут сюда со своими автомобилями, пикниками и зонтиками. И ради того, чтобы послушать ваши проповеди, все эти люди будут маршировать через мое пастбище и ставить автомобили на траве, которую я собираюсь пустить на корм скоту, прежде чем ляжет первый снег.

Он немного помолчал и сглотнул.

— И в довершение всего, вы собираетесь все это делать, не принимая пожертвований, не хотите брать никаких денег. Вы не будете никому рассказывать, что если они не дадут деньги, то украдут их у Господа нашего. — Он указал вверх: — Все верно?

Отец кивнул:

— Это весьма точный пересказ.

Скотовод рассмеялся.

— Мистер, у вас больше... — Он покосился на меня. — У вас они больше, чем у моего быка в загоне. — Он закатил глаза и повернулся к Биг-Бигу: — Парень, какой у тебя размер обуви?

— Пятнадцатый, — сразу же откликнулся Биг-Биг.

Мистер Слокомб со свистом втянул воздух сквозь зубы.

— Этому можно поверить. — Потом он указал на дорогу, выходившую на шоссе примерно в миле от нас: — Видите этот плакат вдалеке? Такой большой, вроде киноафиши, который вы миновали, направляясь к моему дому?

Отец кивнул.

— На тот случай, если вы не прочитали, там написано, что эта земля, которой владели три поколения моей семьи, продается вместе со всеми моими коровами, потому что у нас нет воды.

Я не мог понять, в чем дело, так как по его земле, несомненно, когда-то протекала река, от которой теперь оставалось лишь сухое русло.

— Что случилось с вашей рекой? — спросил я.

— Это хороший вопрос. Я много раз подряд спрашивал о том же. — Он указал на извилистое русло, заросшее бурьяном: — Здесь текла чистейшая вода. Сам Адольф Курс[1] не нашел бы лучшей воды, чем здесь, и, думаю, она текла здесь с тех пор, как Бог выжал воду из этой горы. Но потом какой-то городской хлыщ с юридическим дипломом порылся в старых законах и выкупил землю к северу от меня. — Он показал рукой. — И, как выяснилось, его права на воду предшествуют моим, так что... — еще один переворот зубочистки, — так что я в заднице. Как и мои коровы.

Я почесал голову.

— Куда же ушла вода?

Он махнул рукой в северную сторону.

---

[1] Адольф Курс (1847—1929) — основатель крупной пивоваренной компании в Колорадо в 1873 году.

— На его поля. — Он повернулся к шоссе. — Она впадает в более крупную реку примерно в миле отсюда.

— А вы остаетесь наверху, — заключил мой отец.

— Точно. Моя река пересохла, коровы пьют из грязных луж, а сена не сыщешь и в помине. Так вот что я вам скажу, мистер проповедник. Если вы сумеете наполнить это сухое русло и дать моим коровам глоток воды, то можете пользоваться моим лужком наверху, пока вам есть что проповедовать. Если же нет... — он протянул руку ладонью вверх, — то мне нужно десять тысяч долларов. — Он улыбнулся, приоткрыв пожелтевшие зубы. — Иначе вам не повезло.

Отец изогнул шею, глядя на возвышенную часть ранчо, где речное русло уходило к вертикальным утесам.

— У вас есть бульдозер? — спросил он.

Мистер Слокомб пожал плечами:

— Двигатель изношен и стучит, но, в общем, на ходу.

— Можно на время одолжить его?

Скотовод даже не ответил. Он просто смотрел на отца и жевал табак.

— Если я добуду воду, вы откажетесь от десяти тысяч и разрешите нам пользоваться вашим лугом?

— Мистер, вы собираетесь щелкнуть пальцами и добыть воду?

Отец пожал плечами:

— Можно сказать и так.

Его недоверие ощущалось почти физически.

— Вы хотите сделать то, чего не удалось сделать адвокатам за три года бесконечных апелляций и шестьдесят тысяч долларов?

Отец не ответил.

— Вот что я скажу, мистер проповедник, если вы дадите воду для моих коров, то я сам помогу вам парковать эти чер... — он основа покосился на меня, — эти автомобили. Иначе... — Он протянул руку. — Иначе десять тысяч долларов.

Отец пожал его руку.

— Договорились.

Он приподнял бровь.

— Достанете мне десять тысяч долларов?

— Нет. — Отец смотрел на гору. — Я достану вам воду.

Мы с Биг-Бигом выехали на автомобиле, а отец управлял бульдозером. Мы следовали за ним две мили по шоссе с включенными аварийными огнями, поскольку он вихлял по дороге, как пьяная змея, стараясь приноровиться к рычагам.

— Теперь я видел все, — с улыбкой произнес Биг-Биг.

Когда мы достигли Т-образного перекрестка, отец послал нас в город, чтобы мы наполнили дизельным топливом все пятигаллонные канистры, пока он будет добираться до хижины. Через два часа, когда мы вернулись, он уже вовсю трудился над руслом нового ручья. К вечеру третьего дня он сжег массу солярки и вырыл траншею глубиной четыре фута, спускавшуюся по спирали с нашего склона горы. Это был бы отличный ручей, если бы в нем появилась вода. Когда я спросил отца, откуда он собирается взять воду, он ответил:

— Попробую пробить дыру в дне «Божьей тарелки каши».

На четвертое утро мы доехали до ранчо старого скотовода и постучались в парадную дверь. Он встретил нас точно так же, как и раньше, перекатывая зубочистку во рту.

— Вы не прочь немного покататься? — предложил отец.

Он недоверчиво посмотрел на нас, но согласился, и отец отвез нас на дальнюю сторону его участка, где русло пересохшей реки встречалось с гранитными утесами горы Принстон. По прямой наша земля находилась менее чем в одной миле от его надела, но по дороге путь занимал полчаса. Как говорил отец, иногда нужно обогнуть локоть, чтобы дотянуться до большого пальца.

Отец вышел из автомобиля и посмотрел на часы. Потом он начал расхаживать по речному руслу с поднятыми руками. Мистер Слокомб прислонился к капоту, скрестил руки на груди и с некоторым интересом наблюдал за передвижениями отца. В 10.30 отец отсчитал десять шагов от стены утеса до середины пересохшего русла, где он поставил небольшой круглый камень. Он специально сделал так, чтобы скотовод хорошо видел все это. Потом он тоже прислонился к капоту автомобиля и скрестил руки на груди.

— Сколько вы потратили на судебную тяжбу? — небрежно спросил отец.

Мистер Слокомб даже не моргнул.

— Шестьдесят три тысячи восемьсот четырнадцать долларов.

Отец кивнул, глядя на утес. После 10.35 скотовод махнул рукой в сторону речных камней:

— Может быть, вам нужно еще походить или станцевать? Спеть гимн или что-нибудь еще?

Отец продолжал смотреть на утес. В 10.40 мистер Слокомб спросил:

— Мистер, вы это серьезно?

Отец покачал головой.

— Пожалуй, что нет, но... — Он посмотрел на утес и улыбнулся. — Я знаю, где найти воду.

Пока он говорил, сверху донесся рокочущий звук, который сменился ревом, словно приближающаяся буря. Я стоял сзади и слышал нарастающий шум, так что предпочел укрыться за задней дверью кузова.

Через несколько секунд поток воды шириной с автомобиль устремился, как пушечное ядро, через край утеса, вылетев на восемь-десять футов в сторону от каменной стены и приземлившись прямо на камень, поставленный отцом. Первый удар вырыл яму в песчаном ложе, которая, по мере поступления воды сверху, наполнила русло до краев.

Когда вода обрушилась сверху, у скотовода отвисла челюсть, жеваные табачные листья вывалились наружу, а глаза округлились, как пятидесятицентовые монеты. Он подошел к берегу, посмотрел вверх, потом вниз на воду, потом на крошечные брызги, оседавшие на его лице и плечах. Он стоял так некоторое время, пока рев новорожденного водопада заполнял наши уши.

Когда вода достигла определенного уровня, с ней произошло то, что происходит со всеми реками. Она устремилась вниз по склону, следуя своим естественным курсом через пастбище и мимо загона с двумя тысячами голов жаждущего скота. Систер Слокомб в абсолютном изумлении смотрел на утес, на воду, а потом на шестидесятифутовый водопад, низвергавшийся на его землю. Он простоял так две минуты, словно ожидая, что все закончится так же неожиданно, как и началось.

— Так оно и будет? — спросил он, увидев, что вода по-прежнему льется.

Отец кивнул.

Мистер Слокомб снял шляпу, вытер лоб и швырнул шляпу на землю.

— Ну, не будь я старым простофилей! Мистер проповедник, вы это сделали! Вы и впрямь это сделали! — Он рассмеялся и бросился в воду, доходившую ему до середины бедер. Потом он пошел против течения к водопаду, открыл рот и вытянул руки. Вес воды, обрушившейся ему на плечи, столкнул его в бассейн, где он начал кататься и резвиться, как дельфин.

Наконец он встал, брызгаясь, хохоча и отплевываясь.

— Здесь достаточно воды, чтобы напоить пятьдесят тысяч голов, а не то что две тысячи! — Он поднес сложенные ковшиком руки ко рту, сделал несколько больших глотков, с удовольствием сплюнул и стал танцевать джигу.

Я хотел спросить, что стало с остатками его табака в кисете, но не успел. Поскольку температура воды была близкой к нулю, он недолго пробыл в воде. Мистер Слокомб выбрался на берег, поднял мятую шляпу и нахлобучил ее на голову. Потом он без предупреждения заключил моего отца в медвежьи объятия, что выглядело довольно забавно, поскольку отец был как минимум на две головы выше его. Потом он вцепился обеими руками в руку отца и принялся трясти ее.

Отец рассмеялся.

— Мы начнем ставить автомобили на парковку в пятницу, в четыре часа дня.

Скотовод в ответ рассмеялся.

— Мистер, я помогу вам припарковать все автомобили до единого.

Глава 13

Одним из непреднамеренных итогов стало то обстоятельство, что водопад был виден с шоссе за целую милю и представлял собой легко заметный ориентир. Слухи распространились, название прижилось, и наш первый уик-энд у Водопада стал памятным событием.

Мы начали расставлять шатры в четверг, а устанавливать сцену — утром в пятницу. После полудня у ворот уже выстроилась очередь автомобилей. Отец любил парковать автомобили и говорил, что это как держать руку на пульсе своей паствы, не считающей его врачом. Он открывал дверь, подавал руку и спрашивал людей, как они поживают. К шести вечера они на пару с мистером Слокомбом припарковали несколько сотен автомобилей.

Во время паузы перед службой мистер Слокомб вытер потное лицо полотенцем и спросил:

— Вам нравится это делать, мистер проповедник?

Отец пожал плечами.

— Много лет назад я научился задавать один вопрос так, чтобы человек мог излить пятнадцать лет душевной боли за три минуты. Даже замкнутые люди открывают двери в свое сердце. И когда они делают это... я пытаюсь слушать, — он помедлил, — своим сердцем.

Он одолжил полотенце мистера Слокомба, вытер лицо и махнул рукой в сторону пастбища:

— Люди приезжают в такую глухомань не для того, чтобы их развлекали. В других местах есть развлечения получше. Нет, они приезжают сюда потому, что им больно. Потому, что они страдают.

Он указал на шатер:

— Вы думаете, это какой-то чудной цирковой шатер, а я — просто бродячий шарлатан и знахарь, который продает змеиное масло. — Он покачал головой и надолго задумался. — Нет, это полевой госпиталь. Здесь мы останавливаем кровотечение.

Я никогда не видел так много автомобилей или так много людей. Биг-Биг начал играть на пианино. Несколько ламп, освещавших сцену, качались в ритме с внезапно налетевшим ветром. Некоторые женщины обмахивались веерами. Все ждали. Я не знаю, чего они ждали, но не сомневаюсь, что их ожидания были вознаграждены.

Сзади донесся гулкий голос отца. Со своего стула на краю сцены я мог видеть его лицо, блестевшее от пота. Полотенце, перекинутое через шею. Грязная обувь. Ни костюма, ни яркого галстука, ни золотых колец. Он держал в руках Джимми, ремень был переброшен через плечо. Я решил, что отец сделал это специально, потому что когда люди видели его, то сразу же понимали, что он один из них, такой же, как они.

Отец не спеша вышел вперед, медленно выстукивая ритм по корпусу гитары. Барабанщик и гитарист одновременно. Мы никогда не раздавали листы с текстами песен, потому что это было дорого, потому что большая часть бумаги оказывалась после службы выброшенной в грязь и еще потому, что если вы играете хорошо знакомые вещи, людям не нужны тексты.

Отец продвигался к сцене, как штопор, ввинчивающийся в пробку. Когда он вышел на помост, все уже стояли и пели так громко, что в нем нужды и не было. Он запустил волну с такой кинетической энергией, что она могла докатиться до побережья. Многочисленные дети стояли на стульях или сидели на плечах у отцов. Под шум нестройного хора отец отложил Джимми, опустился рядом со мной и вытер лоб полотенцем. Биг-Биг продолжал играть на пианино. Звуки достигли такой силы, что у меня заныло в ушах.

Женщина рядом с нами поднесла младенца к груди. Ему было не больше нескольких недель от роду. Мать медленно покачивалась, закрыв грудь тканью подгузника. Дети, стоявшие группой впереди, взялись за руки и начали петь и танцевать в круге. Мы с отцом сидели на краю сцены, окутанные пением. Биг-Биг заиграл тише, и голоса хора слились в мерном гудении. Вскоре этот звук распространился на всю толпу. Отец положил руку мне на плечо, глядя на толпу, — больше тысячи человек, и все они смотрели на него. Он улыбался детям.

— «Из уст младенцев Ты устроил хвалу...» — произнес он.

Иногда мне казалось, что отец говорит загадками. Половина слов принадлежала ему, другую половину он находил в Священном Писании. Это была одна из тех загадок, которые я разгадал лишь спустя много лет. Отец посмотрел на выражение моего лица и прикоснулся кончиком пальца к моему горлу.

— Бог дал нам голос по важной причине, — прошептал он.

Я был слишком мал, чтобы уследить за ходом его мыслей.

— По какой причине?

— Музыка освобождает людей. — Его указательный палец прикоснулся к моей груди. — Она лишает голоса то, что пытается убить нас.

Его слова еще звучали в моих ушах, когда ветер внезапно изменил направление. Он дул справа налево, но когда отец замолчал, ветер стал дуть слева направо, словно кто-то закрыл одну дверь и открыл другую. Ветер закружился, и это могло означать лишь одно.

Надвигалась гроза.

Поздней осенью грозы приходят быстро и неожиданно, почти без предвестников. Я увидел, как зачес на голове лысеющего мужчины внезапно встал торчком, а потом температура упала примерно на пятнадцать градусов[1]. Отец нахмурился, и его лоб покрылся морщинами. За время, пока можно было исполнить несколько куплетов, небо почернело, как китайская тушь, и над вершинами гор засверкала паутина молний. Мне оставалось лишь гадать, что будет делать отец. Через несколько секунд рваная пелена дождя сбоку ворвалась в шатер и хлестнула мне в лицо. Ветер приподнял шатер, словно парус, и туго натянул веревки, привязанные к колышкам. Две веревки лопнули с громким щелчком; угол шатра оторвался и полетел в потемневшем небе, словно огромный диск для игры в фрисби.

Это был первый грозовой шторм в моей жизни.

Над нами вспыхнула молния, и одиночный разряд ударил в сухую ель рядом с утесом. Дерево засияло, как свеча, которую окунули в бензин; с веток на шатры полетели искры, поджигая парусину. Когда потолок превратился в стену огня, люди начали разбегаться, как тараканы. Сущий ад на земле. Люди толкались и карабкались друг на друга, стараясь поскорее добраться до своих автомобилей. Они скользили и падали, сбивая друг друга. Это было жуткое зрелище.

Дождь был не похож ни на один из тех, что мне приходилось видеть. За несколько минут выпало несколько дюймов осадков, однако вода как будто не оказывала никакого воздействия на огонь. Потом пошел град размером с мячики для гольфа, оставлявший вмятины на крышах и капотах автомобилей и загнавший большинство прихожан под прикрытие

---

[1] Примерно 9,5 градуса по шкале Цельсия.

шатров. Пролилась кровь. Один мужчина вбежал в шатер с окровавленным лицом, кровь капала на его белую рубашку; он кричал что-то об апокалипсисе и конце света.

Я забился под скамью перед пианино, оставленную Биг-Бигом, пока он пытался закрепить углы шатра. Из-за ветра отключились все источники питания света, кроме одного. Единственная лампочка, подключенная к аккумулятору автобуса, болталась над пианино. Я был свидетелем второго пришествия Ноева потопа, где единственными сухими вещами на площади в пять квадратных миль оставались Джимми и это пианино.

Пока бушевала гроза, неистовствовал ветер, жалил дождь, а град крушил ветровые стекла, я лежал, свернувшись в позе эмбриона, дрожа и зажимая уши обеими руками, чтобы не слышать пронзительного завывания ветра.

На какой-то момент я потерял отца из виду. Когда я снова открыл глаза, он стоял на коленях и смотрел на меня сверху вниз. Вода капала с его ресниц, носа и волос. Тьма и огонь создавали за его спиной мрачный антураж. Его правая рука опустилась, как ковш огромного экскаватора, обвила меня и вытащила наружу. Я хотел прильнуть к нему, но он усадил меня на скамью рядом с собой. Ветер дул с такой силой, что мне приходилось наклоняться вперед, чтобы сидеть прямо. Отец откинул с лица мокрые волосы, кивнул в сторону пианино. Он произнес только два слова:

— Выпусти его.

Мне пришлось кричать, чтобы услышать собственный голос:

— Что?

Он наклонился ближе и медленно сказал, чтобы я мог читать по губам:

— Выпусти его.

Я оглянулся и посмотрел на собравшихся людей. Везде испуганные лица. Везде гнев и страх. Я чувствовал себя беспомощным и обвил ногой ножку скамьи, чтобы ветер не сдул меня с лица земли. Я попытался прикоснуться к клавишам, но у меня тряслись руки. Отец посмотрел на меня:

— Пег?

Я не ответил. Мне было слишком страшно. Как и всем остальным, мне хотелось убежать отсюда. Он наклонился ближе, так что его нос почти касался моего:

— Сын?

— Да, сэр.

Он осторожно положил мои руки на клавиши.

— Выпусти это.

Я посмотрел на свою грудь, куда он недавно указал, и прокричал в ответ:

— Что выпустить?

Он улыбнулся:

— То, что создает песню.

Так я и сделал.

Мои дрожащие пальцы ударили по клавишам, извлекая аккорды, и я заиграл со всей силой испуга и отчаяния, скопившейся внутри. Чем сильнее дул ветер, чем выше вздымалось пламя, чем громче хлопала парусина у меня над головой, тем крепче я цеплялся за ножку скамьи и тем громче я играл. Темная гроза растянулась на десять миль во всех направлениях, постепенно успокаиваясь лишь на окраинах скотного выпаса мистера Слокомба, расположенного за нами.

Можно сказать, нам еще повезло. В прерии, на расстоянии пяти миль от нас, молния ударила в бак с пропаном, размером с двухколесный прицеп. Издали это выглядело как белая вспышка, разорвавшая завесу тьмы. Последовавший за ней звуковой удар едва не оторвал меня от скамьи. Все чувства, которые я испытывал, слетали с моих пальцев; наверное, это был защитный механизм художественного самовыражения. Я играл так громко и энергично, как только мог.

Я не сознавал, что хотя гроза полностью завладела моим вниманием, все остальные, кто находился в шатре, сосредоточились на другом. Они больше не кричали, не толкались, не опрокидывали стулья. Они просто стояли и смотрели. И большинство из них смотрели в мою сторону. Я взглянул на Биг-Бига, гадая о том, какую песню он бы хотел сыграть, но он стоял и тоже смотрел на меня. Он не пел, даже не открывал рта. Я посмотрел на отца, но он тоже не пел, а сидел, положив руки на колени. Потом я посмотрел на остальных людей, и хотя вокруг бушевала гроза, дождь здесь, под металлическим каркасом шатра, на котором лишь кое-где болтались куски парусины, прекратился. Вода текла по моему лицу, но на вкус она была соленой. Мои пальцы были скользкими от влаги, но пианино оставалось сухим, и вокруг него тоже было сухо. Значит, вода появилась не от дождя.

Потом я услышал звук, очень красивый звук. Мне казалось, что я уже слышал его раньше, но, может быть, только во сне. Он был похож на эхо за углом. На звук далекой сирены. Лишь когда я закрыл глаза, то осознал, что звук исходит от меня. Я пел, — пел так громко, как только мог: «Господь, мой Бог...»

Звук собственного голоса удивил меня.

Отец встал, вынул из кармана медиатор, повесил Джимми на плече и начал мне подпевать. Его глубокий баритон заполнил нижний регистр, куда не мог дотянуться мой ломающийся голос. Биг-Биг заново собрал разбежавшийся хор, и я толком не знаю, что произошло потом. За тридцать шесть лет, прошедших с тех пор, я не раз пытался отыскать смысл произошедшего, но не смог. Мой рациональный разум не мог этого постичь. Так всегда происходит, когда речь идет о музыке. Человек воспринимает ее сердцем, а не разумом.

Я не знаю многих вещей, но одно знаю совершенно точно: гроза отступила прямо у нас на глазах, и ливень стих так же быстро, как и начался. Небо прояснилось, десять миллиардов звезд смотрели на нас, и в воздухе появился терпкий привкус сырой земли, какой бывает только после дождя. Люди вернулись, расставили опрокинутые стулья, расселись и вели себя вполне миролюбиво. Не знаю, как долго я играл, но помню, что потом отец часто шутил: «Первой песней, которую мой сын исполнил перед публикой, был хит Элвиса Пресли».

Мой отец любил Элвиса.

Вслед за грозой отец произнес проповедь «Мы не одни». Это было вполне разумно с учетом того, что мы недавно наблюдали первый раунд грядущего Апокалипсиса. Но пока отец говорил о том, как «некоторые принимают ангелов» и «поэтому мы окружены великим множеством свидетелей», мое внимание было сосредоточено на человеке, сидевшем на пианино. Он забрался туда во время грозы. Когда отец дошел до четвертой главы Откровения Иоанна и описал картину тронного зала Господа, где все небесные сонмы поют «свят, свят, свят», мне захотелось поднять руку и сказать: «Нет, сэр, они не там». Но я был совершенно уверен, что если я сделаю это, то все вокруг, включая моего отца, решат, что я спятил. Поэтому я держал рот на замке, но не сводил глаз с человека, сидевшего на пианино.

Несколько часов спустя, когда все разошлись, и отец с мистером Слокомбом вытащили на тракторе несколько завязших автомобилей и прицепов, я по-прежнему сидел на скамье перед пианино, не касаясь ногами земли или педалей. Отец положил руку на мое плечо.

— Пора в постель, здоровяк.

— Но как же... — Я показал пальцем.

Отец выглядел озадаченным. Он поскреб подбородок и уселся рядом со мной.

— Ты о чем? — спросил он.

Я устал, глаза начинали слипаться. Я махнул рукой.

— Что мы будем делать с ним?

— С кем?

Парень сидел всего лишь в нескольких футах от меня. От него пахло розмарином. Мускулистый, длинные светлые волосы, зеленые глаза. Он улыбался. Последний час или около того он приплясывал и тряс тамбурином, поэтому его рубашка пропиталась потом. Время от времени он поглядывал на меня через плечо.

Я снова указал на него:

— С ним.

Отец положил ладонь на мой лоб.

— Как он выглядит?

— Он выглядит в точности как этот парень, — немного раздраженно отозвался я.

— Хорошо, но опиши его для меня.

— Ты его не видишь?

— Я просто хочу убедиться, что мы говорим об одном и том же парне.

— Голубые джинсы. Шлепанцы. Белая рубашка. Светлые волосы, собранные в хвостик. Кольцо на пальце.

— Он большой? — спросил отец.

Я прикинул размер.

— Больше, чем Биг-Биг.

— Он пугает тебя?

— Да.

— Он выглядит так, словно хочет тебя обидеть?

— Нет.

— Как он сюда попал?

— Он вошел во время грозы. Как только я начал играть.

— Что он сделал, когда ты перестал играть?

— Уселся вон там.

— А что он делает сейчас?

— Он что-то строгает карманным ножом, и стружки падают к его ногам.

Отец улыбнулся, поднял меня со скамьи и отнес к автобусу. Было почти два часа ночи. Я положил голову ему на плечо и пробормотал с закрытыми глазами:

— Папа, но мы не можем так просто оставить его.

Отец рассмеялся:

— Он никуда не денется. Такие парни, как он... они никогда не уходят.

Со временем коровы мистера Слокомба отъелись и стали здоровыми, а трава для сенокоса — зеленой и высокой, и он, при определенной поддержке отца, превратил Водопад в публичную площадку под открытым небом. С помощью инженера и архитектора из Колорадо-Спрингс и ссуды из денверского банка мистер Слокомб построил лучший в Колорадо открытый амфитеатр на пять тысяч человек. Сцена, примыкавшая к утесам, естественным образом использовала акустику каменных стен для отражения и распространения звука. Он пригласил звукооператоров из Нью-Йорка и Лос-Анжелеса, которые улавливали и транслировали голоса исполнителей, не оглушая слушателей. Он установил туалетные кабинки для приезжающих людей, сдал внаем помещение для ресторана и научился дренировать свои поля так, что на асфальтовой автостоянке никогда не было грязно.

Слухи распространялись быстро, и в конце концов мистер Слокомб создал концертную площадку, популярную среди артистов и продюсеров из-за того, что они называли «чистотой звука». Добавьте к этому частный аэропорт в десяти минутах езды к югу, позволявший исполнителям прилетать и улетать на реактивных самолетах, и людей, готовых приезжать из Форт-Коллинза, Денвера, Аспена, Вейла, Брекенриджа, Стимбота, Салиды, Литтлтона, Теллерайда, Орея, Силвертона и Монтроза, и вы поймете, что мистер Слокомб оказался в центре мира, где любили и ценили музыку.

У него оставалась лишь одна проблема: нехватка мест. Билеты на представления моментально раскупались. К тому времени, когда мне исполнилось восемнадцать лет, мы провели у Водопада больше сотни служб, и мистер Слокомб помогал парковать автомобили на каждой из них. И каждое лето отец и Биг-Биг крестили людей в бассейне под Водопадом.

Включая мистера Слокомба.

Глава 14

В первые недели после грозы я слышал несколько прозвищ, обращенных ко мне. «Ребенок, который остановил бурю». «Ребенок, который играл под дождем». «Мальчик с девичьим голосом». Я превратился в какую-то сценическую диковинку. Люди приходили посмотреть на меня, и это означало, что у меня появились почитатели и критики.

Однажды вечером после службы, когда я убирал мусор, меня окружили пятеро мальчишек. Они принялись толкать и пихаться. Я не успел опомниться, как их вожак, который был на голову выше меня и носил кольцо в носу, прыгнул мне на спину и свалил лицом в грязь. Мне было трудно дышать, потому что грязь залепила нос и рот. Поэтому я и на помощь позвать не мог. Они хохотали и по очереди пинали меня по ногам и под ребра, пока вожак держал меня за волосы.

Потом появилась тень, и парнишка с кольцом в носу вдруг оторвался от земли. Я перекатился на спину, четверо других ребят разбежались в стороны, а мой дружок-задира продолжал висеть на стреле крана, который был рукой Биг-Бига. На его виске выступила жилка, пульсировавшая в такт ударам сердца. Я встал, сплюнул кровь и грязь изо рта и вытер лицо рукавом.

Биг-Биг посмотрел на меня сверху вниз:

— Ты в порядке?

— Да, сэр.

Биг-Биг поднял мальчишку еще выше.

— Ты уверен? — Когда я кивнул, он поставил парнька на землю и рявкнул: — Брысь отсюда!

Мальчишка исчез среди автомобилей, пока его приятели улюлюкали и обзывали Биг-Бига. Между тем он помог мне отряхнуться, а вена по-прежнему пульсировала у него на виске.

— Я сказал твоему отцу, что присмотрю за тобой. — Он вытер мне лицо носовым платком. — Похоже, я не очень хорошо справился.

Подошел отец, и некоторое время мы молча стояли втроем. На лице Биг-Бига застыло мрачное, угрюмое выражение, как у человека, знающего темную сторону человеческой натуры.

— Пег, этот парень не оставит тебя в покое, — сказал он. — Задиры всегда так поступают. Они не дерутся честно, поэтому он привел своих дружков. — Он опустился на корточки напротив меня. — В тюрьме то же самое. Когда он в следующий раз подойдет к тебе, лучше врежь ему прямо в зубы, прежде чем он успеет что-то сказать. Просто заткни ему пасть. И не бей один раз; бей до тех пор, пока не устанешь. Это единственный способ заткнуть их.

Биг-Биг посмотрел на отца, потом снова на меня. Отец кивнул.

— А как же насчет того, что нужно «подставить другую щеку»?

Отец прищурился.

— Когда кто-то хочет помыкать тобой, ты не должен это терпеть. Нужно давать сдачи. В Библии ничего не говорится о том, что нужно быть тряпкой.

На следующей неделе отец отвел меня в сторону и протянул руку. На его ладони лежало мужское серебряное кольцо с выгравированным дубом. Он выстелил ободок изнутри тонкой замшей, чтобы оно подошло для детского пальца.

— Надень на правую руку, — сказал он.

Я надел кольцо. Отец посмотрел мне в глаза.

— Не снимай его.

— Да, сэр.

На той неделе парень с колечком в носу зажал меня в углу кафетерия. Он опрокинул меня на пол, украл мои карманные деньги и загоготал, как гиена, а его друзья стояли вокруг и смеялись. Потом он начал танцевать по кругу и пинать меня.

На этот раз Биг-Бига и моего отца рядом не было. Я кое-как встал, и мальчишки стали перебрасывать меня, как шарик для пинбола. Наконец я оказался лицом к лицу с вожаком, который весил примерно на пятьдесят фунтов больше меня. Он открыл рот, собираясь что-то сказать, но я не дал ему такой возможности. Я ударил его так быстро и сильно, как только мог. А поскольку я был напуган, то не стал останавливаться на достигнутом.

Когда продавщица из кафетерия оттащила меня от него, другие гиены разбежались, а его нос съехал в сторону и был похож на лопнувший красный шарик. Женщина крепко вцепилась в мою руку, впившись ногтями, и встряхнула меня:

— Что ты творишь?

Я не потрудился ответить, а шагнул вперед и вырвал колечко из носа мальчишки, повредив носовую перегородку. Женщина схватила меня за шиворот и отвела в кабинет директора, откуда они позвонили моему отцу.

Я сидел в кабинете, глядя на окровавленное кольцо на своей ладони. Вскоре явился тот самый хулиган вместе со своим отцом. Он прижимал к лицу пакет со льдом и скулил: «Как больно!»

Мой отец приехал через несколько минут, и директор собрал нас вместе.

— Мистер О'Коннор, я на три дня отстраняю вашего сына от школы за драку, — сказал он. — Он получит неудовлетворительные оценки по всем предметам за эти дни. Я решил, что вы должны знать это, чтобы как следует наказать его.

— Спасибо, — с улыбкой ответил отец и повернулся ко мне: — Что случилось?

Я посмотрел на мальчишку.

— Он затолкал меня в угол, отобрал деньги на ланч и начал пинать меня.

— Это неправда, — промямлил мальчишка.

Я указал на его правый передний карман:

— Два доллара.

— Это правда? — спросил директор. — Ты забрал у него два доллара?

— Нет! — взвизгнул мальчишка.

— Ты покажешь, что лежит у тебя в кармане, сынок? — спросил директор.

— Но вы же не думаете... — вмешался его отец.

Директор подождал, пока мальчишка не выложил на стол две мятые долларовые бумажки.

— Вы оба отстранены от занятий, — сказал он. — Я не потерплю такого поведения в школе. Все ясно?

Отец положил руку мне на плечо и повернулся к отцу мальчишки:

— Позвольте объяснить: если это повторится, то мой сын набросится на вашего, как бешеная обезьяна. Более того, он сделает это с моего разрешения.

Директор начал было возражать, но отец поднял руку.

— Теперь, поскольку его на несколько дней отстранили от школы, мы собираемся съесть чизбургер и отведать мороженого, а потом отправимся на рыбалку. Возможно, даже сходим в кино. Это ясно?

Он легким толчком направил меня к выходу.

— И вы называете себя богобоязненным человеком! — вслед ему крикнул директор. — Проповедником!

Отец повернулся и кивнул:

— Вот именно. Но я никогда не использовал слово «тряпка» вместе с этим определением.

Съев половину второго чизбургера, я посмотрел на отца:

— Папа?

Он вопросительно посмотрел на меня.

— Ты поэтому дал мне то кольцо?

— Да. — Он подцепил вилкой маринованный огурчик.

Я кивнул и посмотрел на кольцо.

— Папа?

Отец отхлебнул корневого пива[1].

— Да?

— Спасибо тебе.

Когда мне исполнилось девять лет, я привык к тому, что светловолосый парень и его друзья регулярно появляются на отцовских службах. Я не знал, видят ли их другие люди, но никто не упоминал о них, а мне не хотелось выглядеть дураком, если я начну болтать о своих видениях. Я решил, что они похожи на радугу: ее тоже можно видеть не каждый день, и только под правильным углом.

Однажды вечером после службы отец обнаружил меня сидящим за пианино. Я уставился в пространство прямо перед собой.

— Пора в постель, большой парень, — сказал он.

— Что мне делать с блондином? — Я указал пальцем перед собой.

— Он вернулся, да?

Я кивнул:

— Он никогда не уходит.

— Он приходит послушать тебя. — Отец постучал себя по уху.

— Но, папа...

Блондин начал приводить с собой друзей. Сначала одного-двоих, но потом их количество умножилось. Они приходили целой толпой.

— Они повсюду.

Он рассмеялся:

— Должно быть, им правда нравится, как ты поешь.

---

[1] Корневое пиво — шипучий напиток из корнеплодов с мускатным маслом.

Я сомневался, что отец правильно понимает ситуацию. Ведь я видел не щенков и не леденцы. Для меня они были такими же реальными, как пианино.

— Папа, этот парень может вывернуть Биг-Бига наизнанку. Это не шутка.

— Он сердитый?

Я немного подумал.

— Вроде бы нет, но мне кажется, что он воинственный.

— Другие похожи на него?

— Очень похожи.

— Ты что-нибудь слышишь?

Я кивнул.

— Что именно?

— Я слышу... пение.

— А ты можешь разобрать слова?

Я кивнул и понизил голос, зная о том, что они могут услышать меня:

— Да, сэр.

Отец рассмеялся, запустил руку в наплечную сумку и протянул мне маленький черный блокнот и ручку.

— Тогда, наверное, тебе нужно записывать их песни.

С тех пор я так и поступал.

Глава 15

Отец серьезно занимался моей музыкальной подготовкой. Если он учил меня стилю блюграсс, то Биг-Биг был моим наставником в блюзе. Он вырос в Мемфисе, ходил по Бил-стрит и кое-что понимал в блюзовой музыке дельты[1]. Одним из достопримечательных моментов его молодости было знакомство с музыкой Роберта Джонсона, и он рьяно утверждал, что мистер Джонсон не продавал душу дьяволу: «Он не мог этого сделать. Любой, кто так играет, не принадлежит дьяволу».

Но отец полагал, что в моем музыкальном образовании не хватает одного важного элемента, и этим элементом была ненавистная классика. Я терпеть не мог Моцарта, Баха и Бетховена и ненавидел портреты с белыми париками.

На мой десятый день рождения он преподнес мне два подарка. Первым, и крайне нежеланным, была мисс Вермета Хэгл. Мисс Хэгл тридцать лет играла с разными филармоническими оркестрами. Отец платил ей за мучительные четырехчасовые уроки, на которые я каждую среду отправлялся, как на казнь.

Посещение зубоврачебного кабинета казалось куда мне более привлекательным. Она была ужасной. Ее уроки были ужасными. Ее манера убеждать была ужасной. Ее дыхание было ужасным. И она сидела с таким видом, будто ей в спину вогнали шестифутовый кол. Она никогда не была замужем, и я понимал почему.

Как я ни умолял и ни прикидывался больным, какие бы предлоги я ни выдумывал, отец был непреклонным, как скала.

— Ты не можешь нарушать правила, пока не узнаешь, в чем они заключаются, — сказал он.

— Но почему я не могу учиться у тебя и Биг-Бига?

---

[1] Бил-стрит — улица в Мемфисе, которая считается одним из мест зарождения современного блюза в 1910-х годах. Под «дельтой» имеется в виду дельта реки Миссисипи.

— Потому что ты уже знаешь больше, чем мы оба, вместе взятые. Я не жду, что тебе это понравится, но хочу, чтобы ты научился этому, причем как следует.

Почти восемь лет я изнывал под властью этой ужасной женщины с ее желтыми зубами, глазами-бусинками и линейкой, которой она постоянно хлопала меня по рукам. Но это были лучшие уроки, которые преподал мне отец. Если бы я сегодня встретился с этой женщиной на улице, то поцеловал бы ее в губы.

Вторым подарком отца на юбилей была гитара. Он понимал, что я уже довольно давно играю на гитаре и вошел во вкус. Это не было мимолетным увлечением. Проблема заключалась в том, что для меня Джимми стал эталоном, когда я сравнивал этот инструмент с другими гитарами.

На гитаре, подаренной отцом, были натянуты нейлоновые струны, поэтому когда он вручал ее мне, то, должно быть, заметил мое беспокойство.

— У гитар, как и у людей, есть свой голос, — поспешно объяснил он. — Если правильно играть, то нейлоновые струны могут звучать более выразительно, чем стальные. Более эмоционально. Знаю, ты любишь Джимми, но у тебя слишком широкий диапазон для моей гитары, а эта как раз подойдет.

Я изучил гитару. Корпус был поменьше, так что ее было легче держать, но гриф был шире, а струны толще тех, к которым я привык. Нечто вроде компромисса. Я пробежался пальцами по струнам и попытался скрыть душевную боль от того, что он не стал дарить мне Джимми. Но играя на этой гитаре, я понял, о чем говорил отец. Мне не нужно было прикладывать столько усилий, чтобы извлечь такой же глубокий звук, что было явным преимуществом, принимая во внимание длину и силу моих пальцев. Я назвал гитару Коротышкой.

Половое созревание привело к определенным изменениям в моем голосе. Большинство из них выглядели вполне благоприятно. Я мог лучше контролировать свой голос, петь громче и мощнее, при этом странным образом сохранив способность брать высокие ноты и расширив способность извлекать более низкие. Обратите внимание: я сказал *более низкие*, а не низкие. Мой голос был выше, чем у отца. За следующие два года отец и Биг-Биг возложили на меня большую часть ответственности за музыкальное сопровождение. Я обрел собственную популярность, и число слушателей заметно увеличилось. Довольно скоро люди стали приходить больше для того, чтобы послушать меня, а не отца. И, хотя отец старался защитить меня от этого знания, я все понимал.

И это не всегда было хорошо.

Наш график оставался неизменным. В зависимости от расстояния, мы выезжали в четверг или в пятницу утром и возвращались домой вечером в воскресенье или утром в понедельник. И раз в два месяца мы уезжали на целую неделю или на десять дней. Я привык к дороге, и в Юте, Вайоминге, Небраске, Канзасе, Техасе, Нью-Мексико и Колорадо осталось мало мест, которых я не видел. Хотя отец знал, куда он направляется, и мог добраться туда с закрытыми глазами, он предоставил мне право быть штурманом. Это означало, что я научился читать карты и постоянно занимался этим во время наших переездов. Это доводило мою учительницу по географии до белого каления, потому что я отсутствовал на уроках большую часть первой четверти и все равно получал высшие баллы по этому предмету. Она еще больше оскорбилась, когда я правильно ответил на все экзаменационные вопросы, включая два дополнительных.

Отец беседовал с моими учителями, которые были более чем раздосадованы моими регулярными отлучками, но они не могли оспорить результаты моей работы или дисциплину. Отец щелкал хлыстом, и пока они с Биг-Бигом по очереди вели машину, я занимался уроками.

Или что-то вроде того.

Пока отец и Биг-Биг сидели впереди, мы с Джимми растягивались на заднем сиденье. Бывали дни, когда я играл по двенадцать часов без перерыва. Бывали продленные четырехдневные уик-энды, когда я в общей сложности играл по сорок часов. Отец с Биг-Бигом находили коротковолновые радиостанции с евангельской музыкой или блюграссом, и я подыгрывал на гитаре. По мере того как проходили месяцы и годы, мне достаточно было услышать первые несколько нот, и я уже знал тональность мелодии и ее дальнейшее развитие. Мой слух был так настроен, что я мог мысленно проигрывать музыку, замедлять ее и слышать отдельные ноты и аккорды на гитаре. Когда отец слышал, как я исполяю довольно сложную мелодию на заднем сиденье, он говорил: «Хорошо, а теперь попробуй исполнить то же самое на Коротышке». Тогда я не понимал этого, но отец предлагал мне выражать и акцентировать разные эмоции в одной мелодии. Он учил меня новому языку, музыкальному языку гитары.

По мере развития моих музыкальных способностей я все больше интересовался людьми, исполнявшими музыку, и пытался подражать им. Отец осторожно отвлек меня в сторону от рок-н-ролла. По его словам, все необходимое для себя я мог усвоить из блюза, блюграсса и классической музыки. И, разумеется, из евангелических гимнов.

— Освой эти четыре направления, и каждый в

рок-н-ролле захочет оказаться на твоем месте, а не наоборот, — сказал он.

Я бы не сказал, что мой отец придерживался жестких взглядов на что-либо, кроме одного: прослушивания «Гранд Ол' Опри»[1] на ночных радиостанциях, пока мы колесили по стране. Если он сидел за рулем, а там шла соответствующая программа, он всегда слушал. Я познакомился с огромным количеством музыки в стиле кантри. Многие лучшие гитаристы в мире выросли из музыки блюграсс, и большинство из них принимало участие в записях для «Опри». Это означало, что каждый вечер я знакомился с лучшими и наиболее известными композициями. Выучить песни было нетрудно: чаще всего они состояли из трех-четырех аккордов, средней модулирующей части и припева. Я мог услышать мелодию, и мои пальцы воспроизводили ее с точностью до единой ноты. Отец и Биг-Биг переглядывались друг с другом и качали головами.

— Это нечестно, — говорил один.

— Пусть нечестно, зато интересно смотреть, — говорил другой.

Вечерние передачи по четвергам были самыми любимыми, потому что тогда выходили лучшие подборки. Отец никогда не пропускал их. Мы устанавливали посменные графики в соответствии с передачами, которые он называл «Райман-радио». По четвергам играли самые классные музыканты, и некоторые передачи продолжались по два-три часа. Когда особенно великий музыкант исполнял песню или играл мелодию, доступную лишь немногим, отец увеличивал звук и похлопывал по приборной доске.

---

[1] «Гранд Ол' Опри» (от «Старинная Гранд-Опера») — одна из старейших американских радиопередач в формате концерта музыки кантри; сейчас вещание ведется на всю страну.

— Подумай обо всех великих людях, стоявших там, где сейчас стоит этот мальчик. Монро. Скраггс. Уильям. Кэш. Кинг.

Несколько раз, после особенно хорошего концерта, он выключал радио, понимающе кивал и смотрел на меня в зеркало заднего вида.

— Когда-нибудь ты будешь выступать в «Раймане», — говорил он.

— Это верно, — поддакивал Биг-Биг.

Я никогда не мечтал о таких вершинах.

— Вы так думаете?

Долгая пауза. Еще один взгляд.

— И это будет лишь началом.

Как-то летом, после окончания десятого класса, мы возвращались с уик-энда в окрестностях Таоса, и Биг-Биг учил меня виртуозному перебору Роберта Джонсона. Он сказал что-то насчет того, что Джонсон был одним из первых зарегистрированных членов «Клуба 27».

— Что это за «Клуб 27»? — спросил я.

— Музыканты, певцы и авторы песен, умершие в возрасте двадцати семи лет.

Я подумал, что он говорит о какой-то болезни.

— Отчего они умерли?

— Некоторые по глупой случайности, но большинство — от наркотиков или же покончили с собой.

Отец почесал затылок.

— Я никогда этого не понимал. Зачем покидать шоу, чтобы накачаться наркотиками или упиться до смерти? От чего они все убегали? Они же играли музыку. Что в этом страшного?

Отцовская слава продолжала расти. Его фотографии красовались на обложках нескольких региональных журналов и в газетных передовицах. Один заголовок гласил: «Мошенничество или гарантия? Проходимец из бара становится знаменитым проповедником. Слепые видят и хромые ходят, или это дым и зеркала?»

Независимо от мнения людей, от их веры или скепсиса, аудитория увеличивалась. Битком набитые шатры и стоячие места стали нормой. Мы получали приглашения от церквей и пасторов со всей страны. Многие хотели поживиться за счет отца, но у него было два нерушимых правила. Во-первых, он никогда не продавал билеты, поскольку не считал свои выступления развлечением. «За что мы должны брать плату с людей? Почему я должен брать деньги за то, что сам получил бесплатно?» Во-вторых, он никогда не принимал пожертвований. Никогда не передавал блюдо, шляпу и так далее. Это вызывало массу критических замечаний, но отец считал, что если человек хочет что-то дать, он сделает это. Не нужно выкручивать руки. В результате люди не чувствовали, что ими манипулируют, и доверяли отцу.

Несмотря на политику отказа от пожертвований, люди все же давали деньги. Они лично приходили к отцу и вручали ему чек или наличные, и он принимал это. Бензин стоит денег.

Как выяснилось, немало людей были готовы добровольно делиться с отцом. На эти деньги он приобрел две вещи: туристический автобус для нас и восемнадцатиколесную фуру, перевозившую все шатры, стулья, пианино и звуковое оборудование. Потом он стал нанимать водителей и помощников для установки и разборки шатров. Они выезжали заранее, устраивали все необходимое, и мы прибывали к первой службе. Это означало, что отец и Биг-Биг больше отдыхали, поэтому их проповеди стали более длительными.

По мере того как росло количество слушателей и необъяснимых явлений, которые газетчики называли то чудесами, то ловкостью рук, росло и количество критиков. У отца появились противники. Пикетчики держали плакаты и выкрикивали лозунги, а некоторые даже пытались резать покрышки. Довольно часто нас называли бродячим знахарским шоу, а отца — главным продавцом змеиного масла. Репортеры и журналисты-расследователи подсаживали среди аудитории изувеченных или слепых людей. Отец мог за милю различить их.

Но слухи привлекали внимание, а оно, в свою очередь, привлекало группы с радио и телевидения, приезжавшие на машинах с высокими антеннами, транслировавшими передачи на весь запад США.

— Разве это тебя не беспокоит? — однажды спросил я отца.

— Ни в малейшей степени, — рассмеялся он.

Отец мог читать проповеди до пяти раз за выходные дни, и к последней воскресной службе послушать его приходили до пяти тысяч человек. В последний год перед окончанием школы за один уик-энд я играл на гитаре перед пятнадцатитысячной аудиторией. Иногда бывало еще больше народа. Тогда я не осознавал этого, но ко мне приходило больше людей, чем на концерты некоторых звезд в бизнесе звукозаписи.

Мой талант принес с собой известность в разных сферах. Одной из них, за которую я испытывал особенную благодарность, была популярность среди противоположного пола. Короче говоря, девушки западали на гитаристов. Они находили меня до представления, заводили беседы или давали свой номер телефона и просили позвонить.

Отец не слишком рьяно опекал меня, но защищал от звукозаписывающих компаний, откуда регулярно поступали звонки. Однажды вечером, когда он почувствовал мое напряженное состояние, то опустился на койку рядом со мной.

— Купер, многие люди будут рваться к тебе и говорить, какой ты великий и как они хотят сделать тебя еще более великим. На самом деле им на тебя наплевать, им нужно лишь то, что у тебя есть. Их интересует только то, сколько они смогут заработать на тебе. Они смотрят на тебя как на пляшущего цыпленка, и они будут предлагать кучу денег, чтобы ты плясал на их сцене.

Нет ничего плохого в том, чтобы зарабатывать много денег, и если о человеке можно сказать, что он рожден для сцены, то ты подходишь на эту роль. Но если ты начнешь делать деньги ценой своей любви к музыке или ценой своего дара, который ты получил свыше, тебе нужно спросить самого себя, как сильно ты нуждаешься в этих деньгах. В конце концов, цена может оказаться выше той, которую ты сможешь заплатить. — Он легонько постучал меня по груди. — Роберт Джонсон был не единственным парнем с гитарой, который стоял на распутье и беседовал с дьяволом. Каждый человек с гитарой выходит на ту же развилку, и разговор всегда одинаковый. Как и обещания.

Глава 16

Во мне закипало нечто такое, чего я не мог описать. Скорее это было похоже на глухой ропот. Я не мог сказать, что двигало мною, откуда и почему оно пришло, но я чувствовал, что отец удерживает меня на месте. Давит меня, как мошку между пальцами. И я все больше от этого раздражался.

— Папа, ты хочешь сказать, что я никогда не смогу записаться на студии?

— Нет. Надеюсь, ты сделаешь пятьдесят записей, и я куплю каждую из них. Но то, что ты сейчас делаешь с инструментом, — всего лишь половина твоего дара. — Отец указал на черную записную книжку, которую я привык носить на спине за поясом. — Я видел, как реагируют люди, когда ты исполняешь собственные песни. Ты пишешь слова, которые проникают глубоко в души. Когда человек в блестящем костюме придет к тебе с кучей денег и предложит записать твои песни именно так, как ты хочешь петь их, именно так, как ты захочешь играть их, сила будет на твоей стороне. Используй ее. Мы с Биг-Бигом будем сидеть в первом ряду и аплодировать тебе. Но до тех пор береги твой дар и твою записную книжку. Придет день, когда ты обнаружишь, что она бесценна.

То один, то другой менеджер или рекрутер проявляли ко мне интерес. Они слышали о моих инструментальных композициях и о том, как мои пальцы порхают над грифом гитары или бегают по клавиатуре пианино, а поскольку они никогда не слышали ничего подобного о столь юном музыканте, им хотелось убедиться во всем своими глазами и ушами.

Но поскольку мне было семнадцать лет, отец оставался привратником у моих врат. Эти люди приходили к нему, обменивались рукопожатиями, старались уговорить его. Проблема состояла в том, что они обладали особыми технологиями, а поскольку я был не особенно пригоден для нее в своей тогдашней форме, они хотели взять от меня вещи, которые им больше нравились, пропустить их через свою музыкальную мясорубку, а потом запихнуть остатки моего бездушного тела в расфасованную упаковку.

Их намерения были очевидны даже для меня, хоть мне и не хотелось этого признавать. Они хотели полностью стереть любой привкус проповеди и евангелических песнопений. И искупать меня в дешевом одеколоне своих коммерческих уловок. Сделать из меня звезду рок-н-ролла. Длинные волосы, ирокез и тушь для ресниц. Облегающие кожаные штаны.

В конце концов они стали посылать менеджеров среднего звена с наличными в портфелях. Со временем пачки денег становились все толще. Отец слушал, оценивал их позицию, и когда они отказывались принимать «нет» в качестве ответа, закрывал перед ними дверь.

Однажды особенно настойчивый менеджер нашел нас в заброшенном шахтерском городке на севере Колорадо. На нем была забавная шляпа, он имел при себе толстую пачку долларов и решил провернуть дело за спиной у отца. Он ошивался поблизости, пока не увидел, как я привязываю угловые веревки шатра. Он не произнес ни слова. Просто послюнил палец и начал пересчитывать купюры. Я так сильно хотел купить электрогитару, что едва не чувствовал ее на вкус, поэтому зрелище пятидесяти стодолларовых купюр произвело на меня опьяняющий эффект.

— Ты умеешь читать ноты? — спросил он.

Благодаря мисс Хэгл я умел читать ноты не хуже, чем английские тексты. Я кивнул.

Он развернул передо мной нотные листы.

— Можешь это сыграть?

Это было примерно так же сложно, как исполнить «С днем рожденья тебя». Поэтому я подписал какие-то бумаги, взял деньги и согласился встретиться с ним в городе через несколько часов. Я нашел его на

заброшенной автозаправке с гитарой «Фендер Теле-
кастер», подключенной к усилителю, и чем-то похожим на дорогое устройство для звукозаписи. Парень
оказался хитроумным: он написал на гитаре мое имя.
Несколько минут я к ней приспосабливался, а потом он разложил передо мной партитуру. Я сыграл
несколько композиций по нотам один раз, повторил
некоторые композиции, а потом он решил дать мне
волю и спросил: «Как бы ты сам сыграл это?» Тогда
я увидел идеальный стык трех краеугольных камней
моего музыкального образования. Когда я заиграл по-
своему, он заулыбался во весь рот.

Так продолжалось около часа. Должен признать,
это было очень весело. В какой-то момент он извинился, подошел к таксофону и воодушевленно по-
говорил с кем-то, кто казался не менее воодушев-
ленным. Они разговаривали несколько минут, и мой
новый друг то и дело прихлебывал из стальной фляжки. Повесив трубку, он вернулся ко мне и с улыбкой
протянул фляжку:

— Глотнешь?

Кому это могло повредить? Я взял фляжку, запро-
кинул ее и сделал вид, что я такой же крутой, как и
он. Вскоре я понял, что это было совсем не круто.

Мы отыграли еще один час. Он отхлебывал, я
играл, потом отхлебывал и играл еще. Я отлично расслабился. Наконец, когда я исполнил все, что только
он мог пожелать, он улыбнулся, убрал аппаратуру в
багажник своего автомобиля, захлопнул крышку и
отсалютовал мне шляпой.

— Будь поближе к радиоприемнику. Я свяжусь с
тобой.

Мир вокруг меня вращался с поразительной бы-
стротой, но я держал его за вожжи... по крайней
мере, мне так казалось. Я невозмутимо кивнул. Муж-

чина забрался в автомобиль и включил зажигание, но обнаружил, что у него появилась проблема. Это была проблема ростом в шесть футов и четыре дюйма и весом около двухсот сорока футов. Она стояла перед его автомобилем с неодобрительным выражением на лице. Раньше я уже видел это выражение.

Мужчина вжал голову в плечи, посмотрел на пришельца из-за рулевого колеса и неловко рассмеялся. У меня в голове стоял туман, но я понимал, что в этом смехе не было веселья. Он нервно закурил сигару.

Отец смотрел на него, но указал на меня:

— Ты спросил, сколько ему лет?

Тот ответил, перекатывая сигару во рту:

— Мне до крысиной задницы, сколько ему лет. — При этом из его рта вырвался клуб дыма, и последние слова было трудно различить.

— Например, семнадцать, — тихо проговорил отец.

Менеджер понимал, что угодил в пекло. Но он не собирался сдаваться без борьбы, поэтому вдавил в пол педаль газа, стряхнув отца с капота, и с визгом покрышек умчался со стоянки туда, где вскоре налетел на дорожное заграждение из четырех патрульных машин.

По мере того как наши выступления собирали все больше людей, отец стал обращаться к местной полиции за помощью в поддержании порядка. Это расположило к нему местных шерифов, которые получали неплохую работу за сверхурочные выезды, где им нужно было всего лишь носить солнечные очки и выглядеть официально. Поэтому когда он сказал им, что какой-то коммивояжер облапошил меня, они проявили искреннее желание защитить мои интересы. Пока менеджер сидел за рулем и прикидывал варианты действий, отец практически вытащил его из автомобиля и достал «подписанный контракт» из кармана его пиджака. Потом он отволок менеджера к багажнику, извлек пленки с моими записями и встряхнул парня, как тряпичную куклу. Его блестящая фляжка выпала и с лязгом подпрыгнула на асфальте.

— Это все?

Полицейские сдерживали улыбки. Менеджер, не на шутку рассердившийся, начал изливать яд:

— Я тебе не мальчик, су...

Судя по всему, он собирался сказать «сударь», но отец так сдавил ему горло, что остальное вышло неразборчиво, и я остался в неведении.

Отец приподнял его на вытянутых руках и подождал, пока он не задрыгал ногами, а его лицо не приобрело черничный оттенок. Наконец менеджер кивнул, и отец отпустил его. Потом отец бросил пленки на землю и растоптал их. Потом он забрал у парня сигару и поджег бумажный контракт. Менеджер остался недоволен и стал говорить отцу, что вскоре с ним свяжется его дорогой адвокат из Лос-Анджелеса.

Отец усадил его в автомобиль, натянул шляпу ему на лицо, воткнул окурок сигары ему в штаны и протянул руку ко мне, ладонью вверх. Я вложил в его руку пять тысяч долларов, которые отец одним движением запихнул в рот незадачливому менеджеру и помахал ему на прощание. Потом он сделал то, чего я боялся.

Он посмотрел на меня.

И ничего не сказал.

Мне хотелось, чтобы земля разверзлась и поглотила меня на этом самом месте. Это был один из тех редких моментов самосознания, когда я видел всю свою жизнь как ясное и быстрое слайд-шоу. Несмотря на реальные тяготы, которые начались со смерти моей мамы, мой отец делал для меня только хорошее. Он все делал бескорыстно. У меня всегда было все необходимое. Я имел лучшее музыкальное образование, чем студенты из Беркли. Я больше ездил по стране, чем любой из моих друзей, большинство из которых в то или иное время присоединялись к нам и говорили: «Ты делаешь это каждые выходные? Это круче всего, чем я когда-либо занимался».

Единственной вещью, которую отец не отдал мне, был Джимми, и то потому, что это был мамин подарок.

После рассерженного взгляда, который запомнился на несколько лет и пробурил дыру в моей душе, отец вышел из одной из патрульных машин вместе с заместителем шерифа и вернулся к службе. Пока они не уехали, я не сознавал, что по-прежнему стою на месте с тупым «Телекастером», висевшим у меня на шее. Когда я посмотрел вниз, то увидел свое отражение в лужице, растекшейся из фляжки у меня под ногами.

Я выставил большой палец, и вскоре около меня остановилась пожилая женщина.

— Тебя подбросить, солнышко?

— Да, мэм.

Милю спустя у нее лопнула передняя покрышка. Я помог ей заменить колесо, но, не будучи механиком, вскоре испачкался в смазке от кончиков пальцев до локтей. Она немного скривилась, когда я попытался забраться обратно. Я не винил ее. Я отвернулся и пошел прочь; пятимильная прогулка предоставляла достаточно времени на размышления.

Это прогулка отрезвила меня во многих отношениях. Я вернулся на закате, как раз вовремя, чтобы услышать отцовскую проповедь о «грязных руках». Возможно, вы уже догадались, о чем речь. Если вкратце, он говорил о том, как грех пачкает руки, а поскольку вы всегда можете их видеть, то они постоянно напоминают о том, во что вы вляпались. В конце он говорил о том, как трудно поднять грязные руки перед Господом и что единственный способ очистить их — окунуть их в кровь. Эти слова сопровождались наглядными примерами. Меня замутило, и, принимая во внимание количество спиртного, которое плескалось в мне, я просто находился на грани.

Его голос, звучавший в шатре, донесся до шоссе, по которому я брел.

— А теперь посмотрите на свои руки. Поднимите ладони.

Слайд-шоу отцовских движений проигрывалось перед моим мысленным взором.

— Посмотрите внимательно. Не торопитесь. Я хочу, чтобы вы посмотрели на вещи, которые вам не хочется видеть. На темные места. В запертые шкафы. Будьте честными перед собой. Во что вы окунули свои руки? — Долгая пауза. — Вы ясно видите?

Я представлял, как он поворачивает руки перед собой.

— Теперь спросите себя, что вы приобрели?

Он всегда задавал этот вопрос дважды. Я беззвучно выдохнул следующие слова, когда он произносил их:

— И что вы потеряли?

Для меня ответ на первый вопрос был сплошной путаницей. Ответ на второй начался и закончился с трещиной, потрясшей основы отцовской веры в меня.

Тошнотворное чувство не исчезло по мере приближения его голоса.

Эта проповедь всегда заканчивалась тем, что тысячи людей поднимали руки. Иногда я прищуривался, сидя за пианино, и все эти руки казались янтарными волнами пшеницы.

Я слышал все это раньше. В следующие двадцать пять лет я много размышлял об этих словах, и это не великая премудрость. Проблема заключалась во мне. Несмотря на все отцовские советы и предупреждения, несмотря на его постоянные жертвы, на тысячи проповедей и глубокое понимание, что я должен держаться как можно дальше от змея-искусителя, что-то во мне сопротивлялось правоте отца, я был не уверен, что он имеет право контролировать мою жизнь. Проще говоря, я хотел то, что хотел, когда я хотел и как я хотел. Точка.

Чем старше я становился, тем сильнее чувствовал, что нахожусь на его попечении. Не то чтобы он как-то особенно давал мне это понять. Он оставался таким же отцом, как всегда. Если уж на то пошло, он стал даже более снисходительным и предоставлял мне больше свободы. Это означало, что перемена произошла со мной, что лишь ухудшало положение. Что-то во мне ненавидело отцовскую правоту и то обстоятельство, что он держал меня на поводке в то время, как большинство моих друзей могли делать то, что хотели.

Гнев нарастал, ожесточение укоренялось, и я начал прислушиваться к шепоткам, твердившим о том, кем я мог бы стать, если бы он не удерживал меня в этом глупом бродячем цирке. В одном моем мизинце было больше музыкальных способностей, чем у него, и он просто завидовал. Если раньше толпы людей благодарили его за проповеди и молитвы, то теперь они благодарили меня за музыку. Люди приходили, чтобы послушать меня, а не его. Он дергал меня за фалды, он становился похожим на тяжелое грузило.

Даже теперь, когда я слышу себя, повторяющего эти слова, мне становится больно.

Жизнь в семнадцать лет казалась совершенно ясной.

Я в задумчивости стоял на шоссе перед забитой автостоянкой. Было ясно, что я не все продумал. Я не мог восстать против отца. Я знал, что он прав. Я также знал, что ненавижу его правоту. У меня было все, что нужно. Рядом со мной через бурную реку был перекинут мост. Я подошел к перилам и забросил этот «Фендер» так далеко, как только мог. Вокруг него забурлили пузырьки, и течение подхватило его, перевернуло и разбило о камень, оторвав гриф от деки. *Вот так,* подумал я. Потом я отвинтил колпачок фляжки, перевернул ее и вылил в реку остатки виски.

А потом я вернулся к своему отцу.

В ту ночь, когда мы расставили стулья рядами, подмели и выбросили мусор, я обнаружил, что сижу и смотрю на пианино. Сижу в темноте. Пальцы прикасались к клавишам, но не извлекали ни звука. Скамья перед пианино была единственным местом, где аргументы в моей голове умолкали. Где я знал, какой голос лжет, а какой говорит правду.

Отец нашел меня там. Мы оба молчали. Ему было больно, и мне было больно. Я знал, что предал его. Это была моя вина.

— Я когда-нибудь рассказывал тебе о том времени, когда твоя мама считала меня пьяницей? — начал он.

Это было совсем не такое начало разговора, на которое я рассчитывал.

— Что?

Он посмотрел на дальние горы.

— Мы жили в нашем домике, мы только что узнали, что у нас родишься ты, и по некоторым весьма туманным причинам я глубоко зарылся в стеклянную банку самогона. Еще были сигары, но я помню все это слишком смутно. С учетом того, что я почти не пил и не курил, тогда я был пьян в стельку. Мир вращался, как волчок. Твоя мама нашла меня на гребне хребта, разгуливающим в чем мать родила. Меня швыряло между деревьями и скалами.

— Значит, старые слухи были правдой?

— До последнего слова. — Он несколько раз кивнул. Судя по рассказам твоей мамы, я выл на луну.

Мысль об огромном, голом и пьяном отце, воющем на луну, рассмешила меня.

— Если тебе когда-нибудь понадобятся доказательства, что твой отец однажды на самом деле дошел до ручки, это будет первоклассным свидетельством для жюри присяжных. — Он покачал головой. — Я проснулся на следующее утро от кузнечного молота, стучавшего мне по макушке. Мне понадобился целый час, чтобы перевернуться на спину. Твоя мама наконец приоткрыла один глаз и спросила: «Ты жив?» Кажется, я что-то крякнул, встал, упал, снова встал и доплелся до ручья, где бухнулся в воду. Когда ледяная вода немного привела меня в чувство, я осознал тот факт, что через несколько часов мне нужно прочитать проповедь. Твоя мама обтерла меня полотенцем, влила в меня кофе и велела почистить зубы. — Он рассмеялся. — Потом она поцеловала меня в лоб и сказала: «Сигары тебе не друзья».

— Тебе пришлось проповедовать?

— Хуже того, это было в день Пасхи. — Отец закрыл лицо ладонью. — До сих пор жалею об этом.

Я посмотрел на пустые сиденья.

— Что ты им сказал?

— Правду. Она была написана у меня на лице, и даже при всем желании я не смог бы ее скрыть. Поэтому я рассказал им, что произошло.

Мы немного помолчали, потом он сел рядом.

— Спой мне что-нибудь.

Я сложил руки на коленях.

— Что-то не хочется петь.

— Ты уж поверь, обычно это очень помогает.

Я сыграл несколько аккордов, попытался взбодриться.

— Какие-нибудь предложения?

Отец положил Джимми на колено.

— Ты веди, а я подыграю, — сказал он.

Я знал, что ему больно. Мне тоже было больно. Тон наших голосов выдавал боль наших сердец. Но мы с отцом всегда любили музыку. Это был железобетонный мост, не подвластный никаким пожарам. Я исполнил вступление и тихо запел «Явись, источник всех благословений...», а он присоединился ко мне. Я продержался пару куплетов, наконец задохнувшись на «Заверши мои странствия...». Когда я добрался до «Возьми и скрепи их...», то перестал петь.

В тот вечер я усвоил ценность старинного гимна и понял, как нечто «безнадежно устаревшее» может сказать именно то, что мое сердце хотело бы услышать, но не знало, как об этом попросить.

Я вытер лицо тыльной стороной ладони, потом достал из кармана пустую фляжку и положил ее на пианино. Мы оба посмотрели на нее.

Тон отцовского голоса был мягким, как и тихие ноты, которые он извлекал из гитары.

— А... еще и это.

— Папа? — Я протянул руки ладонями вверх. Звукозапись и выпивка теперь стали для меня чемто незначительным. Мы уже разобрались с этим. Но моя вера была поколеблена. — Как я смогу поднять грязные руки?

— Я задал твоей матери такой же вопрос в то пасхальное утро, когда солнце буравило мне глаза. И я скажу тебе то же самое, что она сказала мне.

Он поставил Джимми в сторонку, встал, вытянул руки вверх так высоко, как только мог, и произнес:

— Обе сразу!

Несколько часов спустя, когда первые лучи восходящего солнца показались над горными вершинами, я все еще играл. Когда слова «воспетый языками горнего пламени» в который раз сорвались с моих губ, я наконец услышал, о чем я пою. О языках пламени. Слова рисовали картину, и картина заставила меня задуматься. Если кто-то написал это, значит, он об этом думал. Видел перед своим мысленным взором.

И это было хорошо. Это означало, что я, в конце концов, не сошел с ума.

Глава 17

Мне хотелось бы сказать, что разговор с отцом решил все наши проблемы. Но этого не случилось. Прошел еще один год. Мне исполнилось восемнадцать лет, я вырос еще на два дюйма, что почти уравняло нас в росте, и моя голова пухла от постоянного сравнения моего таланта с другими в нашем сравнительно небольшом болоте музыкальных дарований. Нам продолжали названивать из звукозаписывающих компаний, и довольно скоро я стал прислушиваться к голосам, критикующим отца и питающим мое недовольство. Мне хотелось иметь то, что они предлагали: деньги и всеобщее обожание. Во мне нарастала молчаливая озлобленность и ожесточение. Я хотел получить собственную сцену. Эти мысли вращались в моей голове, образуя торнадо, которое в конце концов должно было найти выход в словах. Историю моей жизни можно найти в 28-й главе Книги Иезикииля[1].

Не люблю рассказывать о том, что случилось потом.

Дело было в среду. Мы находились в Нью-Мексико. Отец ехал всю ночь, чтобы доставить меня домой для четырехчасового урока с мисс Хэгл. Я разучивал композицию Баха, и для него было важно, чтобы я не пропустил этот урок. Днем мисс Хэгл работала, поэтому мои занятия проходили с шести до десяти часов вечера, а потом я гулял с приятелями. Я возвращался домой между полуночью и часом ночи, и отец обычно уже спал. Я рассчитывал, что встречусь с ним на следующий день.

Я ошибался.

Я подъехал к светофору на перекрестке Мейнстрит и шоссе 24. Дом мисс Хэгл находился в нескольких кварталах к востоку от центра города. Но когда зажегся зеленый свет, я повернул направо и помчался в Салиду, как летучая мышь из ада, потому что там готовилась к представлению моя музыкальная группа. Я не был у мисс Хэгл уже три месяца, и хотя я изучил эту композицию Баха вдоль и поперек, у меня не было желания когда-либо исполнять ее.

Я остановился у мексиканского бара-ресторана Педро, вошел через заднюю дверь, взял свой «Фендер», купленный в ломбарде на деньги, выделенные отцом для платы мисс Хэгл, добавив еще тысячу, которую я умыкнул из денежной коробки, — выбежал на сцену и отыграл два с половиной часа действительно хорошего рок-н-ролла.

---

[1] В 28-й главе книги пророка Иезикииля содержится пророчество против царя Тира. В частности (28,17): «От красоты твоей возгордилось сердце твое, от тщеславия твоего ты погубил мудрость твою; за то Я повергну тебя на землю, пред царями отдам тебя на позор».

Примерно год назад несколько ребят из средней школы сколотили группу, игравшую рок-н-ролл и музыку кантри, и предложили мне стать ведущим гитаристом. Мы играли у Педро уже почти полгода, и аудитория постоянно росла. Сегодня вечером зал был набит так, что остались только стоячие места, а у дверей выстроилась очередь на вход, так что Педро улыбался, как Чеширский Кот.

Три месяца назад какой-то музыкальный критик проводил здесь отпуск и вместе с семьей пришел в мексиканский ресторан. Как выяснилось, он писал колонки для нескольких популярных музыкальных журналов. Когда вышла статья, то я прочитал, что он сравнивал скорость моих пальцев на грифе гитары с порханием крылышек колибри. Мое лицо украшало обложку, а заголовок гласил: «Пег — следующий Великий». Хорошую новость можно было расценить двояко: мое имя засветилось в прессе, но журнал был таким, что отец мог узнать о нем лишь по нелепой случайности. По крайней мере, не до тех пор, когда я вернусь в блеске славы и докажу, что он ошибался, показав кучу наград и хвалебных отзывов. Такой сценарий представлялся мне наилучшим.

Мы играли около трех часов. Педро пребывал в экстазе. В зале было гораздо больше народу, чем позволяли правила пожарной безопасности, и нас трижды вызывали на бис. Когда представление наконец закончилось, я нервно посмотрел на часы и прикинул, сколько времени мне понадобится, чтобы вернуться домой, предварительно искупавшись, чтобы избавиться от запаха дыма. Я отдал гитару на хранение нашему барабанщику, сказал ребятам, что встречусь с ними на следующей неделе, и с визгом покрышек стартовал с автостоянки. Выехав из Салиды, я притормозил у обочины и при свете луны искупался в мелком пруду.

Я запихнул прокуренную одежду в пакет для мусора, надел заранее припасенные штаны и рубашку, снова поддал газу и прибыл домой около половины третьего ночи. Когда я поднимался на крыльцо, в доме было темно. Единственной необычной вещью был запах, но я не мог определить, откуда он исходит.

Я толкнул дверь, и отец обратился ко мне со стула в темном углу веранды:

— Для тебя есть ужин. Он еще теплый.

— Ох. — Я остановился, стараясь приноровиться к полумраку. Отец сидел с тарелкой на коленях, заправив салфетку под воротник. Я постарался говорить спокойно: — Почему ты не спишь?

Он что-то откусил и заговорил с полным ртом:

— Как там мисс Хэгл?

Я неестественно рассмеялся:

— По-прежнему шлепает меня линейкой.

— А Бах?

Снова смех, в надежде, что отец не заметит мою нервозность.

— По-прежнему мертв.

Он указал вилкой в сторону города:

— Ты заплатил ей?

— Да. — Откровенная ложь тянула мою голову вниз, как мельничный жернов, повешенный на шею.

На этот раз вилка указала в сторону кухни.

— Хочешь есть?

Я так проголодался, что мог бы съесть корову. А еще мне нужно было сменить скользкую тему.

— Пожалуй, я бы что-нибудь съел.

— Ужин тебя ждет, — повторил отец и откусил еще кусок.

Я вошел на кухню, включил свет, и к моему горлу подступила желчь. Меня едва не стошнило. Ужин был едой на вынос... из ресторана Педро.

166

Я испытал несколько чувств одновременно: острую боль в сердце, стыд, замешательство и ярость.

Я стоял на кухне и раздумывал, что сказать отцу, когда услышал, как за спиной отворилась сетчатая дверь. Отец вошел в комнату, снял салфетку, вытер рот и прислонился к столешнице, а я сунул руки в карманы и прислонился к другой столешнице. Несколько минут мы стояли молча. Я не мог на него смотреть. Наконец он мягко спросил:

— Хочешь поговорить?

Я не ответил; просто ушел в свою комнату и закрыл дверь. На кровати лежал экземпляр того дурацкого журнала, который бестолковый критик выслал по моему адресу. Мое идиотское лицо глазело на меня с обложки. Я спекся, и никакое сладкое пение вместе с отцом не могло облегчить боль этого предательства.

Той ночью я почти не спал.

Когда я встал на следующий день, отец уже уехал. Вечером у нас была намечена служба у Водопада, и, без сомнения, он уже готовил сцену. Церкви свозили детишек на автобусах со всего Колорадо. Многие приезжали послушать меня. Я приехал поздно, когда остались только стоячие места. На автостоянках собралось не менее двух тысяч автомобилей и пятьдесят автобусов. Я припарковал машину и стал извилистым путем пробираться к сцене, где отец читал свою фирменную проповедь «Почему вы здесь?». Это еще больше подзадорило меня, поскольку я знал, что он обращается прямо к мне.

Я прислонился к задней стене и скрестил руки на груди. Все это я уже много раз слышал раньше.

Он обвел рукой свою паству.

— Почему вы здесь? — Отец сделал паузу. Время от времени ему нравилось вставлять в проповедь фрагменты «книжной премудрости», и я знал, что будет дальше. — Каков ваш *рэй-сон-дэ-тра?* — Он хохотнул. — По-французски это означает «причина бытия». Подумайте об этом. — Он положил свою Библию на табурет и указал на горло. — Голосовые связки. Вы когда-нибудь спрашивали себя, почему в Библии они называются «трубами»?

Он прошелся по сцене и хлопнул в ладоши, потом еще раз, уже громче. Потом он хлопнул еще раз.

— Теперь вы!

Слушатели один раз хлопнули в ответ.

— Как вы думаете, почему Бог создал ваши руки такими, чтобы вы могли это делать? Я серьезно. Зачем рукам нужно уметь делать еще и это? — Он повернулся, вытянул руки над головой и прошелся взад-вперед. — Что это вам напоминает? Игру в футбол? Рок-концерт, где играют ваши любимые длинноволосые музыканты? — Среди зрителей прокатилась волна смеха. Он взял Библию. — Я несколько раз читал эту книгу от корки до корки и не смог найти такого места, где говорится о служении Богу, не требующем движения тела.

Он взмахнул рукой.

— Чего вы ищете? Каковы ваши мечты? Заработать деньги? Иметь красивый дом? Водить мощный автомобиль? — Еще одна пауза. — Я не против этих вещей, но не думаю, что это причина вашего бытия.

Отец подошел к краю сцены и поднял большой обрамленный коллаж из журнальных обложек с портретами музыкантов и публичных фигур.

— Вы поэтому здесь? Чтобы увидеть свое имя? — Он снова направился к задней части сцены и вернулся с большим зеркалом, вставленным в раму. Держа зеркало в руках, он прошел по краю сцены, показывая слушателям их собственное отражение. — Что, если вам просто хочется видеть свое отражение?

Отец сделал достаточно долгую паузу, чтобы публика осознала его вопрос. Примерно тогда же он увидел меня, или, скорее, дал мне понять, что видит меня.

Он повернулся, повесил Джимми на плечо и сказал:

— Я не лучший гитарист и знаю людей с гораздо лучшим голосом, но давайте мы кое-что с вами сделаем. Давайте споем вместе.

Отец начал перебирать струны, слушатели узнали мелодию, и пять тысяч голосов присоединились к нему. «Явись, источник всех благословений...»

Мне хотелось блевать.

После первого куплета отец перестал играть.

— Ладно, это было хорошо, но давайте будем откровенными. Если Тот, кто сотворил луну и звезды и эту гору за моей спиной, — Тот, кто дал цвет вашим глазам и сделал уникальными отпечатки ваших пальцев, кто дал вам голос, непохожий на любой из миллиардов других голосов на планете... если бы Он сейчас был прямо здесь, — отец указал на сцену, — если бы Он стоял здесь, что бы вы сделали?

Он опустился на колени, поднял руки над головой и слегка наклонился вперед.

— Вероятно, что-нибудь в этом роде. — Он закинул Джимми на спину и лег ничком на сцену. — Или это. — Он выпрямился. — Верно?

Отец снова начал перебирать струны.

— Что, если бы это был рок-концерт? — спросил он. — Что бы вы делали? Вы бы прыгали, как танцующие цыплята. Музыка имеет собственное измерение и проникает в людей на уровне ДНК. Ничто другое не вызывает такую коллективную реакцию, как музыка. Она обнажает предмет нашего преклонения.

Отец вытянул руку и описал перед собой широкую дугу.

— Каждый из вас — инструмент ручной работы, созданный с одной-единственной целью. — Когда рука остановилась, его вытянутый палец указывал прямо на меня, а взгляд прожигал во мне дыру. — Преклонение — вот причина вашего бытия.

Его голос рокотал в груди, а глаза были похожи на хрустальное море. Он поставил Джимми на стойку и выпрямился, глядя на две обрамленные картины.

— Вопрос заключается вот в чем: кому и чему вы поклоняетесь?

С меня было достаточно.

Я прошел между рядами и поднялся на сцену. Там я снял Полупинту со стойки, пошел к центру сцены и врезал гитарой, как топором, прямо по зеркалу. Потом я сделал то же самое с обрамленным коллажем из журнальных обложек. А потом я подошел к отцу и со всех сил ударил его по лицу, так что мое кольцо рассекло ему губу. Когда кровь потекла по его подбородку, я проговорил сквозь сжатые зубы:

— Я покончил с тобой и с твоим бродячим цирком!

Я снял кольцо с пальца и зашвырнул его так далеко, как только мог, — за деревья, к реке, вдоль утесов. Потом я схватил Джимми, спрыгнул со сцены и пошел к автомобилю, и толпа волнами расступалась передо мной.

За спиной я слышал голос отца. В нем не было гнева — только печаль.

— Спойте со мной, — попросил он. Биг-Биг начал играть, и пять тысяч голосов присоединились к отцовскому голосу. «Когда мир, как река...»

Когда я добрался до автостоянки, то пинком распахнул дверь автобуса, схватил коробку с деньгами, раскрыл ее на полу и вытащил застегнутую кожаную сумку, где хранились все деньги, которые отец тратил на наши расходы за неделю: как правило, около двух тысяч долларов. Я залез в автомобиль, завел двигатель и дал полный газ, оставив две глубокие колеи на пастбище мистера Слокомба. Когда я посмотрел в зеркало заднего вида, отец по-прежнему стоял на сцене и смотрел, как я уезжаю. Высокий блондин все так же сидел на пианино.

Мне было наплевать, увижу ли я их еще когда-нибудь.

Я пять часов ехал на юг и наконец притормозил, чтобы посмотреть на дорожный указатель в тусклом свете фар. Шоссе впереди раздваивалось. Правая дорога вела в Лос-Анджелес. Меня не слишком заботили большие волосатые лапы и громадные пиротехнические шоу, происходившие в Лос-Анджелесе, или количество грима, которым пользовались музыканты. Некоторые из них обладали талантом, производившим на меня впечатление, но большинство из них пользовалось слишком агрессивным звуком, да и в любом случае я не мог разобрать половины из того, о чем они пели. Левая дорога вела в Нэшвилл. Хотя я не был преданным поклонником музыки кантри, но чувствовал, что музыка, которую я хотел играть, была сродни той, что приходила из Теннесси, а не из Калифорнии или Нью-Йорка.

Иногда я спрашиваю себя, как бы сложилась моя жизнь, если бы я повернул направо. Или, еще лучше, развернулся бы и поехал назад.

Через двадцать один час и тысячу двести тридцать четыре мили я приехал в Нэшвилл. Восемнадцатилетний, тупой, взъерошенный, наивный и невежественный. Не лучшее сочетание качеств. В мотеле недалеко от центра города я уселся на кровать, уронил голову на руки и уставился в пустоту, которая стала спутницей моей жизни. Рядом со мной стояла кожаная сумка с деньгами. Я расстегнул ее, и когда деньги вывалились наружу, у меня отвисла челюсть.

Деньги были завернуты в карту, скрепленную зеленой резиновой лентой. Я еще никогда в жизни не видел столько денег. Я дважды пересчитал их. Двенадцать тысяч восемьсот долларов. Я посмотрел на дверь комнаты, чтобы убедиться, что он заперта и закрыта на задвижку и цепочку.

Потом я посмотрел на карту. Это была карта штата Колорадо. На том месте, где стояла наша горная хижина, находилась звезда, нарисованная от руки. Рядом с ней отец написал:

«Неважно, куда ты отправишься, что с тобой случится, кем ты станешь, что ты приобретешь или потеряешь, выстоишь или упадешь, неважно, в чем окажутся твои руки... Никто из ушедших не уходит слишком далеко. Сын, ты всегда можешь вернуться домой».

Я смотрел на отцовские слова. Они меня не утешали.

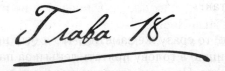

Глава 18

В Нэшвилле мне понадобилось около суток, чтобы узнать то, о чем уже знали почти все. Концентрация талантов в Городе Музыки выше, чем где-либо еще на земле. И хотя я выделялся из толпы, стоя на сцене в ресторане Педро, в Нэшвилле я был всего лишь очередным наивным юнцом с шестью струнами и мечтой.

Прошла неделя, но я ничего не достиг. На собственной шкуре я быстро убедился, что дело не в том, как много ты знаешь или как ты хорош, а в твоих связях. Я никого не знал. С учетом того, какую часть своей жизни я провел в дороге, я имел некоторое понятие об экономии. Комната в мотеле стоила двенадцать долларов в сутки, если я снимал ее на неделю вперед. Если питаться лапшой быстрого приготовления и консервированными бобами, я мог рассчитывать на то, что протяну пару лет, хотя и сброшу несколько фунтов.

В конце очередного бесплодного дня я открыл дверь своей комнаты.

Когда я уходил, то всегда брал Джимми с собой, но деньги хранил за задней панелью кондиционера. Я решил, что нужно как-то устроить свои дела, прежде чем возиться с открытием банковского счета. Знаете, тщательно выбрать банк, и все такое. Меня успокаивала мысль, что заднюю панель кондиционера можно было снять, пользуясь специальной отверткой с шестигранной головкой, которую несложно подобрать по размеру в хозяйственном магазине. «Никто не станет просто так носить в кармане такую отвертку, — думал я. — Мои деньги будут в надежном месте, ведь так?»

Не так.

Когда я вошел, то сразу же заметил, что я был не первым, кому пришло в голову прятать деньги за панелью кондиционера. Панель была отвинчена и лежала на полу, а болты были аккуратно сложены рядом.

В тот вечер управляющая мотелем, миниатюрная дама, носившая передник и завязывавшая волосы в узел на голове, заглянула в мой номер за еженедельной оплатой. Она обнаружила меня сидящим на кровати, с головой, опущенной на руки.

Реальность жизни ударила меня, как скоростной поезд, когда я уселся в своем автомобиле и пересчитал все деньги, какие у меня остались: семь долларов и сорок девять центов. И хотя это зрелище было болезненным, но далеко не таким мучительным, как более глубокое осознание: пройдет много времени, прежде чем я смогу вернуться домой.

Ту ночь, как и многие другие после нее, я провел в автомобиле, положив руки на футляр Джимми и думая о том, что я сделал со своим отцом, почему я принимал все за чистую монету и как все, что говорил отец, оказалось чистой правдой.

После двухнедельных попыток продать свою душу любому, кто был готов выслушать меня, и *не думать* о том, что бы я отдал за то, чтобы оказаться в автобусе вместе с отцом в любом другом городе, я получил работу в прачечной самообслуживания. Да-да, десять долларов плюс чаевые в «Спин энд Твирл». Один вечер в неделю. Кроме того, мне разрешили бесплатно стирать одежду, а прачечная находилась в двух милях от автостоянки, где я мог принимать душ за один доллар.

За несколько недель моя репутация укрепилась, и я получил предложение работать во второй прачечной «Флафф энд Фолд». Через три недели у меня даже появился инициативный работодатель: Дитрих Мессершмидт, владелец автомойки под названием «Мыльный шницель». Нет, я не выдумал это название.

Он ездил на огромном зеленом «Кадиллаке», носил жуткий парик с высоким зачесом и даже имел маленькую немецкую таксу, принимавшую участие во всех его рекламных акциях. Это была самая мерзкая и раздражительная псина на свете. Думаю, если бы я жил с таким хозяином, то тоже был бы вечно сердитым.

Дитрих практически имел монополию на автомойку с хотдогами в баварском стиле в Нэшвилле. Несмотря на немецкое имя, он явно не знал, что такое настоящий венский шницель, и я не стал исправлять его ошибку. Кроме того, его бизнес неплохо работал. Если вы заказывали мойку категории «люкс» или «платинум», в придачу к этому шло бесплатное пиво и футовая сосиска за полцены, пока вы ждали.

На этих трех работах я получал примерно пятьдесят долларов в неделю. По крайней мере, я не голодал. Или, во всяком случае, я медленно худел, но моя машина и одежда оставались чистыми, и я больше не мог бы привести в замешательство своего отца, если он присядет на опознание моего тела.

Однажды вечером я посмотрел вниз с маленького возвышения в «Шницеле» и узнал мужчину, которого видел до этого три недели подряд. Он был аккуратно одет и определенно имел свой стиль: широкие брюки от «Сансабелт», белые туфли, зеленые носки, шляпа, рубашка поло на трех пуговицах. Крупный нос, кустистые брови и волосы в ушах скрывали полголовы. Каждую неделю он покупал три «шницеля» и просил приготовить их следующим образом: один с луком, перцем и острой горчицей, а другой с капустой, луком и тем странным сыром, который пахнет, как грязь, выковырнутая из пупка. Он укладывал шницели на две тарелки с двумя салфетками и двумя порциями пива, потом садился и молча съедал один из них. Время от времени он удостаивал вниманием второй шницель.

Когда он заканчивал трапезу, то вставал, вытирал салфеткой уголки рта, аккуратно складывал ее и заворачивал все, — включая нетронутую сосиску, — в алюминиевую фольгу, на которой ее подавали, и выбрасывал в мусорное ведро. «Вот куда приходят умирать одинокие люди», — думал я.

В тот вечер вид пожилого человека, безмолвно разговаривавшего с кем-то невидимым, причем уже давным-давно, наконец достал меня, и я спросил:

— Сэр, могу я для вас спеть?

Он вытер рот, сложил салфетку, медленно повернулся на ягодицах и кашлянул.

— Ты знаешь «Дэнни-бой»? — с легким акцентом спросил он.

Я сглотнул.

— Да, сэр.

Старик снял шляпу и покосился на нетронутую сосиску.

— Это была одна из ее любимых песен.

Усевшись на табуретке в заведении Дитриха, сочетавшем достоинства автомойки и сосисочной, я запел «Дэнни-бой».

Я пел во весь голос. Когда я поднял голову и посмотрел, автомойка в буквальном смысле замерла. Кто-то потянул за рычаг, останавливавший механические гусеницы, по которым двигались автомобили, и теперь все смотрели на меня.

Когда я дошел до последнего куплета и пропел «и я буду спать спокойно, пока ты не придешь ко мне...», старик встал, положил стодолларовую купюру у моих ног и улыбнулся. По его лицу, скатываясь к дрожащим губам, катились слезы. Потом он надел шляпу и вышел. Больше я никогда его не видел.

Когда он выехал с автостоянки, я посмотрел на мусорное ведро, гадая о том, будет ли бесчестьем для его жены, если я съем ее нетронутый обед. Так или иначе, я разорвал фольгу и сожрал сосиску. С учетом того, что я жил, как бродяга, и ночевал в автомобиле, газы и запахи мало что для меня значили.

Ночью я бродил по местному Бродвею и слушал музыкальные группы. Весь Лоуэр-Брод растянулся примерно на полмили, включая два квадратных здания, где, как сардины, напиханы разные бары и притоны. В любое время суток там выступает более сорока певцов, музыкантов и композиторов. Они играют в четыре смены: дневная работа идет в три смены, а в четвертую все играют за чаевые. В некоторых барах есть три или четыре этажа, на каждом из которых идет свое представление.

Двумя моими любимыми заведениями были бар «Орхидея» Тутси и «Мир Запада» Роберта. Оба славились талантливыми музыкантами, выступающими на их сценах, и считались престижными «конюшнями», откуда вышли некоторые величайшие исполнители. Я не мог позволить себе есть или пить внутри, поэтому стоял снаружи и слушал.

Однажды ночью какой-то тип вышел из заведения Роберта и уронил бумаги. Я поднял их и вручил ему:

— Извините, сэр, это ваше.

Он был слишком пьян, чтобы заметить пропажу.

— Можешь забрать их, малыш. Это ключи от царства.

Он ушел, пошатываясь, а я посмотрел на бумаги, которые держал в руках. Это были записи песен, но не такие, как я видел раньше. Я смотрел на страницу, словно мартышка на кубик Рубика, а потом сообразил, что это, должно быть, Нэшвиллская система счисления. Я слышал о ней, но никогда ее не видел. У меня просто не было повода. Однако я понимал, что если это язык общения для местных музыкантов, то мне нужно выучить его.

На следующий день в общественной библиотеке я обложился книгами и выяснил, что все не так сложно, как кажется на первый взгляд. В принципе это имело здравую основу. В 1950-е годы многие нэшвиллские музыканты, которые записывались на студиях, не умели читать ноты и не понимали общепринятую нотную грамоту. Они были феноменальными музыкантами, но формальная музыкальная транскрипция для них была такой же тарабарщиной, как нэшвиллское нотное письмо для меня.

За день нужно было обеспечивать музыкальное исполнение для четырех или пяти исполнителей, и часто приходил артист, для которого нужно было играть музыку в другой тональности по сравнению с записанной. Студийным музыкантам нужно было найти быстрый способ изменять тональность без нудного переписывания партитуры. Поэтому кто-то придумал числовую музыкальную систему, и так родилась Нэшвиллская система счисления. С учетом простоты и возможности решать проблемы еще до их появления другие музыканты адаптировали систему и разработали целостный метод записи мелодий и комбинаций аккордов, сочетающий нэшвиллскую скоропись и официальные нотные стандарты. В НСС используются целые числа вместо названий аккордов, круглых скобок, диезов и бемолей, кружков, верхних и нижних стрелок, подчеркиваний, плюсов и минусов, долей, двоеточий, точек с запятой и других знаков пунктуации. Это больше похоже на математическую задачу, чем на нотную запись.

Вскоре мои ночные визиты на Лоуэр-Брод дополнились набросками структуры песен в блокноте с помощью новой системы. Но книги не могли научить самому главному. Мне нужно было видеть настоящие листы с записями песен и комментариями на полях.

Стоя на Бродвее, слушая музыку и пытаясь мысленно записывать ее в НСС, я подумал: «А ведь не каждый уносит свою музыку домой. Что-то должно отправляться в мусор».

Я был прав. Мусорные ящики за решеткой стали для меня золотоносной россыпью — там было полно выброшенных листов с музыкальными записями. Сначала я щипал с краю, но вскоре уже стоял по колено в отбросах, копаясь руками в надкусанных лепешках и куриных косточках.

От меня не ускользнуло, как низко я пал. От полированных клавиш из слоновой кости на сцене с отцом и Биг-Бигом, играя для пятнадцати или двадцати тысяч человек и делая то, что особенно хорошо умел, до копания в прокисшем пиве, в плавленом сыре над мусорным бачком. Каждый раз, когда я закидывал ногу через край и спускался в мусорный контейнер, то слышал эхо отцовской проповеди о «грязных руках».

Вышибалы вышвыривали меня наружу, принимая за пьяницу, но однажды ночью один из них из заведения Тутси заметил, как я держу скатанные листы бумаги, политые кетчупом. Этот парень выглядел так, словно родился в зале для занятий тяжелой атлетикой. Я отскочил в сторону.

— Знаю, знаю, я уже ухожу.

— Парень, на этой неделе я каждую ночь выставлял тебя отсюда. Либо ты самый отпетый алкаш на Бродвее, либо ты реально голоден.

Я немного отряхнулся.

— Я голоден. Наверное, я мог бы проглотить половину коровы с рогами и копытами, но, честно говоря, я искал вот это. — Я показал листы.

— Ты копаешься в дерьме... ради этого?

— Да.

— Ну, тогда ты первый, кто додумался до такого. — Он окинул меня взглядом. — Ты местный?

Я покачал головой:

— Из Колорадо.

— Играть умеешь?

Вонь от меня поднялась вверх с такой силой, что я поперхнулся.

— Да.

— И ты хорош?

Забавно, как такой простой вопрос может обозначить самую суть дела. Я мог бы рассказать ему о тысячах моих представлений, о сотнях тысяч моих слушателей, о моей музыкальной подготовке и глубоких познаниях, о мастерстве игры на гитаре и на пианино. О том, что я так много возомнил о себе, что ударил отца кулаком в лицо, отнял у него все самое дорогое, разбил ему сердце и уничтожил его доверие ко мне, а потом проехал тысячу двести миль, потому что считал себя лучше всех. Я мог бы рассказать ему о своем доме, куда, как теперь стало ясно, я больше не вернусь, пока не стану тем, кем надеялся стать. О том, как я строил всю свою жизнь на предпосылке, что могу играть не хуже великих музыкантов. О том, что стоило мне открыть рот и запеть, как самые жесткие сердца начинали таять, и люди верили, что все, о чем я пою, — чистая правда.

Но у музыкантов есть одно простое правило. Не рассказывай о том, что ты знаешь. Не рассказывай, как ты хорош. Просто играй. А поскольку я не мог этого сделать, стоя перед мусорным баком в бродвейском переулке, и поскольку я был не в настроении рассказывать слезливую историю, вроде тех, которые он уже сто раз слышал раньше, а еще потому, что я не хотел оставлять свой автомобиль пустым на стоянке посреди ночи, я только и сказал:

— Да.

Он смерил меня взглядом с головы до ног, а потом поднял палец.

— Подожди здесь. — Он исчез внутри и вернулся через три минуты со стопкой чистой, белой, аккуратно сложенной бумаги. — Когда захочешь еще, найди меня.

— Спасибо. — Я повернулся, чтобы уйти, но он остановил меня.

— И еще, парень. Прими душ, потому что если ты будешь так вонять, то не найдешь себе девчонку в этом городе.

— Еще бы.

Я добрался до реки, прошел несколько кварталов и повернул за угол, где оставил автомобиль на грунтовой стоянке за доллар в день. Если платить за месяц вперед, обходилось вдвое дешевле.

Автомобиля не было.

Я подошел туда, где оставил его, и не увидел ничего, кроме чахлых кустиков травы. Я повернулся, осматривая стоянку; мне все еще казалось, что я ошибся. Потом я посмотрел на номер, прикрепленный к ограде. R07. Достал квитанцию из кармана. R07. Мне хотелось кричать, ругаться, потрясать кулаками, но в чей адрес?

Никто не заставлял меня приезжать сюда.

Я слишком устал для протестов. Я нашел гравийную площадку рядом с оградой, лег, положив руки и одну ногу на футляр Джимми, и проспал урывками следующие несколько часов. Когда начало светать, я больше не мог выносить свой запах. Я прошел по Второй авеню к церкви, где находился магазин подержанной одежды, и за три доллара купил джинсы, футболку, полотенце и слегка поношенные тенниски. Потом я зашел в соседний магазин фиксированных цен и купил дезодорант, зубную щетку и три комплекта нижнего белья по одному доллару. Можете считать меня чудаком, но я не могу носить чужое нижнее белье.

С новой одеждой, сложенной в пластиковый пакет, я пошел по Каммерс-стрит к реке Камберленд и мемориальному парку форта Нэшборо. Рядом с красиво подстриженными газонами и рекой городские власти обустроили собачью площадку с купальней для животных. Я разделся до нижнего белья и воспользовался бесплатным шампунем от блох и чесотки, чтобы уничтожить воспоминания о мусорном баке. Я как раз намыливал подмышки, когда подошла дама на высоких каблуках с тремя ухоженными тявкающими собачками и злобно уставилась на меня.

— Доброе утро! — крикнул я. — Давайте этих щеночков сюда, я их вымою.

Что-то в моем облике показалось ей неуместным, и она не приняла мое предложение.

Глава 19

Следующие две недели прошли без заметных улучшений. Стопки бумаги, полученной от вышибалы, хватило на довольно долгое время. Я знал песни, потому что исполнял их и мог мысленно воспроизвести каждую. Труднее всего было понять значение символов и тем более музыкальные инструкции. Для того чтобы выяснить это, я играл песню и изучал символы, пытаясь раскрыть их смысл. Благодаря учебе у мисс Хэгл этот процесс происходил довольно быстро.

Единственным плюсом от кражи автомобиля было то, что больше не приходилось покупать бензин для заправки. Но я остался без места для ночлега, и это превратилось в насущный вопрос. Я спал в парках и торговых складах, в лесном уголке, где нашел отсыревший матрас под гнилым брезентом, несмотря на то что укрытие находилось под мостиком. Мне не нравились ночлежки и приюты для бездомных, и если вы хотите знать почему, то отвечу: мне не хотелось признавать, что я так сильно опустился. Эти ребята достигли дна, а я нет. Или, по крайней мере, я не был готов это признать.

Моя единственная потребность была простой: нужно было, чтобы меня заметили. И я стал сомневаться, что это произойдет в одной из двух прачечных самообслуживания или в душной промасленной автомойке, совмещенной с закусочной. Какой уважающий себя сотрудник звукозаписывающей студии или продюсер станет туда заходить? Нет, ключевым местом для меня был Бродвей.

За время моего короткого пребывания в Нэшвилле я заметил, что парни вроде меня, которые не имели доступа к сцене, выступали на уличных перекрестках. В любое время на Бродвее можно было встретить музыкантов, стоявших на перекрестках улиц, примыкавших с севера и юга, и поющих за ужин.

Отчаяние — великий учитель, поэтому как-то в среду в восемь часов вечера я выбрал перекресток Второй авеню и Бродвея. Почему это место? Потому что оно было пустым. На другой стороне улицы находился трехэтажный кабак, до отказа набитый людьми в шляпах и ковбойских сапогах. Коллектив, заводивший публику песнями в стиле кантри, состоял из трех человек под руководством детины в огромной шляпе и с дурным голосом. К его чести, он обладал большим сценическим обаянием, заставлявшим забывать о том, как плохо он играет. Я смотрел в окна на всех этих людей с кружками пива в руках и думал:

«Когда-нибудь им будет нужно выйти, и есть все шансы, что они выйдут через эту дверь».

Поэтому я достал гитару и начал играть. Примерно через двадцать минут вокруг меня собралось десять-пятнадцать слушателей. Через полчаса передо мной стояло от сорока до пятидесяти человек, бросавших десятки и двадцатки в футляр от гитары.

Я сорвал банк. Мне казалось, что моя звезда взошла.

Пожилой тип с синяком под глазом и коростой на лбу подошел поближе и указал на деньги в футляре.

— Лучше убери их, — сказал он. — Поверь мне на слово.

Я так и сделал.

К десяти вечера сто человек стояли тесным кругом вокруг меня, и хотя я получал удовольствие от своей игры и выполнял просьбы слушателей, но стал немного беспокоиться. Фактически я выгонял клиентов из баров, и у меня было смутное ощущение, что владельцы баров и музыканты, которые там выступали, не особенно рады этому обстоятельству. Но, разумеется, если это их злит, они могут пригласить меня, чтобы я играл внутри... поэтому я продолжал выступление.

В конце концов я увидел полицейский автомобиль, остановившийся на улице к западу от меня, и копа, направлявшего уличное движение в объезд толпы, высыпавшей на улицу. Офицер выглядел достаточно миролюбиво, и я понял, что это не первый случай в его жизни, но я не мог отделаться от неприятного покалывания в затылке. И когда ковбой в большой шляпе и с дурным голосом вышел из бара, он направился прямо ко мне и сказал: «Хорошая гитара; очень жаль, что таких больше не делают», — а потом исчез в толпе, то мои волосы встали дыбом.

В одиннадцать вечера я поблагодарил собравшихся и торопливо направился по Первой авеню, оглядываясь через плечо. Проблема состояла в том, что я смотрел не туда, куда надо. Помню, как я остановился у Банк-стрит, посмотрел в обе стороны и шагнул на проезжую часть, а потом что-то взорвалось у меня в затылке, и кто-то выключил свет.

Когда я в следующий раз открыл глаза, было уже утро, и полицейский офицер подталкивал меня носком ноги.

— Эй, парень, ты живой?

Кровь запеклась у меня на шее и затылке, и все, что находилось выше плеч, невыносимо болело. Я попытался открыть глаза, но один глаз совсем заплыл. Единственное, что я видел — это шесть фисташковых скорлупок, валявшихся на асфальте рядом со моей головой, словно кто-то бросил их так же безразлично и равнодушно, как и разделался со мной.

Потом я потянулся за Джимми.

Но Джимми нигде не было.

Санитары наложили мне повязку и предложили отвезти в клинику, но я отказался, понимая, что не смогу оплатить счет. Кроме того, от моей боли не было никакого лекарства.

Я неделями бродил по улицам. Без гитары я был сам не свой. Мне пришлось отказаться от выступлений в прачечных и на автомойке. Однажды ночью я обнаружил, что стою в верхней точке высокого моста через Камберленд и смотрю на воду. Единственное, что удерживало меня от прыжка, было понимание того, что когда они найдут мое тело, — *если* они найдут мое тело, — то вызовут моего отца. С учетом того, что я уже отнял у него, я не мог вынести мысли, что он получит от меня еще и этот удар. Поэтому я ушел с моста.

На следующее утро я стоял в Принтерс-Элли, глядя на мусорные баки. Хотя все бары выходили в сторону Бродвея, одно заведение было обращено к аллее: это была лавка по ремонту гитар. Судя по виду, она находилась там уже долгое время. Пока я стоял рядом, с урчащим животом, какой-то мужчина прошел мимо, поднял рулонную дверь и начал включать свет. В витрине красовалась вывеска: «Требуется помощник».

Я понимал, что не могу обратиться за работой в своем нынешнем состоянии, поэтому вымылся в купальне для собак, а когда моя одежда в основном просохла, то завязал волосы в хвостик, постучал в дверь и указал на вывеску.

— Тебе что-нибудь известно о гитарах? — спросил владелец.

— Я умею играть на них.

— Когда-нибудь работал с ними?

— Нет, сэр.

— У тебя хороший слух?

— Да, нормальный.

Он передал мне гитару.

— Что не так с нотой си?

Я подергал струну и послушал звук.

— Это си-бемоль. — Я подстроил струну на слух и вернул ему гитару.

Он снял со стойки другую гитару.

— А эта?

Я пробежал пальцами по струнам, потом настроил их.

— Струны старые, их надо бы заменить. У того, кто последним играл на ней, какой-то кислотный пот. Я думаю, половина струн тонкие, а остальные средние.

Мужчина улыбнулся и протянул мне третью гитару:

— Давай еще одну.

Эта гитара была немного другой. Она была в основном настроена, но когда я попробовал подтянуть несколько струн, что-то пошло не так. Я немного поиграл на ней и понял, в чем проблема.

— У этой искривленный гриф. К сожалению, ничем не могу помочь.

— Ты хочешь учиться?

— Да, сэр.

Он протянул руку:

— Риггс Грейвз. Добро пожаловать в «Гитары Грейвза».

— Пег.

— Это твое настоящее имя?

— А это имеет значение?

Он рассмеялся:

— Только в том случае, если ты хочешь, чтобы я платил тебе.

Риггс вручил мне фартук, и так началось мое посвящение в удивительный мир ремонта гитар. Как и большинство других, двадцать пять лет назад Риггс приехал в Нэшвилл со своими мечтами. Когда они не сбылись, он вернулся к единственному занятию, которое хорошо знал: к ремонту гитар. С тех пор он занимался этим и приобрел солидную репутацию, о чем свидетельствовали те, кто каждый день приходил к нему.

Хотя работа в мастерской решила проблему моего дохода, она не решила проблему с жильем. Через неделю Риггс обратил внимание, что я не из тех, кто рано уходит с работы. Он также заметил, что я редко моюсь.

— Ты живешь где-то поблизости? — спросил он.

Я кивнул в северном направлении:

— За пару миль отсюда.

Из меня вышел не очень хороший лжец. Он указал на реку:

— Тебе приходится переходить через мост, чтобы попасть туда?

Я кивнул.

Он посмотрел прямо на меня:

— Долгий путь, не так ли?

Я не ответил.

Он регулировал анкер, понижая высоту струн «Гибсона».

— Когда я был примерно в твоем возрасте, — сказал он, продолжая работу, — то пытался играть во всех знаменитых местах на этой улице. Когда уровень моей игры доказал, что я больше не могу этим заниматься, ребята из соседнего бара предложили мне продать это место. Мне как-то удалось получить закладную и открыть магазин. У меня не было другого места для ночлега, поэтому я раскатывал поролоновый матрас прямо на полу. Это оказался удачный ход, потому что знаменитости из «Раймана» могли постучаться в мою дверь в любое время дня и ночи. Я познакомился с некоторыми великими музыкантами. И мало-помалу я построил квартирку на втором этаже. Это не ахти что, но она пустая. Там сухо, и там есть горячий душ. — Он улыбнулся. — И если ты будешь слушать внимательно, то никогда не пропустишь представление в «Раймане». Если хочешь, квартира твоя.

Когда Риггс проводил меня по узкой лестнице и показал однокомнатную квартиру с душем, раковиной и окном с видом на «Райман», мне захотелось расцеловать его.

Глава 20

Тот, кто украл Джимми, не просто украл отцовскую гитару. Он украл мое желание. Попытка играть на гитаре была бы слишком болезненным напоминанием о моем идиотизме. Поэтому я настраивал гитары, мандолины и банджо, не думая об игре. Я проводил дни и многие вечера, работая с Риггсом. В конце рабочего дня я поднимался на крышу, садился на стул и ужинал, прислушиваясь к звукам Бродвея. Но ничто не могло сравниться со звуками, которые доносились из «Раймана». Я жил над гудками, повседневными делами и головорезами нижнего мира. Когда мне хотелось покоя, я поднимался на крышу. Со своего насеста я видел не так уж много людей и был уверен, что никто из них не видит меня. В одном квартале от нас находился отель, и иногда я видел кого-нибудь, стоявшего на балконе, но по большей части мир над улицей принадлежал мне одному.

Прошло полгода. Все шло, как обычно: мы с Риггсом работали, он наблюдал, как я играю гаммы на гитаре, пытаясь выяснить неполадки в ее звучании. По мере нашего сближения я немного расслабился и иногда позволял себе наигрывать на гитаре, чтобы услышать качество звука.

Однажды он кивнул в сторону «Раймана»:

— Ты бывал на представлениях?

— Нет.

— Никогда?

— Нет, ни разу.

— Один из тех, кто выступает сегодня вечером, — мой старый клиент. Он дал мне два билета. Хочешь пойти?

У меня практически не было сменной одежды. Риггс наклонился над верстаком, поправляя инструменты.

— Я собираюсь сходить в магазин и выбрать себе несколько рубашек. Почему бы нам не закрыться пораньше и не купить тебе новую рубашку или что-нибудь в этом роде? Нельзя отправляться в главный храм музыки кантри в таком виде.

— Мне бы очень этого хотелось.

Пока мы ехали, Риггс спросил:

— Ты когда-нибудь слышал «Опри»?

— Когда я рос, мы с отцом тысячу раз слушали эту станцию.

Риггс любил читать биографии. Они бы замечательно поладили с моим отцом.

— Ты знаешь историю? — спросил он.

— Здание похоже на старую церковь.

Он поменял руку на рулевом колесе.

— Около 1890 года странствующий проповедник Сэм Джонс совершал ривайвалистские службы в передвижном шатре для простых людей, работавших на берегах реки. Парень по имени Райман был владельцем тридцати пяти пароходов, и он, как и остальные горожане, услышал про вдохновенного Джонса. Райман был абсолютным скептиком, но однажды вечером он спустился в район доков посмотреть, из-за чего поднялась такая шумиха. Что-то произошло, и он вернулся другим человеком.

Он потратил свое состояние на то, чтобы построить «Скинию» для Джонса, и в 1892 году строительство Объединенного евангельского храма было завершено. Это была популярная церковь, но кроме того, там проводились музыкальные мероприятия. Здание имело превосходную акустику, и скоро все захотели там играть. Люди называли его южным Карнеги-Холлом. Здесь проходили не только музыкальные выступления, но и балетные постановки, политические дебаты, бродвейские мюзиклы.

В 1943 году, когда мир нуждался в поддержке и воодушевлении, Райман сдал свою площадку в аренду местной радиостанции для выступлений по субботним вечерам. Шоу «Гранд Ол' Опри» проводилось здесь в течение тридцати лет. Хэнк Уильямс, Пэтси Клайн, Джонни Кэш... даже Элвис. Все они выступали здесь. — Он постучал указательным пальцем по приборной доске. — К 1974 году шоу «Опри» переросло «Скинию» и переехало в другое место; разумеется, Сэм Джонс к тому времени уже давно умер.

Двадцать лет «Скиния» простояла запертой. Она начала гнить, крыша протекала. Я проникал туда через черный ход и ходил внутри среди запаха плесени и гниющего дерева. Я надеялся услышать эхо великих голосов, но слышал только голубей. Я поднимался на священную сцену, смотрел на ряды пустых мест и гадал, что в мире пошло не так, если пришлось избавиться от чего-то такого хорошего и правильного.

Он вздохнул.

— Наконец музыканты собрали деньги и заново открыли «Райман». Теперь здесь играют разные люди. Некоторые заслуживают этой сцены, другие — нет. Но еще не так давно люди стояли на этой сцене и пели песню, которая была не о них. Это было нечто прекрасное, соединявшее людей. Мне хочется думать, что еще есть люди, которые могут это сделать, потому что такая песня — это нечто особенное. Подобные люди рождаются не часто.

В тот вечер я сидел на балконе вместе с Риггсом и пытался скрыть слезы. *Отцу бы это понравилось.*

Когда мы выходили после представления, Риггс представил меня одной женщине:

— Джен, это Купер О'Коннор. Проходит под именем Куп, но если ты лучше познакомишься с ним, он разрешит называть себя Пег по причине, которую я до сих пор не понимаю.

Мы обменялись рукопожатием, и Риггс продолжил:

— Он работает со мной и живет над моей лавкой. Он честный малый, очень способный работник и может оказаться для тебя полезным.

На следующий день, когда мне исполнилось девятнадцать лет, я стал работать по вечерам в «Раймане».

Я начал трудиться в сценической бригаде. Мы разбирали одни декорации, чтобы поставить другие для следующего вечернего представления, и дело часто затягивалось далеко за полночь. Много раз у меня оставалось лишь два-три часа на сон, прежде чем Риггс открывал свой магазин.

Работа с Риггсом имела для меня еще одну выгодную сторону. Он был широко известен, имел процветающий бизнес, и в результате через его руки проходило много величайших гитар, на которых мне приходилось играть. «Мартин», «Гибсон», «Тейлор», «Коллинз».

Я по-настоящему влюбился в гитару ручной работы «Макферсон», но с учетом того, что цена на эти инструменты начиналась от семи тысяч долларов, я лишь любовался ими издалека. Дизайн «Макферсона» был создан инженерным гением, который сместил в сторону резонаторное отверстие. У большинства гитар резонаторное отверстие находится посередине, прямо под струнами. Но сам Макферсон утверждал, что центральное расположение заметно снижает резонанс, поэтому сместил отверстие в сторону, увеличив резонирующую поверхность верхней крышки.

Он также совершил другую перемену, решительно отличавшую его гитары от всех остальных, а именно сделал консольный гриф. У большинства гитар гриф соединен с корпусом в «ласточкин хвост», но Макферсон говорил, что это глушит звук. Почему бы не навесить гриф над корпусом для более свободного движения звука и лучшего резонанса? Это сработало. В результате получалась одна из наиболее мелодичных, звонких и певучих гитар, на которых мне приходилось играть. Она как будто обладала собственным голосом. Многие из тех, кто играет в стиле блюграсс, не очень любят «Макферсон» из-за слишком сильного резонанса. Им нужно, чтобы сыгранная нота поскорее затихла, чтобы они могли перейти к следующей. Но те, кто играет виртуозным перебором, певцы и исполнители ритм-энд-блюза и студийные музыканты, которые ценят объем и создают звуковое кружево, любят «Макферсон».

Возможность играть на таком множестве гитар заставляла меня часто вспоминать о Джимми. Каждый раз, когда я перебирал струны, то сравнивал звук с Джимми. Я гадал, где он теперь. Заботится ли о нем кто-нибудь? Играют ли на нем? Может быть, его заложили в ломбарде? Бросили с моста? Поставили в угол? Из всех вещей, которые я сделал своему отцу, — ударил его по лицу, украл его деньги, угнал его машину, — моя самая глубокая боль была связана с Джимми и с моей неспособностью о нем позаботиться.

Я не мог вернуться домой без него.

Работа с Риггсом в дневное время и в «Раймане» по вечерам стала моей жизнью. Я познакомился с

ЧАРЛЬЗ МАРТИН

некоторыми завсегдатаями «Раймана» и, прежде чем мне исполнилось двадцать лет, увидел, наверное, около ста представлений и научился ценить музыку в качестве зрителя. И это было хорошо. Это дало мне массу опыта, который я не смог бы получить на сцене. Я узнал, как взаимодействовать со зрителями, что привлекает или отталкивает их.

Но, прежде всего, я усвоил одну вещь, о которой отец сказал мне еще очень давно, хотя тогда я не оценил его слова по достоинству: «Великая музыка, которая трогает сердца людей, — это дар. Ее невозможно подделать, и те, кто слушает музыку, лучше всего знают об этом».

Я также подтвердил для себя еще одну отцовскую истину: великие музыканты велики не потому, что могут заворожить вас перебором, похожим на трепетание крылышек колибри. Они завораживают слушателей, потому что знают, какие ноты нужно сыграть, а какие оставить в покое. И чаще всего именно пропущенные ноты делают их великими.

Миновало почти три года с тех пор, как я уехал из дома. Риггс познакомил меня со своей семьей и каждое воскресенье угощал меня обедом. У него были жена и сын. И загородный дом. И «Харлей», который он приобрел в период кризиса среднего возраста и на котором жена не разрешала ему ездить. За эти годы я старался не думать о Колорадо. Об отце и Биг-Биге. О шатрах. О шорохе автобусных покрышек, когда он едет по шоссе. О солнце, восходящем над горами. О голосе отца среди ясеней. О снежинках у меня на лице. О Джимми.

Это было одинокое время.

Но это не означало, что мое образование было навеки утрачено. Я держал глаза и уши открытыми и познакомился с разными людьми.

Либо благодаря личному опыту, либо из-за рекламы мы считаем бар местом, где люди хорошо проводят время. Так воздействуют на нас неоновые вывески и медийная бомбардировка. Но подумайте, какие эпитеты мы для них придумываем? «Кабачок». «Водопой». «Клуб». «Место отдохновения». Звучит заманчиво, не так ли?

Подумайте о рекламе вина, пива или крепких напитков, которую вам приходилось видеть. Очень умные и хорошо оплачиваемые менеджеры потратили десятки миллионов долларов на то, чтобы вы, подобно собаке Павлова, истекали слюной при виде или звуках их рекламы. Телевизионные шоу с броскими тематическими названиями делают то же самое. Кому не захочется пойти туда, где все знают ваше имя? Где вы можете хорошо отдохнуть и посмеяться вместе с друзьями. Снять груз с плеч абсолютно незнакомых людей. Хотя бы на час повернуться спиной к внешнему миру.

Чем дольше я жил на Бродвее, тем яснее это для меня становилось. По правде говоря, люди часто ходят в бары, чтобы полечиться. Они заходят в бар с какой-то нерешенной проблемой, которая после нескольких порций алкоголя становится более понятной. Алкоголь — великий разоблачитель. Он похож на экскурсию за кулисы. На то, что раздвигает занавес, ведущий в страну Оз. В алкоголе можно утонуть... или выплыть.

Второй главный урок, который я усвоил, состоял в том, что эстрадные артисты проживают три жизни. Они проживаются в нисходящем порядке, и, подобно силе тяготения, никто не может избежать неизбежного. Первая жизнь — самая лучшая: это восхождение. Ракетный старт. Тогда они ежедневно питаются с шведского стола надежды и обещаний. Это то, о чем все говорят и любят вспоминать.

Блеск славы бывает разной интенсивности, но, для того чтобы стать звездой, нужен ракетный старт. У некоторых топливо выгорает быстро, у других сгорает равномерно. Звезды бывают разной величины, и некоторые светят дольше, чем другие. Но независимо от силы и блеска топливо заканчивается у всех. Это заложено в природе ракеты. По мере затухания славы бывшие властители сердец вращаются вокруг казино, наполненных сломленными людьми, которые поставили свою судьбу на рычаг игрального автомата, колесо рулетки, бросок костей или карточный расклад, умоляя: «Да минует меня чаша сия...» А поскольку казино хорошо умеют отнимать чужие деньги и оставлять людей в худшем виде, чем когда они вошли в игорное заведение, там предлагаются живые выступления, чтобы врачевать болезни. Или смягчать удары.

Независимо от ярких вывесок, казино — это вторая жизнь для эстрадного исполнителя. И хотя существуют исключения, казино — это кладбища для эстрадных исполнителей. Места, где гаснут звезды. От Билокси до Атлантик-Сити и Лас-Вегаса казино платят «бывшим» за то, чтобы еще раз показать, кем они были когда-то. Или кем они никогда не были. Гаснущие звезды берут деньги, которые они клялись никогда не брать на гребне волны, и устраивают антрепризы для редеющих слушателей и потускневших воспоминаний, в слишком облегающей одежде, с нетвердыми голосами. Потому что какие-то аплодисменты лучше, чем никакие.

Цикл казино для одних продолжается дольше, чем для остальных, но тоже подходит к концу. Это последняя остановка перед черной дырой. Хотя многие начинают карьеру в кабаке или в придорожном ресторане, никто не начинает заново в баре. Те, кто возвращается в бары, пропадают навеки. Для певца, автора песен, эстрадного артиста или поп-звезды, обращающегося за поддержкой на излете карьеры, барная сцена — это хоспис, а тихие пьяные хлопки — порции морфия, на которые они только и могут надеяться.

Третий и, наверное, самый ценный урок, который я извлек из жизни в те годы, заключался в следующем: умами людей во многом владеют оценивающие и критические голоса. Сравнивая одно с другим, мы узнаем, какое место оно занимает на пьедестале почета по отношению к остальным. В человеке живет неустанная потребность разделять и сравнивать. Эксперты в этой области жонглируют определениями вроде «вокальные качества», «тембр», «гнусавость», «диапазон», «верхние ноты», «гортанный объем», «грудной регистр», «вибрато» и так далее. Когда критики разбирают чей-то вокал, пытаясь понять, почему звук получается таким, каким он получается, и в чем заключаются его возможности, разобранный на части голос становится похож на подергивающийся труп на тротуаре. Разобщенные части, не похожие на целое. Животное, сбитое автомобилем.

Я не понимаю языка, которым пользуются критики. Зато я понимаю, какие чувства вызывает музыка. Посмотрите на любую группу парней с Юга, когда они слышат первый рифф песни «Милый дом, Алабама». Что они делают? Встают, снимают шляпы, крестятся одной рукой и поднимают кружку пива другой рукой. Без обсуждений. Без предисловий. Они связаны одной нитью, и музыка тянет за нее.

Музыка проникает в людей на уровне ДНК. Опять-таки, отец был прав. Музыка показывает, кто мы есть и перед чем мы преклоняемся.

В моем понимании, наивысшая похвала, которую слушатели могут дать музыканту, состоит в следующем: последняя нота звучит и цепляется за небесные стропила, где она звенит и резонирует перед тем, как умолкнуть. И зал отвечает абсолютной тишиной. Неверием и благоговением, за которым раздаются растущие, оглушительные аплодисменты, которые звучат еще долго после того, как музыкант уходит со сцены.

Тогда вы понимаете, что музыка — это не ваша заслуга. По правде говоря, так никогда и не было.

Глава 21

Однажды в среду около полуночи я оказался в тихом уголке за кулисами рядом с телефоном, висевшим на стене. Я стоял там, покручивая между пальцами узловатый шнур. Я небрежно пританцовывал, делая вид, что мне все равно. Еще через час я набрал номер.

— Алло? — услышал я в трубке.

Мне хотелось многое сказать и объяснить. Но больше всего я хотел услышать его голос. Я тихо стоял, держа трубку в руке. Вокруг меня сгущалось молчание. Прошло тридцать секунд. Когда он заговорил, его голос был очень тихим:

— У тебя все в порядке?

Меня раскрыли, поэтому я едва не повесил трубку, но вовремя остановился.

— Да, сэр, — выдавил я спустя какое-то время.

Я услышал, как он опустился в скрипучее кресло на кухне. Я мог себе представить, как он сидит, положив локти на кухонный стол, и смотрит на запад через горные хребты. Я слышал запах кофе в фильтровальной машине.

Он откашлялся. Мягкий тон его голоса обнял меня, как бархатистые руки:

— Ты нашел карту?

Перед моим мысленным взором возникла комната мотеля, где на полу лежала задняя панель кондиционера и выкрученные болты. Воспоминание о том, как я потерял все отцовские сбережения, пронзило меня.

— Да, сэр.

Он помедлил, и я услышал, как его рука поглаживает бакенбарды на небритом лице.

— Хорошо. Это хорошо.

Я повесил трубку на рычаг и сполз по стене, прижавшись головой к облезлым обоям. Мой взгляд упал на календарь, висевший по стене. Это был мой двадцать первый день рождения.

Хотя я решительно не хотел выступать перед публикой, это не означало, что мне не хотелось играть. Писать музыку. Я редко выходил без своей черной записной книжки. Я так хорошо усвоил Нэшвилльскую систему счисления, что мог записать песню со стихами и музыкальным сопровождением буквально за пару минут.

Риггс наблюдал за мной с немым изумлением. Он не был назойлив, но заинтересовался, поэтому я время от времени задавал ему вопросы. Как выяснилось, он несколько лет проработал студийным музыкантом и имел специфические знания, которых мне недоставало.

Однажды он вручил мне «Мартин», отрегулированный для клиента, и постучал по записной книжке у меня за спиной:

— Сыграешь что-нибудь?

Я исполнил несколько музыкальных фраз, спел куплет и припев. Не слишком много.

Он ничего не сказал и отошел в сторону. Через два часа, когда мы закрывались, он положил руку мне на плечо.

— Не держи все это в себе, — сказал он и потрепал меня по голове. — Я не собираюсь на тебя давить; думаю, ты сам расскажешь, если захочешь. Но в Нэшвилле есть два вида людей. Те, кто хочет что-то получить, и те, кто хочет что-то дать.

Он указал на «Мартин», висевший на стене:

— Эта вещь прекрасна лишь тогда, когда производит звук, для которого она предназначена. Иначе зачем она тут висит?

Я поднялся наверх, вышел на крышу и расплакался. Все во мне рвалось домой. Мне хотелось обнять отца, рассказать ему о Джимми и сказать ему, как мне жаль, что все так получилось. Но другая моя часть не позволяла этого сделать. Этой части нужно было как-то управиться с той кашей, в которую я превратил свою жизнь. Вернуться домой с чем-то большим, чем шрамы и пустые руки. Стать кем-то большим, чем жалкий неудачник. Это было похоже на перетягивание каната, и я оказался посередине.

Я не знал, что делать с внутренней болью, поэтому разработал новый ритм жизни. Риггс доверял мне. Он брал отпуск и оставлял меня на неделю работать в магазине. Иногда на две недели. Мой босс в «Раймане» сделал для меня отдельный набор ключей, так что я мог приходить и уходить в любое время. Я держался особняком, выполнял свою работу, приходил рано, уходил поздно, делал больше, чем от меня требовалось, и прислушивался к тому, что происходило на сцене. Я учился на разных уровнях. Это снискало ко мне расположение людей, которые, несмотря на почет и восхищение, в основном были такими же одинокими, как и я.

Я знакомился с исполнителями, менеджерами, продюсерами, агентами и всеми остальными, кто входил в дверь. Я доставал им то, что нужно, когда это было нужно. Я стал известен как мастер на все руки. Я подшивал брюки, настраивал и перетягивал гитары, покупал новые сапоги, если заказ не прибывал вовремя, однажды отдал парню свою рубашку, звонил сиделкам и сообщал, что такая-то певица вернется поздно, бронировал номера в отелях, давал указания, заказывал доставку еды. Много раз я решал проблемы еще до того, как о них становилось известно. Некоторые видные люди в музыкальном бизнесе начали доверять мне. Они давали мне номера своих телефонов и домашние адреса. Они ездили со мной по городу. Оставляли на хранение ценности. Они доверяли мне свои секреты.

Хотя я мог бы использовать общение со звездами для собственной выгоды, я не делал этого. Мне было все равно, — или, по крайней мере, я внушил себе, что мне все равно. Риггс все сильнее подозревал, что когда-то я был кем-то большим, чем наемный помощник, получающий немного больше, чем минимальное жалованье, что когда-то у меня были свои мечты. К его чести, он не стал наводить справки. Он понимал, что мне нужно время, чтобы разобраться в себе. Чтобы исцелиться. Я сводил свои траты к минимуму и работал с единственной целью: сэкономить достаточно денег, чтобы вернуть долг отцу. А долг был изрядным.

По справедливой цене, новый автомобиль стоил 7500 долларов. Я украл 12 800 долларов. На сегодняшнем рынке такая гитара, как Джимми, могла стоить от 17 000 до 25 000 долларов. Мне нужно было иметь как минимум 37 800 долларов. Я твердил себе, что когда у меня будут такие деньги, я смогу вернуться домой, встретиться с отцом и откупиться от бремени вины, давившего мне на плечи и камнем лежавшего внутри.

Я так и не поведал Риггсу свою историю, но он видел мое нежное отношение к гитарам «Мартин» каждый раз, когда одна из них попадала мне в руки. Я рассказал ему, что когда-то имел бразильскую гитару D-28, которую называл Джимми. Когда он спросил, что с ней случилось, я промолчал. Наверное, он подумал, что я заложил ее и не смог выкупить. Он спросил, узнаю ли я Джимми, если когда-нибудь снова увижу его. Я объяснил, что когда мама подарила Джимми моему отцу, то выгравировала на обратной стороне головки грифа цитату из Книги Руфь, 1:16—17. Убрать гравировку было можно, только если срезать ее или заменить гриф; и то, и другое выглядело маловероятным.

Жизнь в Нэшвилле состояла не только из невзгод и страданий. Было в ней и лучшее, что я знавал до сих пор.

Жизнь в «Раймане».

Когда посетители уходили, когда гасили свет, когда подметали и мыли полы и туалеты, когда отключали звуковую аппаратуру и затихали последние отголоски, я оказывался запертым внутри. Наедине с собственным голосом и одной из самых священных сцен в истории музыки. Хотя некоторые жители Города Музыки полагали, что Нэшвиллская система счисления — это ключ от царства, на самом деле ключом был «Райман». Каждую ночь, хорошую или плохую, я брал взаймы одну из гитар Риггса и изливал сердце в музыке перед пустым залом. В течение двух лет я «выступал» там по шесть или семь раз в неделю. Я искал взглядом Блондина, но тот не показывался. Ни разу. Только крысы знали об этом.

А потом в город приехала Делия Кросс и завоевала мир бурей.

И пламенем.

Глава 22

Делию Кросс обнаружили на конкурсе молодых талантов в Калифорнии. Виды Малибу соответствовали ангельскому голосу и абсолютному слуху. Сочетание, которое встречается один раз на миллион. Ее рекламировали как певицу с голосом в стиле кантри и потенциалом рок-звезды. Это означало, что она могла зарабатывать деньги на нескольких музыкальных рынках, включая мировые турне и многочисленные контракты. Ее сценическое обаяние снискало расположение среди молодежи и пожилых людей наперекор возрасту; ей исполнился двадцать один год. За кулисами распространялись слухи о том, что ее дебютное выступление в «Раймане» будет первой ступенью ее ракетного старта. Ей нужен был только один хит. Песня, которая отличала бы ее от безликой толпы разнообразных поп-звезд.

Слухи о ней ходили в течение последнего года. Их было трудно пропустить мимо ушей. Ее первая личная композиция попала в десятку хитов: легкий для исполнения поп-джингл, регулярно проигрываемый в эфире и демонстрирующий лишь малую часть ее вокального диапазона. В разговорах о ней часто можно было слышать фразы вроде «это только вопрос времени». В последние несколько месяцев она начала появляться в ток-шоу второго ранга и в радиопередачах для водителей, находящихся в пути. Звук ее голоса и образ молодой певицы становились все более знакомыми. Ее бренд стремительно раскручивался.

Каждый раз, когда я слышал ее, то не мог понять, откуда взялась вся эта шумиха. Поймите меня правильно, у нее было все необходимое, но когда я слушал, как она поет, или видел ее глянцевый образ на обложке журнала или на телеэкране, то у меня складывалось впечатление, что тот, кто занимается ее карьерой, пытается запихнуть ее в коробку, слишком тесную для нее. Кто-то взял ее целиком, порубил на мелкие части и попытался собрать их по определенной схеме, доказавшей свою эффективность где-то еще. Я ощущал в ней неизбывную печаль, которую нельзя было скрыть никакой цветомузыкой, соло на электрогитаре или подводкой для глаз.

Очевидно, я был одинок в своем мнении, поскольку остальные были без ума от нее.

Музыкальное шоу Делии достигло концертного зала «Райман» в окружении сплетен, раздуваемых на радио и в газетах, — четыре черных автобуса и несколько полуприцепов устроили транспортную пробку. Ее репетиция началась вскоре после полудня и продолжалась до позднего вечера под крики «Еще раз!» или «Делия, так не годится; только не в этом бизнесе!».

Одному типу особенно нравилось в сердцах отбрасывать наушники и планшет каждый раз, когда он хотел показать свое недовольство. Мне она казалось шариком для игры в пинбол, где рычагами управляли люди, безразличные к ее собственным интересам. Пока она неведомо в какой раз исполняла одну и ту же дурацкую песенку, я гадал, почему она позволяет им превращать себя в то, чем она на самом деле не является. Она могла пятьдесят раз исполнить эту песню, но так и не обрести свой истинный голос.

Но никто не спрашивал меня, поэтому я не поднимал голову, держал рот на замке, а руки на швабре.

В час ночи суетливые звукорежиссеры, продюсеры и другие люди, которые пытались выглядеть донельзя занятыми, наконец ушли, и я остался один. В «Раймане» было темно, не считая света на сцене, который каждую ночь оставляли включенным в честь людей, некогда выступавших здесь. Я проверил свой «финальный» список, дважды подергал двери и вышел на сцену. Группа Делии Кросс оставила там свои инструменты, и, принимая во внимание многочисленных охранников, расставленных вокруг здания, никто не мог унести их отсюда.

Рядом с микрофоном Делии стояла ее гитара. Это был «Макферсон». Я не смог удержаться, чтобы не попробовать сыграть на нем. Я взял гитару, перекинул ремень через плечо и стал перебирать пальцами вверх и вниз по грифу, наигрывая простые аккорды. Гитара была прекрасной с эстетической и акустической точки зрения. Очень мелодичной. Звонкой, как колокол, и наполнявшей воздух звуковым кружевом. Ее звук был настолько чистым и подходящим для перебора, что я порылся в памяти и заиграл песню, которую написал очень давно. Это была песня о буре, которая угрожала разорвать и унести шатры, и о том, как отец вытащил меня из-под скамьи и велел играть.

Хотя первоначально эта песня была написана для пианино, я переложил ее для гитары. Она особенно хорошо звучала на этом инструменте, поскольку с годами я научился одновременно использовать щипковую и переборную технику, при этом постукивая по корпусу гитары в ритме барабанной перкуссии, создававшем ощущение приближавшейся грозы. Стиль, который я разработал, позволял слушателю слышать и вместе с тем ощущать музыку благодаря использованию вступающих в противоречие мажорных и минорных аккордов.

Минорные аккорды грустные, тягостные, тревожные. Они захватывают внимание именно потому, что неуютны для слуха. Они дезориентируют и вызывают желание бежать, спасая свою жизнь. Мажорные аккорды радостные, теплые, легкие и торжествующие. Они заставляют желать невозможного. Первое приводит нас ко второму. Но для того, чтобы стать непоколебимыми и торжествующими, сначала нужно испытать тревогу и страх.

Я дополнил этот стиль реальным звуком бури: пронзительным свистом, которому научился у отца. Ничего особенного, просто надо использовать полный объем воздуха в легких и всем известные законы физики. Он заворачивал язык и прижимал к губам передние зубы, а потом дул изо всех сил. Вообще-то, слово «пронзительный» не вполне подходит для описания этого звука. Ребенком я часами репетировал до головокружения, пока не овладел этим свистом.

При правильном исполнении вы слышали рокот грома, треск молнии и хлопки парусины; потом на смену неопределенности приходило нарастающее крещендо. Вы не успевали оглянуться, как буря подхватывала вас, и вы галопом проносились по нотам, потоком лившимся со сцены, обнимавшим вас и дававшим избавление от страха.

Это песня о надежде. О дарении. О призвании. О силе личности. И, наверное, это песня о том, как музыка иногда бывает единственным способом, способным утихомирить бурю, которая бушует внутри нас. Мой отец всегда любил эту песню.

Через три куплета, мелодическую связку и припев я закончил играть, перенастроил нижнюю струну с ноты ми на ре-минор, как было раньше, и уже собирался вернуть гитару на место, когда услышал тихие аплодисменты.

Волосы на моей голове встали дыбом.

— Эй! — окликнул я.

Хлопки прекратились.

— Кто здесь?

— Только я, — ответил усталый женский голос.

Я мысленно воспроизвел свои недавние действия. Разве я не запер все двери? Неужели она все время была здесь? Кто это? Мне хотелось бросить гитару и убежать, но я попытался придать голосу некоторую авторитетность.

— Мэм, это помещение закрыто для репетиции.

Послышался легкий смешок.

— Вот и замечательно.

Хотя я пытался изобразить компетентного служащего, боюсь, мой голос выдавал пойманного ребенка, запустившего руку в банку варенья.

— Я прошу вас уйти.

Я чувствовал улыбку у нее на лице, когда она сказала:

— Само собой, как только вы положите на место мою гитару.

Ох. Меня и впрямь поймали, когда я запустил руку в банку варенья. Я тихо поставил гитару на стойку.

— Я опасался, что вы это скажете.

Она поднялась с места в дальнем конце зала и направилась ко мне.

— Не беспокойтесь. Вы играете на ней гораздо лучше меня.

Я не видел ее вечерних звуковых проб, потому что заменял разные лампочки, но ее голос нельзя было не узнать. Делия Кросс была на добрых пять дюймов ниже меня, но, казалось, не знала об этом. Я махнул рукой в сторону ее гитары:

— Прошу прощения. Я не повредил ее, и вы можете...

— Очень красивая песня.

Я решил изобразить дурачка, что само по себе было тупостью, поскольку я стоял на сцене и только что держал в руках гитару, чье эхо еще гуляло внутри зала.

— Песня?

Она улыбнулась и обошла вокруг меня, напевая мой припев:

— Выпусти это... — Она прекратила петь так же внезапно, как и начала. — Где вы это слышали?

Я пожевал нижнюю губу, задавшись вопросом, насколько честным мне хочется быть перед нею.

— У меня в голове.

Она изумленно посмотрела на меня:

— Вы написали эту песню?

Я не понимал, куда может зайти этот разговор и как мой ответ может повлиять на возможность потерять или сохранить работу. Если бы моя начальница в «Раймане» узнала, как вольно я обошелся с инструментами, доверенными мне на хранение, то моментально уволила бы меня, — в этом я был совершенно уверен. Мои инструкции были предельно ясными: «Уберись, запри двери и ничего не трогай. Ни при каких обстоятельствах не прикасайся к чужим музыкальным инструментам; даже не дыши на них».

А Риггс поручился за меня, что лишь усугубляло положение. Я мог потерять обе работы.

Я указал на инструменты:

— Все осталось на месте, можете проверить. Я просто запер двери и...

— Откуда у вас эта музыка?

— Я не могу потерять эту работу. — Я почесал в затылке. — Поэтому, если бы вы просто забыли...

— Где вы научились так играть?

Я нервно потер ладони.

— Послушайте, мисс, э-ээ...

Она протянула руку:

— Делия. Я буду выступать здесь завтра вечером, — она взглянула на часы, — или сегодня вечером.

Наш разговор ходил кругами: один сменял другой.

— Мне кажется, мы говорим о разных вещах.

Она указала себе за спину.

— Все двери были заперты, поэтому охранники пропустили меня.

Все ясно. Скоро меня вытолкают отсюда взашей.

— Это ваше право.

— Не беспокойтесь, ваш секрет останется со мной. При условии.... — Она встала напротив меня и жестом попросила взять гитару. — Пожалуйста, — Она улыбнулась, сошла со сцены, уселась в переднем ряду и подтянула колени к груди. — Сыграйте это еще раз. Как будто в последний раз.

— Вы не сердитесь, что я играл на вашем «Макферсоне»?

Она отмахнулась.

— Мой продюсер дал мне эту гитару. Сказал, что она хорошо подходит к моему голосу.

Я взял гитару.

— Очень милый продюсер.

— Почему вы так говорите?

— Эта гитара стоит десять тысяч долларов.

— Он может себе это позволить.

— Как долго вы находитесь здесь?

— Уже довольно долго.

Я опустился на табурет и сложил руки на коленях.

— Не могли бы мы оба пойти домой и забыть об этом? Я провожу вас до...

Она покачала головой:

— Не могу заснуть. — Она плотнее обхватила руками колени и поежилась, словно от холодного ветра, которого я не чувствовал. Она выглядела крайне усталой — душой и телом.

— То есть мне нужно один раз исполнить эту песню, а потом мы разойдемся и забудем о том, что когда-либо встречались?

Она улыбнулась. Я тихо провел пальцами по струнам.

— Это не ответ.

— Мы можем разойтись по домам, но сомневаюсь, что я забуду.

— Почему вы так говорите?

Она опустила подбородок на колени.

— За последние полгода я прослушала сотни пробных записей. Может, даже больше. Но ни одна из них не тронула меня так глубоко, как ваша песня.

Я приглушил струны.

— Можно задать вопрос?

— Конечно.

Я окинул взглядом гламурные плакаты на стенах, фотографии, обработанные фотошопом. Особенно меня поразил один снимок, где неведомый фанат у ее ног откидывал со лба ее блестящие волосы.

— Это *она* будет слушать или вы?

Делия глубоко вздохнула и сгорбилась.

— Я буду слушать, как *я* слушаю.

В два часа ночи в «Раймане» между нами не было ничего, кроме воздуха, поэтому я возвысил голос и спел для аудитории, состоявшей из одного человека, предлагая свою песню всему миру, лежавшему передо мной, и стенам зала, где встретились две сломленные души.

Когда я закончил, она покачала головой и вытерла лицо рукавом. Целую минуту она сидела, расслабившись в кресле, закрыв глаза и запрокинув голову. Она ничего не говорила, лишь неосознанно постукивала носком туфли по полу.

Наконец она встала.

— Спасибо. — Она скрестила руки на груди и снова поежилась, словно холодный ветер вернулся. Наполовину отвернувшись, она добавила через плечо: — Большое спасибо.

Она направилась к выходу, когда я крикнул ей вслед:

— Эй, а вы...

Она повернулась.

— Вы бы спели ее со мной?

Она шагнула ко мне.

— Правда? Вы не возражаете?

Я отступил в сторону из-под лучей единственной лампы.

— Нет.

Она кивнула:

— Мне это нравится. — Она поднялась по короткой лестнице, ведущей на сцену. — Можно узнать слова?

Я достал записную книжку из-под ремня на спине и открыл на нужной странице. Она указала на значки Нэшвиллской системы счисления:

— Вы это понимаете?

— Более или менее.

— Парни из моей группы твердят, что мне нужно научиться, но для меня это полная околесица. — Она прочитала текст и провела кончиками пальцев по прочеркам пера. — Прекрасно. Откуда это?

— Мой отец был... он странствующий проповедник. А я тогда был ребенком. Пришла сильная гроза, и молния подпалила шатер. Повсюду гремел гром. Я спрятался под скамьей у пианино. Ливень хлестал горизонтально и заливал мое лицо. Люди разбегались, как муравьи. Отец запустил руку под скамью, вытащил меня оттуда и указал на мое сердце, а потом прошептал на ухо...

— ...«Выпусти это», — закончила она.

— Это был первый раз, когда я играл перед людьми.

— Думаю, мне бы понравился ваш отец.

Я уже исполнил вступление и кивком показал ей, что можно начинать. Она тихо запела, подпевая гитаре, подпевая моей песне. Ее голос был словно создан для этого. Ее вокальный диапазон и сила голоса позволяли играть со строфами, но она воздерживалась от этого, полагаю, не желая ранить мои чувства. Когда я начал играть второй куплет, она раскрыла голос и спела для меня в полную силу.

Когда отзвучали последние ноты, мы провели в молчании целую минуту. Потом еще одну. Наконец она приподняла бровь:

— Ну как, нормально?

В последнее время ей явно приходилось нелегко. Слишком много критических замечаний, окриков и наставлений. Мне в голову пришла мысль о собаке, которую так долго держали на поводке, что даже если снять его, она все равно останется рядом.

Моя песня в ее исполнении была одной из самых прекрасных вещей, которые мне приходилось слышать. Я ломал голову над тем, как сказать ей об этом, не показавшись очередным ее ревностным поклонником.

— Мне всегда казалось, что лучший голос — не тот, который может взять больше всего октав, громче всех остальных, звучит дольше... как угодно. Нет, это голос, которые заставляет нас поверить в то, что он поет чистую правду.

Она немного расслабилась.

— Ну и как? Вы поверили?

— Да, — я рассмеялся.

Она лукаво улыбнулась, как будто тоже запустила руку в банку с вареньем. Потом она покосилась на дверь и тихо спросила:

— Хотите еще раз?

Мы исполнили песню пять раз подряд. С каждым разом она чувствовала себя все более непринужденно, вживаясь в слова. На шестой раз она спела эту песню так, как будто сама написала ее, и я одновременно услышал и увидел, что она нашла свой голос.

И свою песню.

Когда она закончила, улыбались не только ее губы, но и глаза.

— Спасибо. — Она бережно закрыла мою черную книжицу и протянула ее мне. — Спасибо, что разрешили спеть вашу песню. Это... просто роскошно. — Она откинула волосы с лица и посмотрела на часы. — Мне пора идти. Впереди долгий день.

Она сошла со сцены и направилась к выходу. Я спрыгнул вниз и пошел за ней.

— Делия? — Я покачал головой. — Я хотел сказать, мисс Кросс.

Она остановилась. Ее лицо снова стало напряженным, и она выглядела так, как будто уже начала сегодняшнюю баталию.

— Я могу спросить вас о кое-чем еще?

— Разумеется. И называйте меня Делией.

— Вам нравится музыка, которую вы играете?

Она деловито покачала головой:

— На самом деле, нет. Но я пою в надежде, что однажды это позволит мне петь то, что нравится.

Я открыл записную книжку, вырвал перфорированную страницу и протянул ей.

— Для вашей группы это не составит никакого труда. Здесь есть все...

Она покачала головой:

— Я не могу. То есть это будет...

Я все еще держал руку протянутой.

— Вы поете лучше меня. Если только вы не хотите...

— Нет. — Она прижала листок к груди. — Я хочу. Просто это... такие слова, как эти... Я чувствую себя так, будто краду что-то священное.

— Она ваша.

— Разрешите мне купить ее у вас.

Я махнул рукой в сторону сцены:

— С учетом моего опыта в Нэшвилле, я сильно сомневаюсь, что из моей мечты что-то получится, но вы не должны оставлять свою мечту. Я вырос в том мире, где музыку не откладывали про запас. Ею делились ежедневно. — Я усмехнулся. — Мой отец говорил, что это как пресловутая свечка, которую нельзя спрятать. Вы ставите ее на стол, где каждый может видеть ее, потому что от нее исходит свет. — Я сунул руки в карманы. — Вы — единственный настоящий свет, который я видел за последние пять лет. — Я немного помолчал. — Я пишу музыку, которую мне нужно слышать. Лишь когда я отдаю ее, кто-то может спеть ее для меня и таким образом вернуть ее мне.

— Это отличает вас почти от всех, кто здесь живет.

— Музыка — это дар.

Она крепко сжимала листок.

— Где я могу вас найти?

— Я вернусь сюда сегодня вечером. Буду убирать мусор, оставленный вашей группой, и готовить зал к следующему выступлению. — Я указал направление. — Днем я работаю у Риггса на той стороне аллеи, так что никогда не отлучаюсь надолго.

— Чем вы занимаетесь? — с улыбкой спросила она.

— Пытаюсь настраивать звук гитар под голоса их владельцев.

Она рассмеялась.

— Представляю себе. — Она указала на мою записную книжку. — Вы также подрабатываете официантом?

— Нет, а что?

— Просто вы так же засовываете эту вещицу под ремень на спине.

Я повертел книжку в руках. Она была поношенной, с обтрепанными уголками и приняла естественную форму моего зада.

— Это старая привычка.

— Что вы там пишете?

— Всякую всячину, которую не хочу забывать.

Снова лукавая улыбка. На этот раз я был уверен, что она флиртует со мной.

— Вы недоговариваете.

— Там разные песни.

— Значит, у вас есть и другие песни?

— Да.

Ее голос смягчился.

— Вы всегда такой честный?

— Нет. Бывает, что и лгу.

Она посмотрела на листок и драматическим жестом вскинула руку.

— «Говори сейчас или навеки храни молчание»[1].

Я сомневался во множестве вещей, но я был абсолютно уверен, что никто не сможет исполнить эту песню лучше Делии Кросс.

— Возьмите ее.

Я проводил Делию до двери, отпер ее и придержал створку. Когда она проходила мимо, то коснулась рукой моей руки, потом живота. Это было намеренное прикосновение, такое же интригующее, как и ее вопросы. Что-то в ней хотело знать, реален ли я или только притворяюсь настоящим. Это также было невысказанное признание, что мы поделились чем-то сокровенным, чего нельзя выразить словами. Не имело значения, как долго мы стояли у дверей и напрягали мозги в попытке найти общий итог; для пережитого нами просто не было слов.

Люди, которые пишут музыку, знают об этом. Разговоры никогда не отражают суть совместно пережитого опыта.

Когда она повернулась, сквозняк подхватил ее волосы, и они упали на лицо. Она заправила их за ухо.

— Как вас зовут?

Я протянул руку:

— Купер. Но здешний народ называет меня Пег.

Она изогнула бровь.

— Пег?

— Мой отец говорил, что мама была его якорем. Как колышек для закрепления шатра. А я напоминал ему о ней. Потом это прозвище так пристало ко мне.

---

[1] Несколько измененная цитата из «Книги общих молитв» XVI века («Если кто-то против, пусть скажет сейчас или вечно хранит молчание»), которая перешла в обряд бракосочетания.

— Звучит, как история нежной любви.

— Судя по тому, что рассказывал отец, это так и было.

— Мне хотелось бы побольше узнать о нем.

— Звучит почти так, будто вы приглашаете меня на свидание.

— Это меньшее, что я могу сделать.

Моя грусть, накопленная за все эти годы, рассеялась, и я улыбнулся:

— Мне это нравится.

— Тогда увидимся после концерта.

Глава 23

Риггс нагружал меня работой большую часть дня. После ланча он заметил, что я в хорошем настроении. Кажется, я насвистывал.

— У тебя хорошее расположение духа. Нашел горячую подружку или что-то другое?

Я пожал плечами.

— Или что-то другое.

Он улыбнулся мне, оторвавшись от «Мартина», с которым работал.

— Ну расскажи.

Я отмахнулся и посмотрел на «Райман» по другую сторону аллеи.

— Вы мне не поверите. Лучше подождем и посмотрим, что из этого выйдет.

Я усердно работал, но мысленно был в другом месте. Когда Риггс вернулся после ланча, то сказал, что в «Раймане» уже полно народу. Продюсер по имени

Сэм Кейси был без ума от новой песни, которую его подопечная Делия Кросс спела ему сегодня утром. Как только он услышал ее, то сразу взялся за телефон и начал вносить изменения в сценическую программу. Приехало еще несколько грузовиков. В зале было полно электриков и специалистов по аудио- и видеотехнике. Художники-декораторы одной из ведущих концертирующих групп с длинноволосыми парнями, игравшими рок-н-ролл, получили щедрую выплату за подготовку сцены и общий надзор за ходом работ.

Я не знал, какие ограничения главный храм музыки кантри налагает на свои представления, но было похоже, что в этом случае пределы дозволенного будут расширены.

Около половины восьмого, когда я принял душ, сбрызнул лицо лосьоном после бритья и вошел в заднюю дверь «Раймана», зал был полон, и люди на балконе стояли вдоль стены. Слухи распространились, о чем свидетельствовало количество камер и довольных разряженных знаменитостей. Раньше я видел такое лишь несколько раз, и обычно речь шла об уже хорошо известных исполнителях. В этот вечер должно было случиться нечто особенное.

В восемь вечера, когда начался концерт, я вытирал шваброй пролитую на пол фойе кока-колу. Оттуда я пошел наверх в мужской туалет, где посетители деловито пускали струи не туда, куда следовало. Не слишком приятное зрелище. Уборка заняла еще около часа, так что когда я вышел из туалетной комнаты, Делии осталось исполнить всего лишь две-три песни.

Я стоял на балконе у задней стены и смотрел, как ее затягивает водоворот огней и звуков. Она выглядела так, словно пыталась найти точку опоры посреди всеобщего хаоса. Ее туфли на высоком каблуке были явно неудобными, а одежда выглядела бы уместнее для рекламы пива на Суперкубке, чем здесь, на этой сцене. Утром она казалась умиротворенной и расслабленной, теперь же на нее было больно смотреть. Все равно, что поместить голос, который я слышал, в оболочку, которую я никогда не видел.

Да, он был совершенным с технической точки зрения, и я не сомневался, что масса народу сходит с ума от его звучания. СМИ открыли для публики новую любимицу. Но тотальная распродажа никогда не привлекала меня. Как ни печально, но Делия Кросс сейчас продавала себя у меня на глазах. Я ушел с балкона и отправился за кулисы, где должен был понадобиться, когда шоу подойдет к концу.

Делия исполнила около пятнадцати песен, включая несколько хорошо известных каверов, которые расположили к ней сердце старших слушателей. Концерт завершился, аплодисменты стихли, и я услышал голос Делии. Она тяжело дышала.

— Спасибо вам. Большое, большое спасибо. — Короткая пауза. — Уф! Мне нужно приступить к физическим тренировкам, если я собираюсь делать карьеру таким образом. — Она подбоченилась. — Думаете, это простое занятие? Это так же тяжело, как таскать мешки с песком.

В зале раздался смех.

— Я рада, что мама не позволила мне забросить уроки танцев. Я совсем выдохлась. И я вынуждена извиниться перед теми, кто сидит впереди; думаю, мой дезодорант выветрился час назад. — Снова смех. Она подняла голову и обратилась к тем, кто сидел в звукозаписывающей и осветительной будке: — Ребята, вы не могли бы направить свет повыше? Я хочу убедиться, что в зале еще есть публика. А ваше солнце бьет мне прямо в глаза.

Когда свет отрегулировали, Делия улыбнулась слушателям.

— О, привет. — Она выглядела удивленной. — Вы все еще здесь...

— Делия, мы тебя любим! — крикнул мужчина из зала.

— Посмотрели бы вы на меня в четыре часа утра, — быстро ответила она.

— У тебя или у меня? — выкрикнул тот же голос. Все рассмеялись. Она прошлась по сцене.

— Пожалуй, с меня довольно.

Зал притих. Делия пододвинула табуретку и села.

— Эти туфли убивают меня. — Она посмотрела на знаменитостей, сидевших в первых рядах. — Не знаю, как вам это удается. То есть у вас есть какой-то секрет? — снова смех. — По правде говоря...

Наступила пауза, пока она снимала свои нелепые туфли. Потом Делия встала и спустилась по лесенке к юной девушке в первом ряду. Можно было слышать ее голос вдали от микрофона: «Мама, это нормально?» Потом Делия произнесла в микрофон:

— Вот, детка, можешь забрать их. Примерно через пять минут ты будешь достаточно большой, чтобы носить этит туфли. Может быть, ты научишь меня, как нужно в них передвигаться, — она обняла девушку, вернулась на сцену и покачала головой. — У меня от них кровавые мозоли.

Смех и энергичные аплодисменты: звезда на сцене стала «одной из нас».

— Я выросла в Калифорнии, где ходят босиком на пляже. Не вижу причин что-то менять.

— Сними все! — крикнул кто-то еще из зала.

Она рассмеялась и посмотрела в ту сторону.

— У меня не такое шоу. — Она погрозила пальцем. — Но ты можешь направиться вон туда по Бродвею и тогда найдешь то, что ищешь.

Для своего возраста она обладала закалкой и сценическим хладнокровием, и публика уже была готова есть с ее ладони.

— Если вы раздумываете, что сейчас происходит, то я тяну время, пока парни кое-что готовят для вас.

Луч прожектора обогнул сцену и осветил нескольких мужчин в черном, напряженно работавших с аппаратурой.

— За последние несколько месяцев некоторые очень талантливые люди взяли меня под крыло, и мы усердно старались найти нужный звук. Выбрать нужную песню или несколько песен. Некоторые из них вы слышали сегодня. — Она дождалась, пока стихли аплодисменты. — За это время я прослушала несколько сотен песен, написанных лучшими поэтами-песенниками. В ходе этого процесса я узнала о себе кое-что интересное. Команда моих менеджеров слушала эти пробы, пытаясь обнаружить звук, который стал бы узнаваемым для вас. Такой звук, который сразу же сказал вам, что «это Делия Кросс», и вы тут же начнете подпевать мне.

С другой стороны, чего хотела я сама? Но это не было моей главной целью, — Она взглянула на своего продюсера: — Извини, Сэм.

Делия повернулась к залу.

— Я слушала много музыки не ради песни, которая бы познакомила вас со мной, но ради такой песни, которая была бы *моей*. Я искала звук, искала песню, которая нашла бы во мне внутренний отклик. Что-то такое, что зажило бы своей жизнью внутри меня. Это не так просто, как может показаться. Это было довольно утомительно. Я мало спала.

Тот же тип, сидевший на балконе, перебил ее:

— Я могу помочь в этом вопросе.

Делия ничуть не смутилась:

— Твой инспектор по надзору за досрочно освобожденными знает, что ты здесь?

Она подождала, пока смех в зале стих. Затем, как по команде, свет потускнел, осталось лишь одно неяркое пятно там, где стояла Делия. Этот образ наводил на мысль о единственной лампочке, раскачивавшейся над пианино во время вечерней грозы. Я думал о своем отце, о Биг-Биге и о том, как мне хочется, чтобы они были здесь. Потом я подумал о деньгах, об автомобиле и Джимми и понял, что их здесь не будет.

— Я собираюсь исполнить еще одну песню. Это новая песня. — По какой-то причине Делия повернула голову и посмотрела направо, где увидела меня, стоявшего в тени за сценой. Она по-прежнему обращалась к залу, но смотрела на меня. — Надеюсь, вам понравится.

Ее тон позволял предположить, что я буду не в восторге.

Свет погас, и Делия ушла со сцены. За кулисами ее встретила женщина в наушниках, державшая в руках платье и головной убор, напоминавший тиару. Делия переоделась за восемь секунд и встала в нескольких футах от меня, когда заиграли вступление. Чуть позже, когда свет начал мигать и громыхнул гром, Делия повернулась ко мне, ухватила меня за руку и прошептала:

— Мне очень жаль.

Меня удивило, как человек, так уверенно выглядевший в свете рампы, мог выглядеть таким уязвимым в темноте. Превращение было мгновенным, и я спрашивал себя, где же настоящая Делия.

По сравнению с другими площадками сцена «Раймана» не так уж велика. Первоначально она предназначалась для проповедника и хора, поэтому там не очень много места для маневра. Кроме того, она не была оборудована для крупных, по-настоящему зрелищных представлений. Сцена имела определенные ограничения, и с того места, где я стоял, мне было видно, что парни в будке пытаются распределить эффекты правильно.

Грянул «гром», и «молния» осветила заднюю часть сцены у огромного видеоэкрана со сценой надвигающейся бури. Дымовые машины извергали белый дым снизу и сверху, затягивая сцену облачными клубами. Вентиляторы создавали ветер, круживший дым. Когда все вокруг побелело, Делия вышла в центр сцены, где ветер трепал ее волосы. Она стояла посреди бури, ожидая, когда дым рассеется, а музыка достигнет крещендо.

Она так и не дождалась этого.

Нагрузка, возросшая из-за освещения, дыма, вентиляторов и прочих чудес техники, добила и без того перегруженную электрическую панель, и все предохранители, связанные со звуком и светом, с треском перегорели, осыпавшись каскадами искр. Это было похоже на первый пушечный выстрел Армагеддона, вся сцена погрузилась во тьму. В зале мгновенно вспыхнули желтые лампочки аварийного освещения. Делия стояла на безмолвной сцене перед смеющейся публикой.

— Напоминает моего бывшего мужа, — раздался голос где-то в первых рядах.

Музыкальная группа удалилась со сцены, оставив онемевшую Делию наедине со зрителями и последними вспышками искр. Музыкальный критик с фотоаппаратом сделал несколько снимков.

— Милочка, вы хороши ровно настолько, насколько хороша ваша последняя песня, — назидательно произнес он и добавил, обращаясь в пространство: — Она не скоро от этого оправится.

Делия попыталась заговорить в микрофон, но он тоже отключился. Она застыла на месте, не зная, что делать.

Единственным словом, подходившим для описания того, что творилось за сценой и в будке звукооператора, было *пандемониум*[1]. Тот самый холодный ветер, который дул в зале «Раймана» сегодня рано утром, теперь завывал на сцене. Делия сложила руки на груди, защищаясь от него.

Единственный свет, горевший на балконе, исходил от индикатора «прямой эфир» над будкой радиотрансляции. Оборудование, отвечавшее за трансляцию, очевидно, не пострадало, и свисавшие с потолка микрофоны по-прежнему улавливали звуки на сцене и передавали их на всю страну.

Еще оставалась надежда.

Я вышел на сцену и увидел, что Делия была готова расплакаться, ей грозил нервный срыв. Я снял с ее головы дурацкую тиару и сунул ее за барабанную стойку. Потом я снял фланелевую рубашку, под которой находилась лишь заляпанная белая футболка, и набросил ей на плечи.

— Ты хочешь исполнить эту песню? — спросил я. Ее взгляд метался.

— Да, но...

— Да или нет. — Я посмотрел на уходящих людей. — У тебя есть три секунды.

Ее взгляд встретился с моим.

— Да.

Я сдвинул две табуретки и перебросил ремень ее гитары через шею. Потом я повернулся к Делии, чьи

---

[1] Очевидно, здесь имеется в виду место, сбор всего развратного, греховного в подземном мире.

глаза стали большими и круглыми. Я наклонился поближе, чтобы она услышала меня.

— Просто возьми мои слова и пой их.

Ее рука скользнула по моей руке. Еще одно прикосновение, эхо сонарного сигнала. Она кивнула.

Я ударил по струнам и семь раз пронзительно свистнул, с каждым разом все громче. В ушах у меня звенели отцовские слова: «Великие исполнители велики не потому, что могут сыграть все ноты, а потому, что они этого не делают».

С учетом многолетней практики и таинства прекрасной кафедральной акустики «Раймана», я создал целую какофонию звуков, чтобы привлечь внимание присутствующих. Громкий свист по самой своей природе предназначен для этого. И хотя я остановил всеобщий исход, все же именно Делия вернула людей в зал и заставила их занять свои места.

В тот вечер мой мир изменился.

Глава 24

Делия пропела последнюю ноту под ревущие, неистовые аплодисменты. Она сделала невозможное. Она завоевала публику, всех до единого. Когда мы ушли со сцены, ее моментально окружила толпа. Ко мне же подошел только один человек — ее менеджер.

Он улыбнулся, и я сразу же невзлюбил его. Я не поверил и выражению его глаз. Насколько я понимал, это он был ответственным за фальсификацию моей песни.

— Сэм Кейси, — сказал он и протянул руку.

— Купер О'Коннор. Люди зовут меня Пег.

— Так я и слышал. — Он кивнул в сторону сцены и спросил: — Как вы смотрите на то, чтобы продать нам эту песню?

Делия взяла меня под руку и прижалась ко мне. Она словно парила, пребывая на седьмом небе. Я посмотрел на нее, потом на него.

— Это не моя песня, я не могу ее вам продать.

Он нерешительно взглянул на меня.

— Что вы имеете в виду?

— Я не могу продать то, что уже подарил.

Сэм явно не ожидал этого.

— Некоторые назвали бы это наивностью.

— Другие назвали бы это бескорыстием или даже любезностью.

— Я двадцать лет в этом бизнесе ни разу не встречался с «любезностью».

Последние несколько лет промелькнули перед моими глазами. Он был в чем-то прав.

— Пять лет назад я бы скорее согласился с вами.

— У вас есть другие песни.

— Да, есть.

— Они такие же хорошие?

— Некоторые даже получше.

— Можно послушать? — тихо спросил он.

Я посмотрел на Делию, потом на него.

— У вас в группе есть вакансии? Я играю на гитаре и пианино. И благодаря злобной женщине с глазами-бусинками из прошлого, наверное, у меня лучше получится второе. Петь тоже могу, и, кажется, неплохо.

Он рассмеялся:

— Забавно, что вы упомянули об этом. У нас только что открылись три вакансии, так что можете считать, что вы в деле.

Ладно, наверное, он был не так уж и плох. Сэм положил руку мне на плечо.

— Почему бы вам обоим не прийти на обед в выходные? Нам нужно о многом поговорить. — Он повернулся, собираясь уйти, потом остановился, как будто вспомнил о чем-то. — Да, и если у вас есть планы на будущий год, лучше бы отменить их. Предстоит много поездок. У вас есть паспорт?

— Нет.

— Тогда срочно оформите его.

Несмотря на толпу, вращавшуюся вокруг нас, бесконечные поздравления и рукопожатия, Делия оттащила меня в сторону, прижала мою ладонь к своему сердцу и поцеловала меня — сначала в щеку, потом в уголок рта. Именно там, за сценой «Раймана», ее теплые, соленые, трепещущие губы ответили на вопрос, какая Делия была настоящей.

Моя начальница сказала, что я могу отдыхать до завтра. В сущности, она дала понять, что я могу отдыхать до конца моей жизни. Она обняла меня и сказала: «Навещай нас время от времени». Это было желанное признание, и поскольку оно исходило от человека, знакомого с лучшими из лучших в нашем деле, я был тронут до глубины души.

Эта мысль пришла в мою голову лишь после того, как мы с Делией вышли на Бродвей, чтобы поужинать. Все происходило так быстро, и, принимая во внимание, что я не спал большую часть вчерашней ночи и сегодняшнего утра, дни и ночи сливались в одно целое.

Я повернулся к Делии:

— Какой сегодня день недели?

— Четверг.

— «Райман-радио», — прошептал я.

— Что?

— Он был прав.

— Кто был прав?

Это пришло, как потоп. Когда Делия спросила меня, почему я плачу, я не смог ей ответить. Я упал на колени на Бродвее и еще долго не мог говорить.

Заголовок утренней газеты гласил: «Положа руку на сердце», и наша с Делией фотография красовалась на первой полосе. Она была сделана ближе к концу песни, когда Делия взяла самую высокую ноту, какую только могла, и на ее шее выступила жилка. Это была прекрасная иллюстрация силы и мощи ее голоса. В статье подробно говорилось о том, как короткое замыкание оставило ее без усилителя и без музыкантов, «вокально обнаженной» перед впечатляющей аудиторией. Автор цитировал разных знаменитостей, говоривших, что они не могут поверить, как ей удалось собраться с силами и довести концерт до конца. Некоторые просто покинули зал, но все хвалили Делию за стойкость и мужество. В статье говорилось о ее «несравненном голосе», о том, что песня идеально продемонстрировала ее «неподражаемый вокальный диапазон», и о том, что ей суждено стать «следующей из великих».

Один местный видеорежиссер умудрился заснять наше выступление. Принимая во внимание, что аудиовизуальная трансляция из «Раймана» прервалась после короткого замыкания, зернистая запись была предложена многочисленным городским станциям и каналам вещания, а потом ее подхватили общенациональные каналы. Низкое качество видеозаписи только нагнетало атмосферу таинственности. На следующий вечер история и песня распространились повсюду.

Утром, когда я пришел на работу, Риггс читал газету и улыбался до ушей. Он посмотрел на меня поверх очков:

— Что ты здесь делаешь?

Я надевал фартук.

— Приступаю к работе.

Он покачал головой и рассмеялся:

— Нет, ты больше не работаешь у меня. Тебя обхаживает Сэм Кейси, так что сматывай удочки. Я больше не могу позволить себе такую роскошь, как ты.

— Вы меня увольняете?

Он снял с меня фартук и повесил его на крючок.

— Совершенно верно.

— Но почему?

Он все еще смеялся.

— Потому что ты лгал мне. — Он постучал меня по груди. — И себе тоже. И всем остальным.

— Что?

— Я знал, что ты умеешь играть, но не знал, *как* ты умеешь играть. И петь. Откуда у тебя такой голос?

— Вы правда увольняете меня?

Риггс положил руку мне на плечо.

— Сынок, я пытаюсь объяснить тебе то, что известно всему городу и что ты сам скоро узнаешь. Твоя жизнь очень скоро изменится. Давай, живи по полной. Приноси мне свои гитары, когда тебе будет нужно их починить.

— А это? — Я указал наверх.

— Оставайся, сколько захочешь. Когда ты будешь в отъезде, я буду продавать билеты для туристов. Аттракцион под названием «Здесь живет Пег». С таким голосом, как твой, все девушки будут рады заплатить. Я смогу отойти от дел и только продавать билеты.

Риггс был хорошим человеком. Он помог мне, когда никто другой не хотел этого делать.

— Ну, ладно, — сказал я. — Могу я хотя бы получить последнюю зарплату? Мне нужно как-то добраться от одного мира к другому.

Мы с Делией стали неразлучны. Она показала мне мир богатых доходных домов Франклина[1], где Сэм арендовал для нее роскошные апартаменты в кооперативном доме с воротами, круглосуточной охраной, спортивным клубом и «Мерседесом» по вызову. Мир был подан на серебряном блюде.

Когда она захотела увидеть мой мир, поданный на картонной тарелке, я пришел в некоторое замешательство. Взгляд в прошлое был болезненным, и я не хотел, чтобы она знала об этом. Тогда она запустила пальцы под мой ремень и привлекла меня к себе, а потом крепко обняла меня.

— Расскажи мне, — попросила она.

Я начал с самого начала. Колорадо. Мама, отец, Биг-Биг, шатры, та ужасная гроза, мисс Хэгл и мое растущее недовольство по отношению к отцу. Я рассказал ей о своем школьном ансамбле и о ссоре с отцом. О том, как украл деньги, автомобиль и Джимми. Она сидела за рулем, так что я показал ей мотель, где остановился в свою первую ночь в городе и где спрятал деньги. Потом автостоянку у реки, где я спал в салоне автомобиля. Обе прачечные. Я купил ей длинную сосиску в «Мыльном шницеле». Мы остановились под пешеходным мостом, и я показал ей то место, где я спал. Лесную рощу и отсыревший матрас. Собачью купальню, где я мылся. Перекресток, где у

---

[1] Франклин — центральный город одноименного округа в штате Теннесси.

меня украли Джимми. Лавку Риггса. И, наконец, зал «Райман».

Когда я закончил, у Делии уже не осталось бумажных салфеток. Она не могла удержаться от слез. Чем дальше мы углублялись в мою историю, тем чаще она плакала. Было тяжело видеть слезы в ее прекрасных глазах. Когда мы вышли из «Раймана», она только покачала головой:

— Как тебе это удалось?

Одной из вещей, которые я полюбил в Делии, была ее способность к сочувствию. Какая-то врожденная черта позволяла ей остро переживать то, что чувствуют другие люди. Если вы плакали, по ее лицу струились слезы. Если вы смеялись, уголки ее рта изгибались в улыбке. Это была ее величайшая сила и главная слабость.

Я достал бумажник и развернул карту, в которой когда-то находились деньги, украденные у отца. Она обтрепалась по краям и раскрошилась на сгибах.

— Надежду трудно убить.

— Надежду на что? — спросила она.

— Но то, что я когда-нибудь вернусь домой.

В субботу вечером мы проехали по дорожке поместья Сэма Кейси, расположенного на пятидесяти акрах земли у реки Харпет, и постучались в массивную дверь его огромного дома. Бернадетта, — его накачанная силиконом, подтянутая лифтингом и словно изготовленная по индивидуальному заказу невеста, — открыла дверь с бокалом вина в руке, который был явно не первым за сегодняшнее утро. Она проводила нас в дом и быстро удалилась на кухню в сопровождении маленькой белой собачки, тявкавшей на повара и его помощника.

Это был образцово-показательный дом. Если большинство подобных домов украшено картинами и произведениями искусства, то Сэм украсил свой дом звукозаписями. Золотыми и платиновыми дисками. Призы и награды громоздились на каждой полке. Его дом был своеобразным музеем — собранием его побед и завоеваний.

— Они все ваши? — спросил я.

Он напустил на себя равнодушный вид.

— Это подарки моих артистов.

— Странно, что они не захотели сохранить их у себя, — заметил я.

Он посмотрел мне в глаза.

— Они любят меня, и кто может винить их в этом? — Он указал на один диск, потом на другой и на третий: — Когда я нашел эту певицу, она обслуживала столики в Тускалузе. Вот этот был клоуном, скакавшим на родео. А этот продавал автомобили. — Он отхлебнул коричневую жидкость из хрустального бокала. — Если вы двое задержитесь в музыкальной тусовке, то поймете, что это ревнивая любовница. Только отвернешься, как ее уже след простыл. — Он сжал кулак. — Ее нужно крепко держать в руке и не отпускать от себя. Иначе кто-то придет, как тать в ночи, и украдет твои трофеи.

Обед состоял из стейка, рыбы или лобстера на выбор. Я испробовал все три варианта. Обед был дополнен дорогим бренди и десертом, который повар Сэма приготовил у нас на глазах. Я съел три порции.

Наконец он отвел нас в заднюю часть дома. Мы прошли по крытой галерее ко второму зданию неподалеку от его дома. Здесь находилась его студия звукозаписи. Он похлопал по ядровой сосне, отливавшей янтарно-рыжим цветом в сиянии незаметных светильников.

— Я нашел этот материал в Виргинии. Дереву двести лет, из него была построена одна из остановок Подземной железной дороги[1]. Рабы прятались в погребе. Потом остановку разобрали на доски, пронумеровали и построили из них одну из лучших звукозаписывающих студий в Нэшвилле. — Он указал на выгнутый потолок. — Такое редко можно увидеть. Я записал здесь больше первоклассных хитов, чем могу сосчитать. — Он отхлебнул из бокала и покачал головой. — Если бы эти стены могли говорить! — Его взгляд остановился на нас. — На следующей неделе я собираюсь записать еще один шедевр.

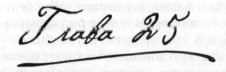

Сэм считал, что на запись уйдет целая неделя, но нам понадобилось меньше одного дня. Это было еще одним доказательством алхимии, происходившей между мною и Делией. Она предоставила свою гитару и свой голос, я — себя, а Сэм сидел за монтажным пультом и перемещал ползунки вверх и вниз. Он был, как волшебник из страны Оз, дергавший рычаги и улыбавшийся нам с другой стороны стекла.

Мне не нравился Сэм, и я не доверял ему, но у него был настоящий талант в работе со звуком. Когда я прослушал запись, то стало ясно, что он уловил внутреннюю сущность Делии.

---

[1] Подземная железная дорога — обозначение тайной системы, применявшейся в США для организации побегов и переброски негров-рабов из рабовладельческих штатов Юга на Север.

Его первый сингл попал на радиостанции уже на следующей неделе и благодаря ажиотажу после выступления в «Раймане» моментально занял первое место. И остался там.

Не сказав мне ни слова, Делия отрекомендовала меня как автора песни. Она объяснила Сэму, что хотя я подарил ей песню для исполнения, текст все равно принадлежит мне. Со своего первого чека от авторских поступлений я купил у Риггса гитару D-28, на которой стоял ценник в 22 000 долларов. Он продал ее мне за четырнадцать тысяч.

Вместе с гитарой я послал отцу чек на 50 000 долларов. Я хотел объяснить ему, что случилось. Хотел рассказать ему о Джимми. Рассказать о Делии. Но я не смог этого сделать. Некоторые вещи нужно говорить прямо в лицо. Я просто написал: «Мне очень жаль, папа». Я проследил за доставкой посылки и получил подтверждение, что она была выдана адресату через два дня, и что отец расписался в получении. Мысль об этом доставила мне некоторое утешение.

Концертное турне Делии «Положа руку на сердце» началось через месяц. Мы путешествовали целый год. Одно шоу следовало за другим. Очень скоро у нас появилась целая армия фанатов. Мы выступили больше чем в сорока штатах, в нескольких странах и почти в каждом вечернем ток-шоу. Мы даже помогали опускать «хрустальный шар» на Таймс-сквер. В это время мне исполнилось двадцать четыре года, но я не помню, где именно меня застал деь рождения. Жизнь стала как одно сплошное размытое пятно.

Еще в Нэшвилле Делия получила премии «Лучшая эстрадная артистка» и «Лучший женский голос года», и, — чудо из чудес, — мы стали обладателями награды «Песня года». Трудно было спорить с тем, что песня, пять раз завоевавшая платиновый статус, добавила блеска в доме Сэма. Ведущий назвал нас дуэтом, рожденным на небесах. «Если вы хотите услышать, как поют ангелы, просто послушайте их». Потом, к моему изумлению, меня объявили «Лучшим композитором-песенником года».

Я стоял на сцене с призами в руках, смотрел на всех этих прекрасных людей, которые смотрели на меня, и ощущал глубокую и неотступную печаль. Я двигался вперед. Мы с Делией двигались вперед. У меня было все, чего я мог пожелать.

Кроме того, что было для меня самым важным.

Я подошел к микрофону и вспомнил пустой зал «Раймана», ночь за ночью повторявший эхо моего голоса.

— Я хочу посвятить эту песню моему отцу... — Я с трудом сглотнул.

Делия видела, как мне трудно. Она знала правду, поэтому она вышла на сцену и сказала за меня:

— Сегодня его нет с нами.

Я собрался с духом.

— Папа, я сделал то, что ты сказал. Я... — Слеза скатилась по моей щеке. — Я выпустил это.

Все дружно встали и зааплодировали.

После представления Делия ушла на ужин со своей группой, а я незаметно ретировался по Бродвею, вошел в «Райман» через заднюю дверь и после полуночи играл перед пустым залом. Где-то посередине очередной песни я сломался и не смог закончить ее. Я лег ничком на сцену и зарыдал в голос.

Потом я почувствовал прикосновение руки к моей спине. Это была Делия. Она молчала. Просто села на сцену и дала мне выплакаться у себя на плече. Я слишком долго держал в себе эту горечь.

— Мне нужно домой, Делия, — сказал я, когда пришел в себя. — Там есть вещи... вещи, которые остались недосказанными. — Я посмотрел на нее: — Мне нужно разобраться с той кашей, которую я заварил.

Она откинула волосы с моего лица и поцеловала меня в нос.

— Можно мне поехать с тобой?

Тогда я понял, что должен сделать.

На следующий день я отправился в ювелирный магазин во Франклине, рекомендованный Риггсом, и сказал, что я пришел от него. Когда они узнали, чем я занимаюсь и для кого я собираюсь сделать покупку, то расстелили передом мной красную ковровую дорожку и вдове снизили суммы, указанные на ценниках. Как вы можете догадаться, я ничего не знал об алмазах, но мне нравилось думать, что когда я протянул им кредитную карту и приобрел кольцо за 9946 долларов, то заключил хорошую сделку. Продавец подробно рассказал мне о качестве, весе и бриллиантовой огранке, так что когда я ушел, то, наверное, мог бы написать эссе об отражающих свойствах света, проходящего через алмазы. Но я купил его по другой причине. Я купил его, потому что оно было похоже на Делию.

Сэм проводил нас к себе домой и сообщил, что пришла пора выпустить альбом.

— Теперь поговорим насчет песен, — сказал он и посмотрел на меня.

Песни проблему не составляли. У меня их было полно. Крупную проблему представлял собой Сэм. Я по-прежнему не доверял ему настолько, что был готов уйти в любой момент, но не мог оспорить его продюсерские способности, поэтому старался держать свои козыри при себе. Да, я все еще был зеленым юнцом, и пять лет ремонта гитар и чистки туалетов в «Раймане» не означали, что я хорошо разбирался в музыкальном бизнесе, но я неплохо разбирался в людях. А глаза Сэма выдавали то, что он думал о нас.

Для Сэма мы с Делией были не более чем вагонами поезда, мчавшегося в ночи. Он мог ехать на нашем горбу до тех пор, пока мы окончательно не износимся или пока ему не подвернется что-нибудь получше. Его дружелюбная улыбка, приклеенная к лицу, не могла одурачить меня, как и ковровая дорожка, которую он ежедневно расстилал перед Делией. Она выросла в нужде, и отец не уделял ей внимания, так что Сэм заполнял эту пустоту с выгодой для себя. Он покупал ей красивые вещи, разыгрывал нежного дядюшку и держал ее в своем заднем кармане. Этакий дядюшка Уорбакс[1].

Я знал, что он нам нужен, и в тот момент он нуждался в нас. Но Сэм хотел, чтобы Делия отправилась с ним туда, куда он хотел ее отправить, а у меня было сильнейшее подозрение, что Делии это совсем не понравится. Но он мастерски использовал ее сердечность, и поэтому пытаться убедить ее в обратном было сизифовым трудом. Принимая во внимание это обстоятельство и зная о предстоящей схватке с Сэмом, я сначала показал песни Делии. Я позволил ей выбрать тот звук, который она хотела. Но я понял, что мы в беде, когда она испугалась принять решение.

— Нам нужно спросить у Сэма.

Готов признать, что я окружил Делию своей заботой, — может быть, даже в излишней степени. Но в свою защиту могу сказать, что я не пытался делать ее такой, как мне хотелось. Я пытался вдохновить ее,

---

[1] Дядюшка Уорбакс — персонаж комиксов «Маленькая сиротка Энни» 1920—1930-х годов.

чтобы она обрела свободу и стала сама собой. До сих пор ни один мужчина так с ней не поступал.

— Ди, если ты собираешься петь со мной в два часа ночи, то что ты будешь петь?

Она без колебаний выбрала восемь песен из моей записной книжки. Ее выбор был достойным. Каждая из этих песен сочеталась с ее голосом, демонстрировала ее возможности и вокальный диапазон и позволяла Делии влиять на управление собственным брендом. Поскольку многие из этих песен были балладами, они позволяли ей выразить глубину той чувственной правды, которая сделала ее знаменитой.

Билеты на выступления Делии распродавались заранее, потому что люди верили в ее искренность, даже если она исполняла чужие композиции, а мои песни лишь усиливали этот эффект. Мы решили прийти с ними в студию Сэма. Я знал, что ему это не понравится, но он не мог спорить со мной, ведь я был автором песен.

Сэм не был болваном. Он понимал, что я многое держу при себе. Он хотел укрепить свой контроль; кроме того, судя по выражению его лица, ему не нравилось, в каком направлении уводили Делию мои песни. Я понимал, что между его пониманием успеха и желанием Делии быть собой существует изначальное противоречие. Это было нормально. Но это становилось ненормальным, если человек пользовался своим успехом как неизменным аргументом для продажи результатов чужого творчества. Чтобы брать, нужно что-то давать взамен, а Сэм хотел только брать. Из разговоров с Риггсом мне было известно, что Сэм давно продавал свои контракты на сторону, но поскольку все, к чему он прикасался, превращалось в золото или платину, никто с ним не спорил.

В конце концов мы убедили его выпустить «премиальный» альбом с восемью новыми оригиналами и живыми записями с концертов, которые мы будем давать в следующие несколько месяцев. Мы даже вбросили идею добавить одну или две кавер-версии, если нам вдруг на самом деле понравится оригинальное исполнение. Делия выглядела довольной, но меня донимало какое-то смутное подозрение. Сэм слишком легко уступил. Я чувствовал, что он знает что-то такое, о чем мы не догадываемся. Я не представлял, что это, и не имел достаточного опыта, чтобы выяснить самостоятельно.

Я был совершенно уверен, что Сэм ни за что не согласится с нашим последним требованием. До наступления цифровой эпохи музыка представляла собой совместное переживание и записывалась именно как таковое. Это означало, что группы или певцы и музыканты собираются в одном помещении — во многом так же, как во время сценических представлений, — и начинают играть. Они могут исполнять одну и ту же песню десять или пятнадцать раз подряд, но суть в том, что они делают это вместе. В итоге запись улавливает не только звучание, но и «алхимию» их совместного переживания и восприятия.

Но все изменилось.

Мы с Делией на собственном опыте знали, что происходившее на сцене будет трудно воспроизвести в студии, особенно с учетом того, как делались записи. Как правило, артисты записывали свои звуковые дорожки отдельно. Это означало, что при записи альбома музыканты редко играли вместе. Барабанщик задавал ритм, в другой день бас-гитарист исполнял свое соло, потом вступали другие гитаристы, которые сначала записывали ритм, а затем сольные фрагменты. Вокалисты делали запись в последнюю очередь.

Совместного переживания не получалось. Ничего похожего на сценическое выступление. Кроме того, это означало, что если записывающая компания пользовалась услугами студийных музыкантов, то певец мог вообще не знать барабанщика, гитаристов и всех остальных. Продюсер берет отдельные части и микширует их; то есть он решает, как будет звучать музыка. Он диктует ее восприятие.

Тогда 99 процентов музыки уже записывалось подобным образом. И это не нравилось ни мне, ни Делии. Подлинным даром Делии было ее умение выражать чувства, и оно проявлялось наилучшим образом, когда мы играли вместе. Это обстоятельство было крайне неприятным для Сэма, но он признавал силу музыкальной «алхимии». К нашему изумлению, он согласился записывать музыку так, как хотели мы. Тогда я заподозрил, что здесь что-то не так.

Мы запланировали сеанс звукозаписи на следующую неделю. А после этого мы с Делией собирались поехать в Колорадо.

Перед отъездом мне оставалось сделать еще кое-что, и я предложил Делии покататься по окрестностям. Мы выехали из города, и по обеим сторонам дороги потянулись конюшни и амбары, ячменные поля и пологие холмы.

Она откинула голову назад.

— Куда мы направляемся?

— Увидишь.

Большую часть дня мы просто ездили вокруг города. Ее рука лежала в моей руке. Мы смеялись и болтали о концертах.

— А помнишь, когда...

— Как насчет того парня...

— О чем мы думали?

О членах группы. О порванных гитарных струнах. Об Эйфелевой башне, Биг-Бене, статуе Свободы и бухте Сан-Франциско.

Когда Делия чувствовала себя по-настоящему уютно в присутствии другого человека, она имела привычку напевать про себя. При этом она сплетала воедино разные мелодии. Некоторые из самых прекрасных песен, какие мне приходилось слышать, вообще не были песнями. Я был уверен, что она даже не осознает, как это делает. Большую часть дня она накручивала волосы на указательный палец и пела. На смену беспокойной, хрупкой девушке, с которой я встретился в «Раймане», пришла лучезарная женщина, сидевшая рядом со мной. Я привык к ее присутствию, к ее нежности, к ее прикосновениям. Даже к ее запаху. Иногда, когда мы были вместе, я просто закрывал глаза и дышал.

В тот вечер я привел ее на ужин в мое любимое местечко — «Мыльный шницель». Когда мы подошли к стойке, я сказал, что сам сделаю заказ. Делия любила сюрпризы, поэтому она улыбнулась и направилась к столику.

Себе я приготовил сэндвич с луком, перцем и острой горчицей. Для нее я заказал сэндвич с капустой, луком и тем странным сыром, который отдает тухлятиной. Я выложил сэндвичи на тарелки, взял салфетки и два бокала и устроился рядом с ней за угловым столиком, рядом со стеклянной перегородкой, за которой мы могли смотреть, как моют и полируют «Мерседес» Сэма.

— Ого, это нечто особенное! — сказала она, когда попробовала сэндвич. — Куда ты меня привел?

Я рассказал ей историю про старика в зеленом «Кадиллаке»:

— Каждую неделю он приходит сюда. Он по-прежнему ее любит. — Я взял ее ладонь в свои руки. — Ди, сейчас наша жизнь прекрасна. Нам подают весь мир на серебряной тарелке. Но я знавал времена похуже. Я видел хорошее и плохое. Я знаю, что такое одиночество, и знаю... Прости, у меня неважно получается, но я пытаюсь сказать вот что: я не знаю, что произойдет в будущем. Я не могу много обещать и не знаю, чем все это закончится. Но, как и тот старик в зеленом «Кадиллаке», я знаю, что буду еще долго, очень долго любить тебя. Через шестьдесят лет я буду сидеть здесь, заказывать все те же ужасные хот-доги и смеяться вместе с тобой. Смотреть, как ты накручиваешь волосы на палец, и слушать твои колыбельные.

Я положил кольцо на ее ладонь.

— Я дарю тебе это кольцо и все что у меня есть. Все, что у меня будет. Я дарю тебе свою песню. — Я надел кольцо ей на палец. — Ты споешь ее для меня?

Следующая неделя прошла очень весело. Сэм изображал бурную радость и даже устроил ужин в честь нашей помолвки у себя дома. Но я был начеку. Он уже давно играл на этом поле и никогда не проигрывал. Он каждый раз подтверждал это впечатление, когда я входил к нему, поэтому я держал глаза открытыми.

Утром в понедельник мы отправились в студию звукозаписи вместе полным составом группы. К вечеру четверга мы записали семь из восьми песен.

Делия ликовала, и Сэм выглядел вполне довольным. Все согласились с тем, что мы закончим в пятницу, а в выходные будем слушать пробы и решим, что нам нравится больше всего.

Когда мы завершили работу в четверг, Сэм заказал барбекю и накрыл возле заднего крыльца стол. Все, кроме меня, ушли из студии. Я хотел перетянуть струны на «Макферсоне» Делии, чтобы гитара с новыми струнами могла отлежаться ночью и была готова к следующему утру. Я влюбился в эту гитару.

Проблема заключалась в том, что мне нужны были струны. Я открыл футляр, но ничего, кроме самой гитары, не нашел. Конечно, я мог получить все необходимое у Риггса, но он находился в часе езды, и, кроме того, я рассчитывал, что и у Сэма что-нибудь найдется. В конце концов, это была студия звукозаписи. Поэтому я стал открывать ящики и шарить в шкафчиках.

Вдоль стены располагались хранилища для инструментов, выполненные по определенному стандарту. Каждый инструмент находился в своем шкафчике или выдвижном ящике в зависимости от размера. Здесь было все, от электрических скрипок до банджо и мандолин «Гибсон» и электрогитар «Фендер» и «Гибсон». Вдоль одной стены хранились гитары «Мартин», а вдоль другой — «Макферсон».

Хотя Сэм мне не нравился и я не доверял ему, но у нас было нечто общее: страсть к хорошим инструментам. Всю неделю мы были так заняты, что у меня не оставалось времени поиграть на них. Я стал выдвигать и задвигать ящики в надежде, что рядом с одной из гитар окажется дополнительный набор струн.

Ничего подходящего.

Напоследок я открыл один из больших шкафов, где хранилось все, чему не нашлось отдельного места.

Музыкальные стойки, коробки с электрооборудованием, чучело головы оленя, пенопластовые накладки, упаковочные материалы. В глубине были сложены футляры от всех гитар. Я отодвинул стойки и начал открывать футляры, но не обнаружил никаких струн.

Я сел. «Ты хочешь сказать, что в одной из самых известных студий в Нэшвилле не найдется набора обычных струн для гитары?»

Офис Сэма представлял собой отдельное двухэтажное здание, располагавшееся в пятидесяти футах от студии и соединенное с ней извилистой дорожкой. Внизу находился конференц-зал, а на втором этаже — его рабочий кабинет. Я прошел по вымощенной каменными плитами дорожке, обнаружил, что дверь не заперта, и вошел внутрь. Я заглянул в зал, обшитый панелями из ядровой сосны, потом поднялся в кабинет по открытой лестнице.

Если дом Сэма был похож на музей, то офис Сэма был его личным Залом славы. Мягкая кожа. Светильники, вмонтированные в стены и потолок. Дубовый стол, занимавший половину комнаты. У стены — резной кипарисовый стол для совещаний с двенадцатью стульями с каждой стороны. Оружейный сейф, скромно стоящий в углу. На каждой стене, где он разместил свои наиболее ценные трофеи, было смонтировано индивидуальное освещение. Фотографии с президентами. Больше дюжины «Грэмми». Два «Оскара» за вклад в создание разных саундтреков.

Интересно, что нигде не было фотографий жен или детей. Или рисунков его внуков. Все было сосредоточено исключительно на Сэме. Присмотревшись, я заметил, что он всегда находился в центре каждого снимка. Эта комната буквально дышала *нарциссизмом*.

Дверь за столом вела в более скромную гостиную с парой кожаных кресел. Она была похожа на личную музыкальную комнату, или на то место, где он хранил самые любимые инструменты. Задняя часть стены была в основном застекленной и выходила на пастбище с конюшней. Чудесный вид. У боковых стен стояли стеклянные витрины с тремя гитарами. Справа две электрические, «Гибсон» и «Фендер», справа одна акустическая. Я не видел никаких причин, почему Сэм их так выделил. Памятных табличек и надписей не было. Я с легким интересом осмотрел электрогитары. Какой мужчина, в чьем сердце живет ребенок, не любит хорошую электрогитару? Но потом мое внимание привлекла пожелтевшая еловая крышка и головка грифа акустической гитары, имевшая явное сходство с «Мартином». Я включил верхний свет, и у меня едва не подкосились колени.

Джимми.

Я стоял и смотрел. Мое дыхание затуманивало стекло. Витрина была заперта, поэтому я провел пальцами по боковой окантовке и нашел маленький ключ, который подходил к замку. Я повернул ключ и поднял стекло. Джимми выглядел неповрежденным, и вроде бы им почти не пользовались. Я бережно снял его с подставки и пробежал пальцами вверх-вниз по грифу и головке, как Хелен Келлер, подставившая пальцы под струю воды на водокачке в Алабаме[1].

Несколько лет назад я изобрел свой метод перетяжки струн на гитаре. Когда я надежно закрепляю конец струны во втулке задней перемычки, то дважды оборачиваю струну вокруг колка, потом пропускаю

---

[1] Хелен Келлер (1880—1968) в детстве лишилась зрения и слуха. Когда ее учили языку жестов, она осознала связь между действием и смыслом, подставив руку под струю воды. Впоследствии она научилась говорить, получила высшее образование и стала писательницей и видной общественной деятельницей.

свободный конец под этими витками в отверстие колка, потом натягиваю и настраиваю струну. Это значит, что когда я поворачиваю колок, то напряжение удерживает струны еще крепче, что позволяет гитаре дольше сохранять настройку. По крайне мере, я так думал.

Многие парни поступали таким образом. Мой метод немного отличался тем, что по окончании работы я начисто обрезал торчащие концы струн, чтобы они ни за что не цеплялись. Другие обычно оставляют болтающиеся концы.

Я провел пальцами по колкам; струны были обрезаны ровно. Судя по их тусклому оттенку, ровным концам и расстоянию до грифа, можно было прийти к выводу, что на гитаре уже давно не играли. То есть Сэм каким-то образом приобрел Джимми, поставил гитару здесь и забыл о ней. Это означало, что он не имел намерения играть на ней; он просто хотел, чтобы кто-то другой не мог этого делать. И этим «кем-то» был я.

Джимми стал его очередным трофеем.

Я ощупал струны, и хотя они уже утратили жизненную силу, Джимми ничуть не изменился. Его глубокий, сочный, резонирующий звук вернулся к жизни, и перед моими закрытыми глазами развернулось слайд-шоу воспоминаний. Отец, выходивший на сцену из шатра или гулявший среди ясеней. Долгие часы, когда я играл на гитаре, развалившись на заднем сиденье, пока отец и Биг-Биг слушали и учили меня разным приемам. Некоторые воспоминания были зернистыми и черно-белыми, другие — цветными и даже объемными, и все они были связаны с узами моей души. Я повернул Джимми, поднес головку грифа к тусклому свету и прочитал слова, выгравированные моей мамой, когда она подарил Джимми отцу в день их бракосочетания.

Для меня Джимми был не просто клееной деревяшкой со струнами. Много ночей я проспал в обнимку с его грифом. Он был моим плюшевым мишкой. Шепотом моей мамы. Руками моего отца. Моим вектором гравитации. А теперь он был моим билетом домой.

Я ощутил закипающий гнев. Откуда Джимми появился у Сэма? Когда это случилось? Как долго гитара находилась у него? Почему? Или он сам ударил меня по затылку? Или же все же кого-то нанял для этого грязного дела? У меня было очень много вопросов, но я понимал, что если начну задавать их, если вообще проявлю какой-то интерес к одному из наиболее ценных трофеев Сэма, то Джимми исчезнет, и я больше никогда его не увижу.

Что делать? Мне оставалось либо украсть Джимми, либо застать Сэма в его офисе, объясниться с ним и забрать Джимми у него на глазах. Но я должен был сделать все это таким образом, чтобы не помешать записи нашего альбома и не повредить карьере Делии.

Я помнил свою драку со школьным хулиганом и был бы рад повторить это, но если я вышибу зубы Сэму, это повредит Делии. Я должен был включить голову, а не кулаки. Я должен был найти замену для Джимми и незаметно обменять гитары. Тогда Сэм не скоро об этом узнает.

Глава 27

Ранним утром в пятницу я перебрал старые «Мартины» в мастерской Риггса. Когда он спросил, что я делаю, я сказал, что ищу экземпляр D-28. Что-нибудь, основательно потрепанное. Он снял со стойки один футляр, открыл его и протянул мне. Модель конца 1960-х или начала 1970-х годов. Меня интересовал в основном не звук, а цвет. Я поднес гитару к свету: очень похоже.

Я заплатил Риггсу четыре тысячи долларов и начал строить планы. Лучшее время приходилось на вторую половину дня, когда мы завершим студийную запись и все будут отмечать это событие во дворе. Еще лучше сделать это вечером, когда Сэм основательно выпьет. Мне нужно было иметь в запасе всего лишь полторы минуты.

Мы отпраздновали окончание звукозаписи шампанским, холодным пивом, хот-догами и гамбургерами. Я стоял у гриля и наблюдал за Сэмом.

Обняв Делию одной рукой, он поднял бокал и начал свой тост со списка новых дат концертного турне. Потом он поднял тост в честь Делии, ее умения работать с публикой и ее голоса, который, по его словам, был чем-то совершенно новым для него. Выше только небо. Потом он поднял тост в честь музыкантов и их нелегкой работы. И, наконец, он поздравил меня.

— Я уже давно работаю в этом бизнесе и знал немало великих людей, но не видел никого, что сочетает слова и гитарную музыку с таким мастерством, как Купер О'Коннор. — Он посмотрел на меня. — А то, как звук твоей гитары сочетается со словами и голосом Делии... — он скосил взгляд куда-то в сторону моего копчика, — это просто волшебно. Даже не скажу, какие высоты ждут вас обоих. — Он поднял бокал. — За великие дела, которые нас ждут!

На минуту я почти ему поверил.

К десяти вечера все основательно расслабились. Сэм расхаживал по дорожке, заходил в дом и выходил оттуда, разговаривал с Бернадеттой и отвечал на телефонные звонки, — в общем, показывал, что он работает в любое время дня и ночи. Когда позвонил кто-то из другого штата, я понял, что у меня появился шанс. Сэм исчез в доме, и я сказал Делии, что сейчас вернусь.

Я обогнул дом, залез в багажник ее автомобиля, взял новый/старый «Мартин» и направился через рощицу к офису Сэма. Я вошел в конференц-зал через заднюю дверь, поднялся наверх и в полной темноте двинулся через офис. Я обошел вокруг стола, миновал открытую дверь, нашел ключ, открыл стеклянную витрину, поменял гитары, запер витрину и спрятал ключ. Потом я вышел из офиса и уловил слабый запах пропана, которого раньше не было. Я торопливо спустился по лестнице и направился через конференц-зал к задней двери, где запах усилился.

Там я столкнулся с Сэмом.

Свет снаружи обозначал его силуэт. Его стальные глаза были сфокусированы на мне и на гитарном футляре. В правой руке он держал пистолет. Он поднял руку и молча прицелился в меня.

Потом он выстрелил.

Когда его палец на спусковом крючке согнулся, я прислонил Джимми к груди. Когда пуля пронзила футляр, меня ослепила вспышка. Пуля вошла в еловую крышку Джимми, вышла из задней крышки из бразильского палисандра и попала в мою грудь.

У меня сохранилось смутное воспоминание о вспышке, мощном взрыве, пронзительной боли в ушах, палящем жаре в горле и глазах, о чем-то слишком тяжелом, упавшем на меня. Когда я открыл глаза, весь мир был в огне. Было такое впечатление, словно кто-то воткнул мне в грудь раскаленную кочергу. Дым был таким густым, что я ничего не видел. Я попытался закричать. Я попытался сдвинуться с места.

Джимми лежал рядом со мной. Я подтянул его ближе и обнял левой рукой. Постарался защитить его от жара. Я помню, как обнимал гитару и понимал, что мы оба умрем в этой комнате. Записная книжка, заткнутая под ремень на спине, куда-то исчезла. Мысль о том, что она горит где-то рядом, опечалила меня больше, чем дыра в груди.

Я думал о Делии, видел ее лицо, слышал ее голос. Мне хотелось провести остаток жизни рядом с ней. Последние мои мысли были об отце. От кого он услышит эту новость? Как он воспримет ее? Приедет ли он сюда и отвезет мое бренное тело домой? Похоронит меня среди ясеней рядом с мамой? Что он напишет на моей надгробной плите?

КУПЕР «ПЕГ» О'КОННОР

УМЕР В ДВАДЦАТЬ ЧЕТЫРЕ ГОДА

ТАКИЕ НАДЕЖДЫ
ТАКАЯ БОЛЬ
ТАКАЯ УТРАТА

Кто-то как будто орудовал стилетом в моем горле. Боль стала нестерпимой. Я снова попытался встать, но груз, придавивший меня, был слишком тяжелым; моя правая рука не двигалась и отказывалась воспринимать сигналы, исходящие от мозга.

Я хотел умереть с открытыми глазами. Увидеть, на что это будет похоже, когда я перейду из этого мира в следующий. Но дым жег мне глаза. Одно ухо ничего не слышало, в другом стоял сплошной звон.

Потом я услышал странный, какой-то знакомый звук. Мужской голос выкрикивал мое имя. Сначала он был отдаленным, затем приблизился. Потом появилась тень. Я не знал, кто это был и откуда он пришел, но надо мной возникла фигура, завернутая в одеяло. Помню, как одеяло накрыло меня и охладило мое лицо; до меня дошло, что оно совершенно мокрое. Когда говорят, что грешники в аду жаждут ледяной воды, они не шутят.

Одной рукой мужчина поднял то, что давило на меня, а другой потянул к себе. Он взвалил меня на плечо, подхватил Джимми и понес меня через огонь. В клубах дыма все трещало и падало. Я кашлял, из простреленной груди лилась кровь; никогда в жизни мне не было так жарко. Но тот парень просто шагал вперед, ни на что не обращая внимания.

Мир почернел.

Моей последней мыслью было «папа, мне так жаль...», но слова так и не достигли моих губ.

Не хватило воздуха.

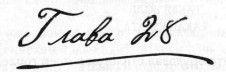

Звук привел меня в чувство: монотонное бибиканье какого-то аппарата у меня над головой. Я моргнул и попытался приспособиться к свету, но мир был белым, ярким и шумным, словно кто-то водил пальцами по грифельной доске. Разные части моего тела были обмотаны трубками и проводами. Отовсюду что-то текло и капало.

Передо мной появился человек со стетоскопом на шее. Бибикающий звук прекратился.

— Как вы себя чувствуете? — Голос врача звучал приглушенно.

Я попытался заговорить, но у меня ничего не получилось. Мои губы прошептали «живой», но наружу не вырвалось ни звука.

Он похлопал меня по ноге.

— Когда вас доставили сюда, вы живым не были.

Я попытался сказать что-то еще и опять потерпел неудачу.

— Хотите услышать хорошие новости или плохие?

Я полагал, что уже знаю плохие новости. *Хорошие*.

Он улыбнулся, как будто от этого было легче.

— Вы будете жить.

В его словах для меня было мало утешения. Это было очевидно. Я напрягся и сумел прошепать одно слово:

— Плохие?

Выражение его лица изменилось.

— Вы будете жить, — врач помедлил, подбирая слова, — но не так, как раньше.

Он окинул меня взглядом с головы до ног, словно раздумывая, с чего начать. Так делает механик, которому вы только что отдали на диагностику свою колымагу с пятнадцатилетним стажем.

— Что-то очень большое упало на вашу руку и раздробило почти все кости.

Я попробовал пошевелить пальцами, но они не слушались меня.

— То, что горело, было токсичным и чрезвычайно горячим. Оно сожгло вашу гортань и голосовые связки. Вам придется заново учиться говорить. Крайне сомнительно, что вы когда-либо обретете прежний контроль над голосом.

Это объясняло появление странного комка в моем горле.

— Мы реконструировали вашу барабанную перепонку, но потеря слуха неизбежна. Кроме того, мы остановили кровотечение в грудной клетке и смогли извлечь пулю, но она причинила вашим внутренним органам много неприятностей. — Доктор повернулся и посветил красной лазерной указкой на рентгеновский снимок грудной клетки и позвоночника, которые, судя по всему, были моими. — Мы подробнее поговорим об этом в следующие дни.

Я был чрезвычайно заторможенным после глубокого медикаментозного сна. Слова доктора эхом отдавались в моей голове, не откладываясь в памяти. Я жестом указал на бумажный блокнот, который он мне передал. Я писал левой рукой, так что каракули было трудно разобрать.

— Какие у меня шансы?

Он со вздохом опустился на круглый стальной табурет на колесиках и подкатился к моей кровати.

— Вы больше никогда не будете петь. Возможно, даже говорить. Скорее всего, вы не сможете играть на инструментах, где требуется участие правой руки. Вы практически оглохли на правое ухо. Кроме того, ваша печень... — Он продолжал говорить, но мне было чрезвычайно трудно вникать в смысл сказанного. Слова перекатывались в моем черепе, как стеклянные шарики.

Я поднял голову и попробовал оглядеться, но комната начала вращаться, поэтому я снова улегся на подушку и закрыл глаза.

— Джимми?

— Кто? — Он наклонился ближе.

Я изобразил, будто играю на гитаре. Он рассмеялся:

— Вы имеете в виду гитару, в которую вцепились, когда вас привезли сюда?

Я кивнул.

— Никогда раньше такого не видел. Пришлось буквально выколупывать футляр из вашей стальной хватки. Возможно, гитара спасла вам жизнь. Если бы не она, сомневаюсь, что мы бы сейчас разговаривали друг с другом. Гитара стоит здесь, в углу. — Он вопросительно прищурился. — Вы знаете парня, который вытащил вас оттуда?

Я покачал головой.

— Сэм какой-то там. Он был здесь несколько раз вместе с девушкой, певицей. Он ее продюсер. Все хотят получить его автограф и ее тоже.

— Что еще за черт! — Мой шепот был сердитым, но бессвязным. Мужчина посмотрел на телевизор.

— Он спас вам жизнь. Об этом теперь говорят во всех новостях.

Я промолчал. Если бы я сказал правду, то это отняло бы у меня слишком много времени и сил.

Из-за шепота в моей глотке появилась слизь, вызвавшая мучительный, судорожный кашель. Доктор подставил мне пластиковую миску, которую я наполовину наполнил алой слизистой массой.

Я огляделся и похлопал по кровати левой рукой, как старик, шарящий в кармане пальто.

— Вы что-то ищете?

Я попытался жестами дополнить свой прерывистый шепот.

— Черная записная книжка. Стянутая резиновой лентой.

Он покачал головой:

— Не видел. Я поспрашиваю, но вряд ли она сохранилась. — Короткая пауза. — Огонь был очень сильным.

— Ядровая сосна.

Он наклонился ближе.

— Что это такое?

— Дерево, пропитанное керосином двести лет назад, — прошептал я.

Он кивнул:

— Тогда все ясно.

Я смотрел на потолок, а в уголках моих глаз собирались слезы. В эти первые туманные моменты я осознал несколько вещей: мои песни пропали, и на гитаре я больше играть не смогу. Но последнее откровение ранило меня больше всего.

Теперь Делии будет лучше без меня; я собирался расстаться с ней без каких-либо объяснений... и это будет больнее всего остального как для нее, так и для меня.

Глава 29

История, которая случилась со мной, действительно попала во все выпуски новостей. Сэм изображал мученика и вел себя как глубоко огорченный человек. Десять швов на его лбу делали картину еще более живописной.

Впоследствии появились две истории: та, которую Сэм рассказал публике, и та, которую он поведал Делии.

В первой истории Сэм рассказал властям и всем остальным, кто держал в руках микрофон или камеру, что мы с ним работали над монтажом звукозаписи, когда наткнулись на человека, взломавшего сейф в его офисе. Мы бросились к нему, и тогда человек выстрелил в меня, ударил Сэма по голове чем-то тяжелым, а потом, очевидно, взорвал пропановую бомбу, чтобы скрыть улики.

Придя в чувство, Сэм бросился в огонь и отнес меня в безопасное место. Вор сбежал и унес с собой восемьдесят тысяч долларов наличными и драгоценности его жены. Проливая крокодиловы слезы, превосходно запечатленные видеокамерой, Сэм едва ли не шептал о том, что считал меня родным сыном, которого у него никогда не было. Он говорил о больших надеждах, связанных со мной. Об утраченных возможностях.

Власти до сих пор искали неизвестного мужчину, которого Сэм так и не смог опознать в дыму. Он только сказал, что это был крупный мужчина. В коротком документальном фильме, представленном съемочной группой, можно было видеть безутешную Делию, прильнувшую к моей дымившейся одежде, и тот эпизод, когда меня грузили в машину «Скорой помощи» вместе с гитарой в футляре.

Это был фантастический сюжет для новостей.

Меня отвезли в клинику Вандербильта. Сестры рассказали, что Делия круглые сутки сидела у моей постели. Она помогала переворачивать и обмывать меня. Она меняла повязки на моих ранах. Растроганный и доброжелательный Сэм помогал мне, как только мог. Он привлек лучших врачей: специалистов по ожогам, хирургов, хиропрактиков и даже специалиста по лечению проблем гортани и голосовых связок. Они втыкали в меня иглы, чтобы впрыснуть одни вещества или высосать другие. Я стал чувствовать себя живой подушечкой для булавок.

Забота обо мне привела к двоякому результату: она сблизила Сэма и Делию и помогла продать массу записей.

Но когда врачи отлучили меня от особенно сильных лекарств и начали постепенно выводить из медикаментозной комы, Сэм внезапно нашел веские основания для того, чтобы Делия присутствовала на каждом ток-шоу, проходившем по всей стране. Она стала воплощением силы и мужества: она преодолела неописуемую личную трагедию и продолжала жить дальше. Кадры монтированной съемки метались взад-вперед между ее обручальным кольцом, картинками наших выступлений на сцене и ее безутешным взглядом. Делия была хрупкой, находилась на грани нервного срыва, и Сэм извлекал выгоду из каждой слезинки, текущей по ее прекрасному лицу.

Заботливый Сэм даже одолжил ей свой личный реактивный самолет, чтобы она могла быстро возвращаться к ложу больного. В блестящей попытке проникнуть в высшие сферы, он добился эксклюзивного выпуска программы «60 минут», посвященного нашей истории. Если бы он старался из-за чего-то в следующий миллион лет, то все равно никогда не получил бы такого широкого освещения в средствах массовой информации.

Интересно, что никто ни разу не упомянул о моей пропавшей записной книжке.

Но если я полагал, что весь этот балаган служил демонстрацией его таланта, то меня ожидал сюрприз. У изобретательного и хитроумного Сэма всегда было еще несколько трюков в рукаве. Первым из них был «отложенный» выпуск нашего альбома. Из уважения ко мне он публично заявил, что хочет подождать, пока я снова не смогу играть, чтобы мы могли сделать концертное турне, но потом копия звукозаписи просочилась в СМИ. Сэм поклялся найти того, кто это сделал, и объявил, что «он больше никогда не будет работать в этом городе».

Через два дня альбом стал платиновым. К концу второй недели он стал дважды платиновым.

Это меня не удивило, но я не мог предвидеть его второго трюка. Иногда вы встречаетесь с лучшим игроком в покер. А Сэм просто играл лучше, чем я.

Боль стала моей постоянной спутницей. Моя кожа как будто горела до сих пор. Почти все тело саднило, включая голосовые связки. Струпья на ранах трескались от любого движения. Неподвижность только способствовала их разрастанию. Хирурги восстановили мою барабанную перепонку, но я слышал лишь постоянный глухой звон.

Мой вечно пессимистичный и хмурый врач сказал:

— Для возвращения слуха понадобятся месяцы, и то если ткань приживется. — Последовала натянутая улыбка. — Так что берегите голову от ударов.

— Я постараюсь.

— Но даже если вы целый год будете носить шлем, то в лучшем случае слух восстановится лишь на десять процентов. Вы останетесь практически глухим, не считая способности слышать низкочастотные колебания. Повреждения были слишком тяжелыми...

Я перестал его слушать. Зачем парень становится медиком, если он только и умеет, что сообщать дурные вести? Ну можно же было сказать что-нибудь обнадеживающее? Мне начало казаться, что он получает от этого удовольствие.

Учитывая риск инфицирования, меня оставили в ожоговом отделении, что давало много времени для размышлений в одиночестве. Правда была мучительной, но ясной. Я не мог петь. Не мог играть. Не мог говорить, как будто кто-то перерезал мои голосовые связки. И пока все это укладывалось в моем затуманенном мозгу, врач вернулся с новой порцией дурных вестей. Он сел на табурет с колесиками и подкатился к моей кровати.

— Я получил результаты ваших анализов.

Я слышал, что он говорил, но слова не укладывались в голове.

— Поэтому, когда вы услышите, что сердце ревет у вас в ушах, как Ниагара, или начнете кашлять и обнаружите то, что похоже на кровь с кофейными опивками...

— До каких пор? — прошептал я.

— Живите своей жизнью.

Хриплый шепот:

— Как заключенный в камере смертников.

Он наклонил голову набок.

— Можно сказать и так.

— А как бы вы сказали... если бы лежали здесь?

Он не ответил.

Я посмотрел в окно на ослепительно голубой горизонт Нэшвилла.

— Сколько времени у меня есть?

Он пожал плечами:

— Трудно сказать.

Какое-то время я лежал тихо, заблудившись в собственных мыслях, пока он не похлопал меня по колену:

— Вы еще здесь, Купер?

Я повернулся к нему. Мой голос стал еще более хриплым:

— Наверное, вам стоит называть меня Купом.

Он кивнул, понимая, что знает больше о физической стороне моей личности, чем любой другой человек на свете. Потом он сложил руки на груди.

— Мне хотелось бы прийти к вам с хорошими новостями, но...

— Мне тоже. — Мы оба понимали, что это слабое утешение.

— У вас скоро будут гости, но мне хотелось сначала поговорить с вами.

Мой голос настолько ослаб, что я потянулся к блокноту у кровати и начал писать. Было заметно, что моя левая рука движется медленнее, чем мои мысли.

«Они знают об этом?»

— Нет.

«Мне хочется, чтобы так оно и было».

— Понятно.

Он похлопал меня по ноге и ушел, а через несколько минут в палату вошли Делия и Сэм. Делия плакала, и когда она села, то держалась на безопасном расстоянии от меня, что сразу показалось мне странным. Сэм стоял в ногах моей кровати и выглядел самодовольным. Делия наконец заговорила:

— Почему, Купер?

Она назвала меня Купером. Почему она назвала меня Купером?

Я перевел взгляд с нее на Сэма и обратно. Мне не нравился такой оборот дела. Я перевернул листок бумаги и написал:

«Почему что?»

Она высморкалась. Кое-что стало до меня доходить, и я заметил, что Делия не носит обручальное кольцо, которое я ей подарил.

— Почему ты это сделал? — спросила она.

Я не мог отвести взгляд от ее руки без кольца.

— Что сделал? — с трудом выдавил я.

— Сэм хочет замять это дело. Чтобы это осталось между нами. Но хотя бы верни это.

Я пытался разогнать в своей голове туман. Снова начал писать каракули.

«Вернуть что?»

Она умоляюще посмотрела на Сэма, словно спрашивая: «Разреши мне попытаться уговорить его?» Он милостиво улыбнулся и понимающе похлопал ее по плечу.

— Все, что ты со своим другом забрал из его сейфа.

Значит, вот как он разыграл свои карты.

«Это он сказал тебе?» — написал я.

— Ты это отрицаешь?

«И ты ему веришь?»

Она указала на Сэма.

— Объясни ему, — она указала на меня. — Объясни хоть что-нибудь.

Я постарался писать быстрее.

«Что я взял, по его словам?»

Она посмотрела на Сэма, потом на меня.

— Восемьдесят тысяч наличными. И драгоценности Бернадетты.

Я никогда не играл в покер. На самом деле, я не люблю карты. Но лежа в кровати с торчащими из меня трубками, я осознал, что играю в покер с Сэмом, нравится мне это или нет, и что лишь секунды отделяют его от выигрыша. Я сердито нацарапал прописные буквы и показал листок Сэму:

«ТЫ ЕЙ СКАЗАЛ ЭТО?»

Он вжился в роль сочувствующего и всепрощающего дядюшки.

— Куп, в будущем нас ждет много хорошего. Через пару месяцев ты будешь получать крупные авторские отчисления. — Он вел себя так, словно изо всех сил старался помочь мне быть понятым, забыть о прошлых обидах. — Некоторые из этих драгоценностей принадлежали бабушке Бернадетты. Она вывезла их из Германии еще до войны.

Если бы я мог встать с постели и стереть мерзкую ухмылку с его лица, то я бы сделал это.

Сэм гораздо лучше меня понимал одну вещь: ему нужно было лишь надавить на больное место Делии, вскрыть рану, нанесенную ее отцом. Если он разыграл перед ней карту «я единственный человек на свете, которому ты можешь доверять», она должна была восстать против меня. Ее опыт отношений с мужчинами убеждал ее в том, что она не может мне верить, и это много для нее значило. Если не считать того, что стратегия Сэма была для меня такой же болезненной, как физические муки, которые я испытывал, она была просто блестящей.

Я усваивал последствия этой второй истории. Сэм безупречно разыграл партию. Он рассказал репортерам одну историю, в которой он предстал любящим дядюшкой Уорбаксом, и в то же время смог продать миллионы записей. И за закрытыми дверями он рассказал Делии историю номер два. Обе истории сближали ее с ним и отдаляли ее от меня.

Я посмотрел в окно. Какая у меня есть защита? Что я могу сказать? Боль в боку усилилась. Даже если я смогу убедить ее, что Сэм лжет, какое будущее ее ожидает со мной? Наконец у меня в голове прояснилось, и я спросил себя: как будет лучше для нее?

Ответ мне не понравился.

Сэм помог Делии встать и похлопал меня по ноге.

— Бернадетта будет благодарна, если ты вернешь драгоценности. Все прощено и забыто. — Он обвел рукой больничную палату. — Все это за мой счет. Мы пригласили лучших врачей. О деньгах можешь не беспокоиться. — Он потянул Делию за руку: — Пойдем, Ди.

Он даже стал называть ее так, как называл ее

только я. Она похлопала его по руке, продолжая удерживать его руку в своих ладонях и глядя на него:

— Можно я проведу минутку наедине с ним?

— Конечно, крошка. Я буду за дверью, если понадоблюсь.

Я знавал разные тяготы, но до сих пор со мной не случалось ничего подобного. Мне хотелось блевать.

Он ушел, а Делия встала в ногах моей кровати. По ее лицу текли слезы, руки были скрещены на груди. Тот самый холодный ветер. Безопасная дистанция. Наконец она покачала головой и прикрыла лицо ладонью, скорее размазав слезы, чем утерев их. Ее лицо говорило о страдании и предательстве. Правда была очевидна: я проиграл.

— Как?.. — выдавила она, но ее голос сломался, и последнее слово донеслись до меня свистящим шепотом: — После всего, что он сделал...

Она пошарила в кармане, медленно положила на кровать обручальное кольцо и вышла в коридор. Запах духов «Коко Шанель» еще витал вокруг меня, когда вернулся Сэм.

Он встал рядом с кроватью, возвышаясь надо мной. Потом он наклонился ко мне и изогнул губы в улыбке, не предвещавшей ничего хорошего.

— Я слышал, как ты играл, когда тебе было семнадцать лет и ты путешествовал с дурацким передвижным цирком твоего отца, и я действительно не слышал никого, кто умел бы так играть. Мы обхаживали тебя, пытались делать записи, даже прислали тебе «Фендер» с гравировкой твоего имени, но твой отец не захотел ничего слышать. Полтора года спустя я вышел из бара, где какой-то сопляк на перекрестке сорвал выступление моего клиента. Люди стали уходить из бара, чтобы послушать парнишку на улице. Тогда я подумал: «Давай посмотрим». И вот я увидел тебя. Ты играл на гитаре, прославившей твоего отца. На той самой краденой гитаре. Ты выглядел таким счастливым и таким влюбленным в Джимми, что я с радостью нанял парня, который отобрал у тебя инструмент. — Он хохотнул и покосился в угол комнаты. — Это один из моих любимых трофеев.

Он постучал себя по груди, и я услышал запах виски.

— Я тот, кто преуспевает в этом бизнесе. Не ты. Не твой талант и не твои мечты. Не твои ловкие пальчики. — Он снова рассмеялся. — Ты и впрямь думал, что я позволю тебе заполучить Делию?

Я хотел ответить, но мир вокруг меня вращался слишком быстро.

— Оставь адрес, чтобы мы знали, кому направить уведомление о нашей свадьбе. — Он встал и провел пальцами по внутренней стороне брючного ремня. — Ах да... — Он указал на Джимми. — Можешь сохранить это как сувенир на память.

Его слова прострелили меня больнее, чем его пуля. Он не просто хотел музыку Делии. Он хотел саму Делию.

В этот день я видел Сэма Кейси последний раз.

Через полтора месяца я выбрался из клиники и дохромал до почтового ящика. Я написал письмо левой рукой, что заняло некоторое время и сделало его трудным для чтения.

«Музыка очищает нас изнутри. Она исцеляет, как ничто другое. Это чудо, которое мы называем песней. Пусть песня, которую ты поешь, навсегда исцелит боль, которую ты чувствуешь.

Я люблю тебя. Я».

Я вышел на дорогу, поднял большой палец в воздух и отправился на запад. Когда я достиг Тихого океана, то остановился.

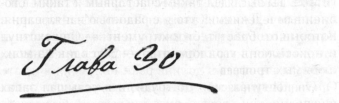

Глава 30

Прошел год, потом еще один. Я не думал о каком-то конкретном месте назначения. Я много путешествовал. Арендовал лачугу на побережье Орегона, где мог наблюдать за приливами и отливами, и провел там большую часть года. Голос вернулся ко мне, и я мог разговаривать шепотом и даже издавать хриплые стоны. Наконец он вернулся в достаточной мере, чтобы я стал похожим на курильщика, высаживающего по пять пачек в день. Моя рука немного зажила, и онемение сменилось болезненными ощущениями. Чтобы разработать пальцы, я часто чистил зубы и пробовал писать. Что угодно, лишь бы занять мышцы и нервы. Писать оказалось труднее всего. Сначала я писал печатными буквами, потом прописными. Мог написать несколько коротких слов за один раз.

Игра на любом инструменте была вне обсуждения. Не больно-то и хотелось.

Слух постепенно возвращался ко мне. Сначало у меня просто свербело в ухе. Потом я стал слышать океан. Много позже — плеск волн у подножия скал. Еще через некоторое время — отдаленные крики чаек.

При условии нищенского существования у меня было достаточно денег, чтобы прожить несколько лет, но в конце концов мне понадобилось получить работу. Я нанимался на несколько недель и работал до тех пор, пока не надоест или пока не станет слишком тяжело. Я зарабатывал на обрезке деревьев и уборке веток в Северной Калифорнии. Убирал столики в заведениях «Канадиан Лайн». Мыл тарелки в Вайоминге. Работал сторожем в невадском мотеле, где пылесосил коридоры и прибирался в комнатах. Собирал виноград в долине реки Колумбия в штате Орегон. Почти за три года я накопил достаточно силы и координации в правой руке для того, чтобы сделать несколько отжиманий, и даже сумел пользоваться зубной нитью. Парень из мотеля продал мне старый джип, который нещадно жрал бензин, но доставлял меня из точки А в точку Б. Я проехал по побережью до Вашингтона, затем повернул на юг. Через восемь лет, шесть месяцев и три дня после моего отъезда и почти через три года после того, как Сэм выстрелил в меня, я остановился перед красным сигналом светофора у въезда в Буэна Висту. Мой дом находился в восьми милях справа.

Мои волосы отросли до плеч, я несколько лет не брился, шея и плечи были покрыты шрамами, кожа загорела, глаза стали жестче, движения — более медленными и размеренными, а ладони загрубели от работы с бензопилой. Я вернулся другим. Залатанным, кое-как склеенным, но по-прежнему разбитым.

Когда я поднялся на гребень холма и свернул на подъездную дорожку, то обнаружил нашу хижину закопченной и обветшавшей. Сорняки проросли через то, что я почитал остатками отцовского автомобиля. Автобус со спущенной шиной стоял сбоку от гаража. Я выключил двигатель и поднялся на крыльцо. Из-за открытой двери доносился запах кофе. Я постучался, и, к моему удивлению, из тени появился

Биг-Биг. Его волосы стали белыми, как хлопок, и он шаркал ногами. Когда он увидел меня, его лицо озарилось улыбкой, и он раскинул огромные руки, чтобы заключить меня в объятия. Мой защитный кокон от окружающего мира.

Я позволил ему долго обнимать меня. Наконец он выпрямился и посмотрел мне в глаза.

— Куп... — Он сжал губы и быстро выпустил воздух через нос. Даже сейчас ему было трудно совладать с собой. Я знал, что он собирается сказать, еще до того, как он заговорил. — Куп... твой отец. Он умер.

Мы с Биг-Бигом провели целый день на крыльце. Он рассказал мне, что отец не стал продолжать свое дело без меня. Он все понимал. Не то чтобы он не мог продолжать, но его сердце уже не лежало к проповедям. Он считал, что тогда бы он стал лгать людям. Поэтому он продал все, кроме автобуса. Он узнал меня, когда я позвонил. Это дало ему надежду, что я жив и по меньшей мере помню о нем.

— Биг-Биг?

Он не смотрел на меня.

— Да, мальчик.

— Отчего он умер?

Биг-Биг встал с кресла-качалки моего отца, вылил остатки кофе через перила крыльца, втянул воздух сквозь зубы и вытер слезы, увлажнившие его лицо.

— Его сердце просто перестало работать. Вот и все.

Я чувствовал, что за этим скрывается нечто большее, но не знал, смогу ли я это вынести.

— Где он теперь?

Его взгляд обратился к горе. Потом он указал на дорогу, которая вела к хижине.

— Похоронная процессия растянулась на три мили. Народ приехал из пяти штатов. Целыми автобусами. — Он покачал головой. — Это был прекрасный день. Я сказал, что мог, но говорить он всегда умел лучше, чем я. Он всегда знал, что нужно сказать.

Порыв ветра пролетел между нами и устремился вверх среди ясеней. Листья зашелестели.

— Я почти каждый день прихожу сюда и разговариваю с ним. Приношу свой кофе. — Он махнул рукой мимо меня. — Мне его не хватает больше, чем раньше.

— Он когда-нибудь отвечал тебе?

Биг-Биг смерил меня пристальным взглядом, потом запустил руку в нагрудный карман и достал письмо. На нем было написано мое имя. При виде отцовского почерка мое горло сжалось от спазма. Биг-Биг вручил мне письмо и указал на гору:

— Он оставил тебе вот это. Теперь иди туда, и пусть он поговорит с тобой.

Я взял письмо, поднялся по дорожке, петлявшей между ясенями, и опустился на траву между могилами мамы и отца.

«Дорогой сын,
сегодня вечером ты покинул нас. Уехал от Водопада. Я стоял на сцене и смотрел, как красные задние фонари автомобиля становятся все меньше и меньше. Теперь я сижу здесь и гадаю, следовало ли мне отпустить тебя. Спрашиваю себя, следовало ли мне все делать так, как я делал. Возможно, я ошибался. Не знаю. Я знаю, что мое сердце болит, и полагаю, что тебе тоже больно...

Не знаю, каким я был отцом. Ты вырос без женского влияния, и мне хотелось бы, чтобы все сложилось по-другому. Хотелось бы, чтобы ты знал свою маму. Тогда ты был бы более подготовлен к сюрпризам судьбы. Она была лучше меня во многом. Она смогла бы научить тебя нежности.

Не знаю, когда ты получишь это письмо, если вообще получишь. Но если это случится, я хочу, чтобы ты знал, некоторые величайшие моменты счастья в своей жизни я испытал, наблюдая за твоей игрой на гитаре. Когда ты играешь, то оживаешь. Музыка — это язык твоего сердца, и ты говоришь на нем лучше любого из тех, кого я знал.

Возможно, я чересчур навязывал тебе свою заботу. Возможно, мне следовало бы разрешить этому подонку сохранить записи, которые ты сделал на автозаправке. Но тогда я думал о твоем даре, и мне хотелось защитить его, чтобы он не попал в дурные руки. Ты наделен особым талантом, и ты даже не представляешь, насколько он велик. Когда ты вспомнишь обо мне, то, надеюсь, ты поймешь, что я старался защитить тебя от людей, которые просто хотели нажиться на тебе.

В тот вечер, когда случилась грозовая буря, ты боялся встать, потому что видел блондина, сидевшего на пианино. Я поверил тебе, — не потому, что я мог видеть его, но потому, что я мог его слышать. Слышать их. Сынок, я слышу их уже много лет. Каждый раз, когда ты играешь, я слышу ангелов. Не знаю, можешь ли ты их слышать, но есть целый хор ангелов, прикрепленный к твоим пальцам. И они издают самые прекрасные звуки. Я их не слышал только два раза — вечером в ресторане Педро и еще тот раз, когда торговец змеиным маслом записывал твой голос. Наверное, тебе понадобится время, чтобы понять это, но предназначение твоего дара не в том, чтобы находиться в центре внимания. Это способность указывать путь тем, кто может слышать тебя. Направлять их. Отражать, а не поглощать. Любой может стоять на сцене и купаться в любви публики. Это природа сцены. Но лишь немногие могут отражать свет и внимание. Когда ты видишь людей с поднятыми руками, ты понимаешь, о чем я говорю. Справедливо это или нет, но я хочу, чтобы ты провел свою жизнь, создавая музыку, которой подпевают ангелы. Будь отражением, и, думаю, тогда ты с толком проживешь свою жизнь. До сих пор я не говорил тебе об этом и теперь сожалею. У меня есть лишь одно оправдание: мне еще никогда не приходилось воспитывать сына. Пожалуйста, признай за мной право на несколько ошибок. А я буду размышлять о том, в чем я был неправ.

После прошлого вечера у меня появилось такое чувство, что ты уехал разгневанным. Я предполагал, что тебе понадобится все, что у нас есть, поэтому отдал тебе все, что было. Думай об этом как о моем капиталовложении в твою карьеру. То же самое относится к Джимми. Береги его. В твоих руках он звучит лучше, чем у меня, и, думаю, это понравилось бы твоей маме.

Прошу тебя выслушать мои слова: я знаю, как ты сейчас рассержен, но пусть эти слова прорвутся через оболочку неприязни. Пусть они просочатся в твои мысли и дойдут до твоего сердца. Это правда обо мне и тебе, насколько я способен понять ее. А когда речь идет о правде, люди имеют право ее знать. Всегда. Независимо от того, насколько это больно, по твоему мнению. Правда — это единственное, что освобождает и одновременно крепко держит нас. Помни об этом, когда будешь думать о нас; все мои воспоминания о тебе добрые и нежные. Все, даже сегодня вечером.

Когда ты мысленно вернешься к сегодняшней сцене, к нашим последним словам и к твоему уходу, не позволяй гневу окрашивать эту картину. Я не сержусь. Никогда не сердился и не буду сердиться. Ты не можешь так сильно ударить меня, чтобы я от тебя отрекся. Точка.

Нелегко быть восемнадцатилетним человеком. Нелегко найти свой путь в этом мире, особенно когда твой отец отбрасывает большую тень.

И напоследок еще одно. Когда ты прибудешь туда, куда направляешься, то с большой вероятностью услышишь ложь, очень популярную в наши дни. Какую-нибудь дрянь. Если ты не добьешься своего, если ты не преуспеешь, если все, к чему ты приложишь свои руки, не докажет мне, что ты был прав и сам можешь добиться славы, то ты утратил право вернуться назад. Твой единственный шанс добиться моего расположения — некий сертификат твоего успеха. И если мир даст тебе такое свидетельство, то ты доказал всем и каждому, что все сделал сам, и больше никто. Это ложь из преисподней. Так было всегда, но в этой лжи заключено самое худшее: якобы есть место, слишком далекое для того, чтобы вернуться назад. Что где-то в отдаленном будущем ты сможешь что-то сделать, куда-то отправиться или попасть в некую дыру, которая навеки лишит тебя возможности вернуться домой. И когда ты перейдешь эту черту, обратного пути не будет.

Не слушай эту ложь.

Вот правда: не важно, что произошло сегодня на сцене, не важно, куда ты отправишься отсюда, что с тобой случится, кем ты станешь, что ты приобретешь или потеряешь, выстоишь ты или упадешь, не важно, в чем окажутся твои руки... Никто из ушедших не уходит слишком далеко.

Ты всегда можешь вернуться домой.

И когда это случится, ты увидишь, что я стою здесь с распростертыми руками и жду твоего возвращения.

Я люблю тебя.

Отец».

Я провел пальцами по желобкам его имени, выгравированного на камне, и попытался произнести многократно отрепетированные слова, но так и не смог. Чувства, которые я так долго держал в себе, искали выход. Желудок свело, голова закружилась, меня вывернуло наизнанку, так что я едва успел отвернуть лицо. Гнев, горе, стыд и раскаяние расплескались по древнему и безмолвному лесному ложу. Боль покинула меня и забрала с собой большую мою часть. Это продолжалось несколько минут. Когда я немного успокоился, то уселся на корточки, утерся рукавом и осознал, что мне двадцать шесть лет и у меня больше нет отца.

Якорь моей жизни оборвался.

Часть 3

Глава 31

Огонь почти погас, оставив раскаленные добела угли. Моя кожа высохла, и я почти перестал дрожать. Биг-Биг прикоснулся к моему плечу, потом ушел так же тихо, как пришел, оставив меня наедине с воспоминаниями и с отцовским письмом. Тело стало согреваться, но я не мог унять дрожь. Мне это никогда не удавалось. Я долго смотрел на воду и думал о том, что мой отец умер прямо здесь. Утонул из-за сердечного приступа.

Я мог лишь предполагать, какими были последние минуты его жизни. Познал ли он лишь боль от сердечного приступа и был ли он мертв еще до того, как рухнул в воду? Или сначала он изведал пронзительную боль в груди, за которой последовала медленная тяга ледяной воды и нежелание выбраться наружу, сопровождаемое удушьем до последнего вздоха? Даже сейчас, в возрасте сорока четырех лет, мне было трудно ответить на этот вопрос. Отец был силен, как бык. Если его сердце остановилось, то лишь потому, что оно было разбито. То есть, по правде говоря, это я разбил его. И это было хуже всего.

На следующее утро наступила пятница. Я поспал, принял душ, провел некоторое время на крыльце вместе с Джимми, а потом поехал в Лидвилль, где рассчитывал провести остаток дня. Но когда я попал туда, старика не было видно. Ни любопытной толпы, ни раскрытого гитарного футляра. Никаких песен. Только мокрые окурки на углу улицы.

Я вошел в бар на другой стороне улицы и обратился к бармену:

— Вы видели старика, игравшего на гитаре напротив вашего бара?

— Вы имеете в виду Джуба?

— Не знаю, как его зовут.

— Он умер неделю назад. Прямо здесь, на углу. С гитарой в руке, кучей бумажек в футляре и улыбкой на лице.

Я повернулся, собираясь уйти, потом остановился.

— Случайно, не знаете, где его похоронили?

Он показал.

— Два квартала отсюда, потом поверните налево. Кладбище в конце дороги. Он в заднем правом углу, на холме. Вы увидите свежую землю.

— Спасибо.

Кладбище было сравнительно новым, за ним хорошо следили. Мне не составило труда найти его надгробие. Когда я поднялся на холм, солнце уже заходило. На могильной плите не было никаких дат. Надпись гласила:

ДЖУБАЛ ТАЙР

ЛЮБЯЩИЙ ОТЕЦ
ВОСЕМЬДЕСЯТ ПЯТЬ ЛЕТ
ЕГО ДУША ТВОРИЛА МУЗЫКУ

«ЭТОТ НАРОД Я ОБРАЗОВАЛ ДЛЯ СЕБЯ;
ОН БУДЕТ ВОЗВЕЩАТЬ СЛАВУ МОЮ»[1]

---

[1] Исайя, 43, 21.

Я долго простоял там, глядя на слова *образовал для себя*. Английский язык времен короля Якова с его архаическим стилем был труден для понимания, но мой отец читал проповеди об этом самом стихе из Библии. Он приносил двенадцатифутовую стремянку и поднимался на предпоследнюю ступень, где складывал ладони рупором, как городской глашатай. Потом он громогласно объявлял:

— Образование — это заблаговременное объявление. Заявление о намерении, о котором провозглашают с крыш безо всякого объяснения. — Тут он делал паузу, убеждаясь, что владеет нераздельным вниманием слушателей. Потом он добавлял с лукавой улыбкой: — Или поют во весь голос!

Я подумал о старике на углу. Он превосходно подходил под это описание.

Когда я повернулся, собираясь уйти с кладбища, то увидел мальчишку, стоявшего за мной. На вид ему было не больше двенадцати лет. Он держал гитару на плече, как держат секиру. Это был тот самый «Гибсон», который я подарил старику.

Он посмотрел на меня:

— Мистер, вы его знаете?

Я засунул руки в карманы.

— Мы встречались однажды.

Он поднял гитару.

— Это вы ему подарили?

Я кивнул. Он задрал голову, чтобы лучше видеть мое лицо.

— Мой дед сказал, что человек, подаривший ему эту гитару, был лучшим гитаристом, которого он видел. — Он протянул инструмент. — Хотите ее забрать?

Я окинул его взглядом.

— А ты умеешь играть?

— Мой дед показал мне два-три приема, — ответил он, глядя на могильную плиту.

Интересно. Парнишка вроде бы не собирался доказывать мне свое мастерство, и это говорило о многом. Практически обо всем, что мне нужно было знать. Кончики пальцев его левой руки загрубели от мозолей. Стало быть, он много играет.

— Он отдал тебе гитару? — Я указал на земляной холмик.

Парень кивнул с таким видом, словно воспоминание об этом одновременно было приятным и болезненным.

— Возьми ее себе.

Мы простояли несколько минут, глядя на серый гранит.

— Что произошло? — наконец спросил я.

— Допился до смерти, — деловито ответил парнишка. — Сердце остановилось.

— Я имею в виду, раньше. Много лет назад.

Паренек пожал плечами.

— Он любил бабушку, но еще больше он любил дорогу. Мама говорит, что в одном из ее первых воспоминаний она стояла на обочине и смотрела, как он залезает в автобус. Бабушка называла дорогу ревнивой любовницей. Иногда он уезжал на месяцы, присылал открытки с обещаниями. Иногда присылал деньги. — Он помолчал. — Когда моя мама уехала учиться в колледже, бабушка отключила телефон и сожгла его одежду. Он вернулся домой и обнаружил кучу пепла, а его ключ не подходил к новому замку. Поэтому он забрался в бутылку и больше не вылезал оттуда.

Я кивнул и пробормотал себе под нос:

— Некоторые люди живут со своим стыдом.

Он посмотрел на шрамы на моей шее и руке.

— Вы тоже?

Я кивнул. Парнишка был сообразительным, и он мне нравился.

— Да.

— А что с вами случилось?

— Я был молодым и самовлюбленным, поэтому восстал против того, кто любил меня больше всех. А когда попал туда, куда очень хотел попасть, то связался с кое-какими нехорошими людьми.

— Вы когда-нибудь возвращались?

— Да. — Я улыбнулся.

— И что?

— Когда я вернулся домой, мой отец уже умер. Это случилось полтора года назад.

— Вы любили своего отца? — Его глаза были круглыми, яркими и чистыми.

— Да, и до сих пор люблю.

Он покачал головой:

— А я никогда не видел своего отца.

Я повернулся к пареньку.

— Это его беда, а не твоя.

— Моя мама тоже так говорит. — Он немного нахмурился и с любопытством спросил: — Если бы у вас было тридцать секунд на встречу с отцом, что бы вы ему сказали?

Я не ответил.

— А что бы ты сказал твоему отцу?

Он пожал плечами.

— Я бы сказал, что мы не особенно любим болонскую колбасу и что ближе к концу месяца мама начинает разбавлять молоко водой. Когда становится холодно, я краду дрова у соседей и не говорю об этом маме, но, думаю, она об этом знает, потому что не смотрит на меня, когда я возвращаюсь. Я бы сказал ему, что три года подряд побеждал на школьном конкурсе талантов. Что у меня хорошие оценки. Что я могу читать на уровне колледжа. И еще я бы сказал ему, что мама плачет по ночам после того, как я ложусь в постель. Я слышу через стену. — Он посмотрел на меня. — Я бы сказал ему об этом.

Я опустился на корточки, чтобы наши глаза оказались на одном уровне, и вздохнул.

— А я бы сказал моему отцу, что мне очень жаль.

Паренек кивнул, повернулся и пошел прочь.

— Тебя подбросить до дома? — окликнул я.

Он покачал головой и указал на лачугу на склоне холма. Из трубы поднимался белый дым, а на крыльце стояла женщина с наброшенной на плечи шалью и наблюдала за нами. Он прошел еще несколько шагов, когда я крикнул:

— Эй, парень!

Он повернулся и посмотрел на меня.

— Как тебя зовут?

Он указал на надгробный камень, как будто ответ был очевидным:

— Джубал.

После обеда я поехал в «Ривервью». Мэри дремала в постели. Я тихо подошел к кровати и стал смотреть на нее. Через несколько минут ее глаза открылись, и один глаз сфокусировался на мне.

— Ты уже долго здесь? — хрипло спросила она.

— Несколько минут.

— Ох... — Она вдруг оживилась и попыталась сесть. Я помог ей и подложил под спину несколько подушек. Запах аммиака говорил о том, что ей нужно было сменить подгузник.

— Ты слышал новости? — спросила она.

— Какие новости?

— Делия выступает у Водопада.

— Когда?

— Через несколько недель.

— Как это случилось?

— Видеозапись вашего выступления в «Канате» стала вирусной рекламой в Интернете. До сих пор не могу понять, как получилось, что меня не пригласили.

— В некотором роде это было спонтанное выступление.

— Это не оправдание. Так или иначе, она добралась до казино на юге и начала играть новые песни, которые никто до сих пор не слышал. Похоже, это грандиозные вещи. Билеты на ее концерты стали хорошо продаваться. Теперь они собираются записать живой концерт у Водопада и привезти с собой целый хор.

Я понял, что будет дальше.

— Ты возьмешь нас?

— Нас?

Она сделала широкий жест.

— Да, всех нас!

Я усмехнулся:

— И Биг-Бига тоже?

— Разумеется.

Я был совершенно уверен, что не проживу еще месяц. Но я пожал ей руку.

— Ну конечно.

Глава 32

Таблетки от изжоги, пепто-бисмол и алка-зельцер перестали оказывать какое-либо благотворное воздействие, и шок от погружения в холодную воду оставался единственной защитой от бомбы, тикавшей внутри меня. Эпизоды кровохарканья становились более частыми, едкий вкус почти не исчезал из моего рта, шум в ушах стал постоянным, аппетит практически пропал, а количество времени, проведенного в воде для предотвращения ускоренного кризиса, становилось все более долгим и оказывало меньший эффект. Короче говоря, варианты моих действий сократились, и те немногие, что еще оставались, мало помогали.

Памятуя об этом, я держался поближе к дому. Поближе к ручью. Из-за кислотной природы кофе я перестал употреблять его с «Хони бэджером» и стал пить настой перечной мяты с имбирем и медом. Я закусывал вафлями и бананами, пил молоко и перечитывал отцовское письмо. Я много спал днем, но не больше часа за один раз, потому что нужно было контролировать себя в бодрствующем состоянии.

В пятницу я поехал в город, припарковался среди грузовиков и сделал несколько неотложных дел. Я зашел в салон красоты и заплатил парикмахерше Мэри, чтобы она приехала к клиентке в субботу утром и сделала нечто особенное.

Потом я посетил своего городского юриста, где проследил за тем, чтобы о Мэри как следует позаботились. Я оставил Фрэнку деньги на оплату его счетов и добавил достаточно, чтобы он перестал красть выручку из кассы и отвез свою жену и дочь на острова, пока еще есть время. По моему запросу юрист нашел сведения о Джубале Тайре. Я назначил ему ежегодное пособие для учебы в колледже и оставил его матери деньги, чтобы она могла до конца жизни покупать не только хлеб, молоко и болонскую колбасу. Это, конечно, не возместит отсутствие отца, но поможет их семье. Все остальное имущество я отписал Делии.

Я забрал новый темно-синий костюм у портного и заказанные по почте черные выходные туфли от Алена Эдмондса в своем почтовом ящике. Потом я отправился в парикмахерскую и сделал себе первую настоящую стрижку за двадцать лет. Когда мастер спросил, чего я хочу, я улыбнулся и ответил:

— Мне нужно выглядеть респектабельно. Или хотя бы презентабельно.

Когда я вышел на улицу без волос до плеч, то почувствовал себя голым.

Городок Буэна Виста полнился слухами. На каждом столбе висели афиши, грузовые автомобили национальных новостей с высокими антеннами собирались на Мейн-стрит; передвижные жаровни для барбекю наполняли воздух манящими ароматами, а отели были полны на тридцать миль во всех направлениях. Студенты, приехавшие на выходные, байкеры среднего возраста со своими женами на одинаковых «Харлеях», приехавшие из Денвера и Колорадо-Спрингс, тягачи с жилыми автофургонами, добравшиеся автостопом и местные жители — город выглядел как перед парадом в День независимости.

Я стоял на бензоколонке, заправляя джип, и с улыбкой смотрел на транспортные пробки и красочную толпу, гулявшую по тротуарам в этот ясный, прохладный осенний день. К западу от Колледжиэйт Пикс подкрадывались снеговые облака, что могло послужить обещанием сказочного уик-энда. Делия не могла выбрать лучшую или более живописную площадку для выступления в это время года.

Я изо всех сил старался замедлить свои жизненные процессы. Движения, пульс, даже мои решения. «Только еще один уик-энд», — говорил я себе.

Я все время оставался настороже.

Тиканье становилось все громче. Ниагара приближалась. Буйный шторм на горизонте моей жизни простирался так далеко, насколько я мог видеть. Вскоре кружащийся мир, который я смог удерживать на безопасном расстоянии в течение двадцати лет, яростно ударит мне в лицо, вырвет колышки моих шатров и унесет их вдаль. Туда, где молния ударит без предупреждения и наполнит мой мир огнем. Туда, где я не смогу спрятаться под скамьей и где сильная рука не сможет вытащить меня из укрытия, как ковш экскаватора. Остановившись перед светофором, я посмотрел в зеркало заднего вида и услышал раскат грома за спиной.

Включился зеленый свет. Я проехал перекресток и почувствовал растущий комок в глубине горла. Откашлявшись в носовой платок, я посмотрел на яркоалую лужицу. Следующая волна началась у меня в желудке и пошла вверх, потом мой рот заполнился горечью, и я снова закашлялся, на этот раз обрызгав кровью ветровое стекло.

Жизнь сократилась до минут.

Двигаясь на запад по шоссе 306 в направлении Коттонвуд-Крик, я переключился на третью передачу и разогнал двигатель до 7000 оборотов, перевалив за красную черту. Через две мили я дал по тормозам на скорости около ста миль в час и без переключения передач повернул направо на шоссе 361, промчался под уклон, заметил ручей и развернул автомобиль к воде под рев Ниагары, гремевший в ушах. Чудом избежав столкновения с огромным серебристым тополем, я вылетел с берега и врезался бампером в быстрый ручей. Тридцатишестидюймовые покрышки «BF Goodreach» зарылись в галечно-песчаное русло; вода струилась чуть ниже переднего бампера. Из-под капота валил пар, но воздухозаборная трубка позволяла двигателю работать ровно на холостых оборотах. Когда джип остановился, я отстегнул ремень и упал в ручей. От резкого удара о воду перехватило дыхание. Вода быстро пропитала одежду, потянула меня вниз и мягко потащила вдоль ложа ручья. Я ждал.

Когда моя голова появилась над поверхностью, течение выпрямило мое тело, и я смог отдышаться. Вода здесь была чуть выше колена. Присел, повернулся, перекатился, проплыл под нависающим деревом, а потом русло расширилось, и глубина увеличилась на восемь или десять дюймов. Я почувствовал, как мои ноги тянет ко дну, и стукнулся плечом о булыжник размером с баскетбольный мяч. Я обхватил его одной рукой, а потом закрепил ступни между двумя камнями на дне, чтобы мое тело не подхватило течением и не унесло в Арканзас. Если это случится, меня никогда не найдут.

Проходили секунды и минуты. Берег был в десяти футах от меня, но с таким же успехом он мог находиться и в тысяче миль. Зубы перестали стучать, иголки под кожей перестали меня жалить.

За двадцать лет я пережил десятки таких эпизодов. Может, сотню или еще больше. Я уже давно перестал считать. В зависимости от количества времени, проведенного в воде, приступ постепенно прекращался, и мысли обретали ясность. Фокус был в том, чтобы голова оставалась ясной в течение необходимого времени, чтобы осталась возможность выползти на берег и добраться до теплого и сухого места. Обычно первоначальный шок от холодной воды останавливал кровотечение до того, как происходил разрыв тканей. Но все зависело от того, сможет ли ледяная вода остановить процесс и на какое-то время вернуть меня в промежуточное состояние. Причем это должно случиться до того, как произойдет короткое замыкание нервных цепей моего организма.

Это была игра в ожидание.

Что-то начало покалывать мой нос и глаза, которые выступали над водой. Открыв глаза, я понял, что идет снег. Я улыбнулся. Мне понравилась эта мысль: умереть в снегу, закутаться в белый саван.

Стены начали смыкаться. Мои последние мысли были о Делии. Я бы с удовольствием сходил на ее концерт.

Теперь уже недолго осталось ждать.

Внезапно мой мирный, тихий уход, подчеркнутый падающим снегом и легким журчанием ледяной воды, был нарушен завыванием маленького двигателя, треском ломающихся палок и крупных веток, паническим криком и наконец, громким плеском, когда кто-то прыгнул в воду, направляясь ко мне.

Руки подхватили меня под мышки, и кто-то потащил меня к берегу. Вода плескала мне в лоб, но между волнами надо мной мелькало лицо Делии — овальный силуэт на фоне серого неба и падающего снега. Она вытащила меня на гравийную косу и начала шлепать меня по щекам и кричать. Хотя я мог видеть движение ее губ и исступленное лицо, я почти ничего не понимал и совсем ничего не чувствовал.

Кровь скопилась у меня во рту. Я кашлянул, обрызгав нас обоих алой кашицей, и выдавил одно слово:

— О-о-огонь.

Лицо Делии стало еще более призрачным. Она отпустила мою голову, исчезла наверху, и следующим звуком, который я услышал, было безошибочное ровное урчание двигателя джипа. Очевидно, Делия повела джип вниз по течению, заехала на берег и остановилась рядом со мной.

Местные жители знают, что погода в Колорадо может меняться без предупреждения. Сейчас сияет солнце, а в следующее мгновение уже идет снег. Поскольку большинство из нас не в состоянии предсказать, когда это произойдет, мы храним в багажнике коробку с достаточным количеством необходимых вещей, чтобы выжить среди сугробов в течение нескольких дней. Делия открыла мою аварийную коробку и быстро собрала все сухие ветки, какие ей удалось найти поблизости. Она достала из багажника пятигаллоновую канистру с бензином, намочила деревяшки, потом зарядила сигнальный пистолет и одним выстрелом разожгла костер.

Я с сонным изумлением наблюдал за ее действиями, думая о том, какая она способная и находчивая. Как будто она уже делала это раньше. Потом она вернулась ко мне, подтащила меня к костру и начала срывать с меня мокрую одежду. Когда она раздела меня до нижнего белья, то развернула спальный мешок, лежавший на заднем сиденье, сняла свою мокрую одежду и застегнула нас обоих в спальнике, где прижалась ко мне грудью, животом и ногами. Она тоже дрожала, но при этом растирала ладонями мои руки и спину, пытаясь разогреть меня и восстановить кровообращение.

Когда человек на какое-то время погружается в ледяную воду, то первое, что возвращается к нему, — это ощущение холода. И боли. Часто это происходит одновременно. Потом начинается тряска, когда тело непроизвольно и резко реагирует на приток обогащенного кислородом воздуха и электрические импульсы, распространяющиеся от мозга к конечностям. Последний этап — безостановочная дрожь и неспособность согреться в течение определенного времени.

Это не самые приятные ощущения.

Глава 33

Прошел еще час, большую часть которого я дрейфовал между бессознательным и сознательным состоянием. Когда мое лицо обрело краски, а голова перестала судорожно подергиваться, Делия вылезла из спального мешка и подбросила дров в огонь. Она собирала ветки, пока не развела огромный, ревущий, пышущий жаром костер. Потом она взяла брезент из коробки в джипе, растянула его над нами как тент, защищавший от снега, скользнула обратно в мешок и приложила свои ледяные ступни к моим лодыжкам. Где-то в это время я снова отключился. Когда я очнулся, наша одежда была развешана под брезентом и постепенно высыхала. Ее руки и ноги в спальнике обвились вокруг меня, заключив мое тело в кокон. Поскольку теперь я чувствовал ее прикосновения, то воспринял это как добрый знак.

Несколько минут я просто лежал и впитывал запах Делии. Запах пота, смешанный с духами «Коко Шанель». Касание ее мягкой кожи. Ее тело, согревающее меня. Когда я наконец открыл глаза, то обнаружил, что она смотрит на меня. Обманчиво-тихое выражение ее лица говорило о том, что она немного испугана и даже чуть-чуть обезумела, а мне нужно готовиться к объяснению. Пока она смотрела на меня, я осознал, что пергидрольная блондинка, которую я видел месяц назад, уступила место природной брюнетке с янтарным отливом волос. Сегодняшняя Делия была похожа на Делию, какой она была двадцать лет назад.

— Ты лгал мне, — тихо сказала она.

Я понимал, что она говорит о нашей беседе на автобусной остановке.

— На самом деле, я никогда не лгал.

— Ты не говорил мне всю правду.

— Я не хотел причинить тебе боль.

— Купер, мне больно уже двадцать лет. Боль — это мой способ жизни. — Она подвинула одну руку, крепче обхватив меня другой. — Либо расскажи мне то, о чем боялся рассказать, либо я с Божьей помощью отволоку тебя к ручью и буду держать твою голову под водой, пока ты не решишь заговорить.

С момента нашей первой встречи на сцене в «Раймане» я всегда восхищался ее силой. Даже через двадцать лет она сохранила ее. Я сглотнул, уже понимая, что не умру в следующую секунду, так что, немного отодвинувшись, я начал с самого начала:

— После пожара Сэм сочинил две истории. В первой мы с ним увидели парня, грабившего его офис. Парень выстрелил в меня, стукнул Сэма по голове, поджег его офис и исчез, как призрак. Потом, с великим риском для собственной жизни, Сэм собрался с силами и вытащил меня из пылающего ада.

Делия кивнула.

— Это был вариант для публики. И, кстати, именно это я услышал от врача, когда очнулся в клинике.

Она снова кивнула.

— Вторая история, — предположительно истинная, которой он поделился с тобой без свидетелей, — сводится к бескорыстной попытке замять дело и помочь мне. Согласно этой истории Сэм увидел, как мы с каким-то таинственным мужчиной грабим его офисный сейф и вдобавок собираемся унести дорогую гитару «Мартин». Он попытался урезонить нас, но разговор не заладился; потом мой так называемый партнер выстрелил в меня и стукнул его по голове, но опять-таки — рискуя своей жизнью и несмотря на мое очевидное предательство — Сэм вытащил меня из огня, в то время как мой безымянный напарник оставил нас обоих поджариваться до хрустящей корочки. Он унес с собой восемьдесят тысяч наличными и драгоценности Бернадетты, которые стоили больше двухсот тысяч. Ты уже это слышала, не так ли?

— Да.

— Но что, если ни одна история не была правдой?

Делия ждала продолжения.

— После того как я уехал, а ты вернулась в студию, какими были песни?

— Хорошими.

— А потом?

— Не очень хорошими.

— Что произошло между этими датами? И между тобой и Сэмом.

— Сэм заигрывал со мной. Я отказала ему.

— Он вдруг нашел хороших девушек тебе на замену?

— Да, он всегда заключал контракты с юными дарованиями.

— А песни, которые они исполняли? Это были хорошие песни?

Она кивнула:

— Да, очень хорошие.

— Откуда он взял эти песни?

— Талант Сэма состоял в том, что он всегда держал руку на пульсе. Он повсюду находил поэтов-песенников.

— После пожара было много шума из-за его денег и драгоценностей. Но есть ли одна вещь, о которой ты не слышала после пожара?

Она покачала головой:

— Не знаю, Куп. Это было так давно. К чему ты клонишь?

— Без чего ты никогда не видела меня?

— Без твоей записной книжки.

— Даже сейчас, видела ли ты меня без нее?

— Нет.

— Не кажется ли тебе странным, что Сэм ни разу не упоминал о самой ценной вещи, пропавшей в этом пожаре? Однако ты знала, что это было единственное, на что он с самого начала хотел наложить руки.

— Но... огонь был повсюду. Ты едва спасся.

— Тебе не кажется, что это очень удобный предлог?

— Но почему ты ничего не сказал?

— Разреши мне открыть еще одну дверь, — продолжал я. — Сэм обнаружил тебя, позаботился о тебе, сделал тебе имя. Его план работал превосходно до твоего первого выступления в «Раймане». Потом весь мир узнал, что ты поешь мою песню. Сэм далеко не дурак. Где есть одна, там могут быть и другие. Поэтому он поощряет наше знакомство и пристально наблюдает за нами. Он видит, как я постоянно пишу в маленькой черной книжке, и он видит золотые горы. Знаки доллара. Проблема в том, что я привязан к своей книжке и привязан к тебе. Более того, он понимает, что источник твоих песен — это перо в моей руке. Поэтому ему нужно придумать план, чтобы заполучить тебя и записную книжку, а заодно одним махом избавиться от меня.

Сэм выжидал, пока не заметил, что я один направляюсь в его офис с намерением выкрасть Джимми. Он не мог бы сочинить лучший сценарий. Он воспользовался шансом, выстрелил в меня, опустошил сейф, взорвал свой офис, чтобы замести следы, а потом «спас» меня. Остальное тебе известно. Когда дым рассеялся и я лежал в клинике с облезшей кожей, он фактически уничтожил мою способность сочинять музыку или исполнять ее любым возможным образом. Более того, он украл мои песни. При этом он знал, что для меня существует нечто еще более важное, чем эти песни. Ты. Он понимал, что у тебя нет будущего без моих песен. С другой стороны, у тебя не было будущего со мной. Он ставил на то, что если я люблю тебя, то все равно признаю, что он может обеспечить тебе лучшее будущее с моими песнями, чем я со своим обгорелым и никчемным телом.

Она медленно качала головой:

— Почему ты не пришел ко мне? Почему не рассказал обо всем?

— Измени перспективу, Делия. Посмотри на дело с больничной койки. Какое будущее я мог тебе предложить? Лучшее, что я мог сделать для тебя, — это держать рот на замке и позволить Сэму делать твою карьеру с моими песнями. Не говоря уже о том, что сам я не мог говорить, слышать, играть или сходить в туалет без посторонней помощи... как бы я объяснил тебе все в таком состоянии?

Она заполнила пробелы. Потом перемотала пленку вперед.

— Потом я отказала ему, и он пристроил твои песни в другом месте.

— Правильно.

— Но это не объясняет появление во время пожара таинственного третьего человека. Ты не отрицал его существования, и ты не можешь сказать, что Сэм сам рассек себе голову. У него на лбу остался длинный шрам.

Я покачал головой:

— Эту часть головоломки, наверное, мне никогда не узнать. Возможно, что был кто-то третий, но я не могу это доказать. Иногда во сне я вижу мужчину, завернутого в одеяло и бегущего через огонь. Бегущего ко мне. Но я не могу шевельнуться, и пламя лижет мою шею. Я не могу дышать, а потому прихожу в себя и давлюсь от мокрого одеяла, налипшего на лицо.

Фрагменты пережитого мною заполняли память Делии.

— Значит... не было никаких денег? И драгоценностей? С самого начала дело было... в твоих песнях?

Ее глаза искали мой взгляд.

— И в тебе.

— Пока я не отказала ему.

— Да.

Правда тронула сердце Делии и вызвала слезы, которые она сдерживала долгие годы.

— Позволь мне сказать тебе кое-что еще, — продолжил я. — В той самой записной книжке было семнадцать песен. А поскольку я навострился в использовании Нэшвиллской системы счисления, Сэм не нуждался в моем исполнении, чтобы понять, как они звучали. Я сделал всю тяжелую работу. Потом ты отказала ему, и он двинулся дальше, раздав мои песни четырем разным певицам, которые превратили их в двенадцать хитов и пять платиновых альбомов.

Делия повернулась ко мне.

— И ты не мог доказать, что они принадлежат тебе.

— Я не мог играть. Не мог петь. Не мог оспорить право собственности. — Я помедлил. — Мне казалось, что если я уйду тихо, Сэм возьмет эти песни и превратит их в три или четыре полноценные записи для тебя. Закрепит твою карьеру на следующие десять или пятнадцать лет, если он такой умный. А он был умным. Я лежал на больничной койке и знал, что моим лучшим решением будет убраться с дороги. Поэтому я тихо уехал. Прошел год, потом другой. Я слышал свои песни по радио, но их исполняла не ты. Тогда было уже слишком поздно.

Делия уставилась перед собой. Еще одна частица правды нашла свое место.

— Ты написал семнадцать хитов, а их исполнили пять певиц?

Я промолчал.

— Но ты ни разу не связался со мной.

— А ты бы мне поверила?

— В то время, пожалуй, нет. — Она застыла. — Но это не объясняет твое двадцатилетнее молчание. Двадцать лет, Купер. Это долгий срок для любви.

Время пришло.

— Ди, когда Сэм выстрелил в меня, пуля вошла в мою печень. Хорошая новость в том, что печень может восстанавливаться. Плохая — пуля прошлась внутри, как летучая бритва. Когда врачи достали ее, все плохое уже случилось. Образовалось большое количество рубцовой ткани. В таких случаях печень считает, что ее изнасиловали, и отвечает циррозом. Даже мои первые анализы в клинике говорили об этом, не говоря об остальных.

— Это... как у алкоголика?

— Точно. Но для цирроза не нужен алкоголь, только обширное повреждение. А этого у меня хватает. В медицинском сообществе это называется «кровоточащим варикозом вен пищевода».

Она приподнялась и оперлась на локоть.

— Как это будет по-человечески?

— Все наши органы прокачивают кровь через печень. Когда печень повреждена или изрубцована, кровь не может как следует протекать через нее. Либо давление накапливается и разрывает печень, либо поток крови перенаправляется в другое место. Первое место — это основание пищевода. — Я постучал по верхней части грудины, где пищевод соединялся с желудком. — Проблема в том, что вены в этом месте тонкие и не предназначены для избыточного давления, поэтому в любой момент может рвануть.

— В смысле?

— В том смысле, что я ходячая бомба с часовым механизмом. Никто не может сказать, когда это случится, потому что врачи не знают, как будет реагировать моя печень. Когда-то медики думали, что я могу выздороветь и вести относительно нормальную жизнь, но последние двадцать лет доказали обратное.

Делия плотно сжала губы. Под ее правым глазам проступила синяя жилка. Правда о моем состоянии начала доходить до нее.

— И каковы твои шансы?

— Слабые. — Я покачал головой и помедлил, глядя на реку. — Почти никаких. С учетом моего опыта за эти годы и вкуса у меня во рту, моя печень очень недовольна. Это значит, что сосуды пищевода могут порваться внезапно и без предупреждения, и я буду кашлять кровью без какой-либо возможности набрать 911.

Она покачала головой:

— Должно быть что-нибудь...

— Нет никакой панацеи. Если это случится, то случится. Но я не узнаю об этом, потому что умру до того, как стукнусь головой об пол. Я либо живу своей жизнью, либо сворачиваюсь, как зародыш в утробе, и жду конца.

— Но почему ты здесь? Зачем нужен ручей?

— Доктор в клинике Вандербильта рассказал мне об исследовании одного ученого, работавшего за полярным кругом. У его коллеги был цирроз.

Врачи говорили, что у него нет шансов. Тот ученый смог продлить жизнь товарищу, прописав ему ежедневное погружение в ледяную воду на определенное количество секунд, а потом и минут. Ледяной шок отводил кровь от конечностей, замедлял сердцебиение и, как они полагали, приводил к вынужденной регенерации печени. Он также давал венам в основании пищевода достаточно времени, чтобы окрепнуть и исцелиться.

— И ты в это поверил?

— Я прочитал исследование и позвонил тому ученому.

— Что случилось с его коллегой, у которого был цирроз?

— Умер от пневмонии.

Видимо, эта информация внезапно застопорила ее мыслительный процесс, а потом все начало складываться в одно целое.

— Я опасалась, что ты так и скажешь. — Она закусила нижнюю губу. — Сколько времени у тебя есть?

Я пожал плечами:

— Оставалось около десяти секунд, пока не появилась ты.

Она наклонилась и прижалась ко мне раскрасневшимся лицом. Последние кусочки пазла вставали на место.

— Поэтому ты ничего не говорил. Чтобы избавить меня от боли.

— Было бы довольно эгоистично просить тебя полюбить человека, которого завтра уже не будет.

— Ты когда-нибудь думал о том, что это не только ты должен принимать такое решение?

— Я не хотел причинять тебе больше страданий, чем уже...

— Я никогда не переставала надеяться, — прерывистым шепотом перебила Делия.

— Это очень приятно.

Ожерелье Делии свисало мне на грудь, но я не обращал на него внимания. Серебряная цепочка, достаточно длинная, подвеска находилась прямо над ее сердцем. Она немного сдвинулась, и блестящая подвеска легла на мою грудь на уровне сердца.

Только это была не подвеска.

— Я вернулась в клинику, но на твоей кровати лежал другой человек. Я отправилась к Риггсу, но твоих вещей в комнате не было. Потом поехала домой и начала ждать, но ты так и не появился. Через несколько дней в моем почтовом ящике я обнаружила вот это. — На цепочке болталось обручальное кольцо, полученное от меня двадцать лет назад. Она переплела свои пальцы с моими и положила руку мне на грудь. — Никогда не теряй надежды.

Делия не стала ждать ответа. Она обвила меня ногами, прильнула к моей груди и сцепила руки у меня на шее.

— Я потеряла двадцать лет. Не хочу потерять еще двадцать минут.

— Ди... Я пью пепто-бисмол, как воду. Глотаю таблетки, как сладкое драже. Мой коктейль перед сном — пять шипучек алка-зельцер с ванильными вафлями. Я перепробовал все тонизирующие напитки на свете. Несмотря ни на что, я лишь откладываю неизбежное. Я не могу сдержать этот процесс, не могу его контролировать.

— Мы проконсультируемся у специалиста.

— Я был в Денвере. В Массачусетсе. В Рочестере. Все говорят одно и то же.

На мою грудь капали слезы.

— Это мой выбор.

— Ты понимаешь, что говоришь?

— Купер, я выбираю тебя.

— И что это может тебе стоить?

— Я знаю, чего мне это стоило. — Она положила ладонь на мою щеку. — Почему ты не позволяешь мне любить тебя?

Я ничего не хотел так, как ее любви.

— Дело не в том.

— А в чем?

— Делия, это плохо кончится. Мы пойдем в бакалею, ты на секунду отвернешься, а когда повернешься обратно, от меня останется только безобразная лужа на полу. Ты можешь поцеловать меня на ночь и проснуться рядом с трупом. Ты можешь...

Она выдавила улыбку.

— Я уже двадцать лет хотела поцеловать тебя на ночь.

— Я умираю, Ди. Ты должна понять это. Тебе придется свыкнуться с этой мыслью. Я не хочу, чтобы ты любила меня, потому что...

Она заплакала сильнее.

— Почему?

— Потому что меня не будет рядом, чтобы обнять тебя, когда я уйду.

Она прижала палец к моим губам и попыталась улыбнуться.

— Мы все умираем, Купер, но я люблю тебя. Если ты прогонишь меня, это ничего не изменит. — Она поцеловала меня долгим поцелуем, орошая мое лицо солеными слезами. — Однажды ты сказал мне, что музыка омывает нас изнутри. Она исцеляет, как ничто другое. — Она положила ладонь на мою грудь. — Ты говорил мне это?

— Да, говорил.

— Ты верил в это?

Я кивнул.

— Правда?

— Да.

Она выпрямилась.

— Тогда давай узнаем, правда ли это.

— А если все пойдет не так? Если случится самое плохое?

Когда она заговорила, то казалось, что звук зарождался в ее животе.

— Я не позволю страху лишить меня надежды на счастье с тобой. — Она прижалась лбом к моему лбу, медленно покачивая головой. Ее тело было теплым. Ее дыхание обволакивало меня, правая рука мягко постукивала по моей груди. — Я не позволю ему лишить меня надежы... — повторила она.

Я покачал головой.

— И что ты собираешься сделать?

— Я спою тебе твою песню.

Я обнял ее и стал убаюкивать. Слезы Делии, накопившиеся за двадцать лет, капали на мою грудь. Я прижал ее голову к себе и прошептал:

— Мой отец полюбил бы тебя.

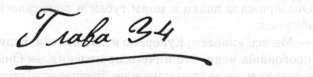

Я посмотрел на часы. Концерт Делии начинался меньше чем через час. Когда я попробовал сесть, мир перед моими глазами стал вращаться, как волчок. Я не знал, сколько крови потерял на этот раз, но у меня было ощущение, что больше обычного.

— Делия, нам пора ехать к Водопаду.

— Забудь о концерте. Я отвезу тебя в больницу.

— Ди, я уже был в больнице. Они ничего не могут...

Реальность положения наконец дошла до нее.

— Значит, это и есть твоя жизнь? Ожидание?

— Да.

— Тогда я буду ждать вместе с тобой.

— Это не лучшая мысль.

Она поджала губы.

— Не пугай меня, Купер О'Коннор. И я никуда не поеду.

Я встал. Меня пошатывало, но я старался держаться прямо. Звон в ушах говорил о том, что, хотя буря миновала, я просто стою в зоне мертвого штиля в самом эпицентре ненастья. Надвигалась вторая волна, и я не мог от нее укрыться. Я решил, что лучше будет как-то дистанцироваться от нее, но не вполне понимал, как это сделать.

— Я не был у Водопада с тех пор, как уехал отсюда. — Это была правда. — И сейчас я чувствую себя лучше. Думаю, пока опасность миновала. — А вот это была ложь.

Делия закинула руки мне на шею, как будто собиралась потанцевать.

— Сначала давай найдем тебе сухую одежду.

У Водопада было не протолкнуться. В основном там собрались пары среднего возраста — влюбленные, которые держались за руки. Продюсер Делии был взволнован из-за того, что она появилась так поздно. Она провела меня к первому ряду, где сидел Биг-Биг вместе с Мэри и несколькими другими пациентами из клиники «Ривервью», и усадила на стул рядом с Мэри.

— Если тебе станет хуже, только помаши, и...

— Я этого не сделаю.

Она закрыла рот рукой.

— Как мы будем уживаться, если ты вечно мне перечишь?

Пока она стояла и флиртовала со мной, я вдруг подумал, что она всерьез считает, будто хороший уход и забота помогут мне пойти на поправку. Что мне станет лучше. Что у нас еще есть надежда. Что мы сможем состариться вместе.

Как будто я не хотел до конца жизни любить ее!

Я натянуто улыбнулся, и Делия исчезла за сценой. Мэри повернулась ко мне и нахмурилась.

— Купер? — Она приложила ладонь к моей щеке; ее пальцы слегка подергивались.

Я дрожал всем телом.

Немного простудился, вот и все.

Биг-Биг озабоченно посмотрел на меня·

— Ты справишься?

— Все нормально. — Я кивнул и плотнее запахнулся в флисовую куртку, надетую на теплую рубашку.

Прошло полчаса с тех пор, как появились хористы, но мы еще не видели ни одного члена ее группы. Я заметил, как Делия разговаривает с мужчиной, который, судя по всему, был ее новым продюсером. Он явно был чем-то встревожен. Делия выслушала его, сложив руки на груди, кивнула и медленно отошла в сторону. Десять минут спустя они снова поговорили; теперь она была совсем мрачной.

Я поднялся, собрался с силами и на нетвердых ногах подошел к ним.

— В чем дело?

— Снежная буря в Денвере. Дороги перекрыты. Мои музыканты сидят в автобусе у обочины и не могут выбраться.

— У тебя нет ансамбля?

Делия покачала головой.

— Они собираются отменить концерт.

Я посмотрел на многолюдный амфитеатр.

— Народу это может не понравиться...

Она кивнула и посмотрела на меня. Ее «Макферсон» стоял на стойке у сцены.

— Мы можем выступить в стиле старой школы, — предложил я.

Она оставила эти слова без внимания и приложила ладонь к моему лбу.

— Ты очень бледный.

— Я почувствую себя лучше, когда мы начнем.

— Не думаю, что это хорошая мысль.

Я повернулся к продюсеру и указал на «Макферсон»:

— Вы сможете обеспечить беспроводное подключение для этой гитары?

Он повернулся к Делии, ожидая объяснения.

— Он предлагает выступить вместо ансамбля.

— За всю группу? — с сомнением произнес продюсер. — И кто вы такой, если уж на то пошло?

Делия ответила за меня:

— Это Купер О'Коннор, поэт-песенник.

Это не произвело на него впечатления.

— Какую песню он написал?

— Весь наш репертуар, — ответила она.

Он пристально посмотрел на меня, но обратился к Делии:

— У него неважный вид. Вы уверены, что он сможет...

На этот раз я ответил сам:

— Мне нужно пять минут, и... — я повернулся к Делии, — окажи мне услугу.

— Все, что угодно, — с улыбкой отозвалась она.

Я сказал ей, что мне нужно, повесил «Макферсон» на шею и отправился в туалет. Я сомневался, что от этого будет какая-то польза, но все равно допил бутылочку пепто-бисмола и отправил в рот целую упаковку желудочных таблеток.

Снаружи я слышал аплодисменты, сопровождаемые голосом Делии, говорившей в микрофон:

— Друзья, у меня плохие новости. Моя группа застряла посреди метели где-то в окрестностях Денвера. Продюсер предлагает отменить представление.

Раздался громкий свист и неодобрительные выкрики, в которых упоминалась мать продюсера и то, как ему следует поступить с собой. Делия рассмеялась:

— Я передам ему ваши слова.

Зрители перестали кричать, но свист продолжался, а некоторые захлопали.

— Поэтому сегодня мы сделаем нечто другое.

Почувствовав, что еще не все потеряно, люди громко зааплодировали.

— Если вы сможете это вынести, мы проведем концерт только под аккомпанемент пианино, гитары и наших голосов. Так что, если мы начнем фальшивить, вы будете слышать все наши ошибки.

Смех и аплодисменты.

Биг-Биг вошел в туалет и увидел меня с пустой бутылочкой в одной руке и коробкой от таблеток в другой. Он приподнял бровь.

— Ты понимаешь, что делаешь?

— Нет. — Я бросил все в мусорное ведро и начал смывать кровь с рук. Закончив, я повернулся к нему.

— Мне нужна помощь.

— Тебе нужно быть в постели.

Я нахмурился.

— Думаешь, от этого будет польза?

— Нет, но так мне было бы спокойнее. И я не чувствовал бы себя таким беспомощным.

— Если ты хочешь помочь мне...

Глаза Биг-Бига увлажнились, когда я рассказал ему о своей договоренности с юристом и о том, как я бы хотел, чтобы он позаботился обо всем. Чтобы Мэри получила все необходимое. Чтобы Фрэнк узнал, кем был его босс. Еще нужно навестить Джубала и его мать и отвезти ему одну из моих гитар. И время от времени проверять, как идут дела у Делии.

— Если произойдет то, о чем я думаю... не позволяй Делии видеть это, — наконец сказал я. — Это будет неприглядное зрелище.

— А зрители?

— Просто вытащи меня со сцены.

Он посмотрел в сторону, покачал головой, признавая поражение, потом кивнул. Его голос, тихий и глубокий, проник в мою душу:

— Купер...

Я повернулся. На его лице играл бронзовый румянец.

— Сэр?

— Я уже бывал здесь.

Я улыбнулся.

— Хорошее было время, да?

— Да, для всех нас. — Он вытер лицо носовым платком и добавил: — Я должен тебе кое-что сказать. Кое-что, о чем тебе уже давно следовало бы знать.

Он сунул руку в карман и достал конверт.

— Прошло три, может быть, четыре года после твоего отъезда. Здесь все было тихо. Твой отец постарел и перестал проповедовать. Однажды вечером мы слушали радио и пили кофе, как обычно. Потом мы услышали голос, шепчущий в микрофон. Голос сказал: «Просто возьми мои слова и пой их». Он сразу же понял, что это ты. Так и не допил свой кофе. Он поехал в Нэшвилл...

— Мой отец был в Нэшвилле?

— Он снял комнату в мотеле и попытался найти тебя, — продолжал Биг-Биг. — Его не было несколько недель, и я ничего не слышал о нем. Потом он внезапно вернулся. Сказал, что ты отправился в кругосветное турне с девушкой по имени Делия. Он купил ее записи. Мы много раз сидели у него на крыльце и слушали, как она поет, а ты играешь на гитаре. В том году он много улыбался. Потом он узнал, что ты вернулся в Нэшвилл и делаешь новую запись. Он так разволновался, что едва не лопнул, поэтому я сказал: «Почему бы тебе не встретиться с ним?» Большего ему и не требовалось. Он уехал и снова пропал на несколько недель.

Потом как-то утром я увидел по телевизору какого-то красавчика, который рассказывал, как ты пострадал при пожаре, и теперь непонятно, сумеешь ли ты выкарабкаться... На следующий день твой отец приехал. Он едва смог выбраться из машины, и я все понял, как только увидел его лицо. Ему было очень плохо. Он хромал и кашлял, несколько раз упал. Я делал все, что мог. Спал на койке в его комнате. Приводил врачей, и они тоже старались, как могли. Он как-то держался, но ему становилось все хуже...

Кусочки головоломки, в которую превратилась моя жизнь, мало-помалу занимали свои места.

— Биг-Биг?

Он не ответил.

— Отчего умер мой отец? — снова спросил я. Он отвернулся, скрывая лицо.

— Пожалуйста, Биг-Биг.

— От осложнений.

— После чего?

Биг-Биг повернул голову и посмотрел на меня:

— После пожара.

— После *пожара*? — Слова сорвались с моих губ, прежде чем правда утвердилась в моем сердце. — Биг-Биг?

Он втянул воздух сквозь зубы, кашлянул и продолжил:

— Он храбро сражался. Каждое утро выходил и сидел в ручье, пока не посинеет. И ему временно стало лучше, пока зараза не проникла в его легкие. Однажды утром я услышал, как он сидит за столом и отхаркивается. Из него вылезло много всякой дряни. Я понял, что дело плохо и его нужно отвезти к врачу.

Биг-Биг сглотнул и продолжил свой рассказ, приглушенный воспоминаниями и болью:

— В тот день... он был дома и, как обычно, сидел за столом и писал. Но потом он начал кашлять. Никак не мог перевести дух. Тогда он встал, подошел ко мне и объяснил, чего он хочет. Попросил меня дать слово, что я это сделаю. Он вручил мне письмо и пошел к ручью. Я спросил, хочет ли он, чтобы я пошел с ним, но он только покачал головой и улыбнулся. Сказал, что скоро вернется.

Биг-Биг повернул конверт, и я сразу узнал отцовский почерк.

— Я слышал, как он кашляет, поднимаясь вверх по течению. Потом стало тихо. Я подумал, что лучше пойти и проверить, как он там. Я торопился, но склон крутой, а я тяжелый, и мне приходилось останавливаться, чтобы отдышаться. Когда я оказался на месте, было уже слишком поздно. Он пропал. Я искал весь день и всю ночь. Прошел каждый дюйм этого ручья. Через два дня я нашел его. — Он указал в сторону

Водопада. — Течение отнесло его сюда, гораздо дальше, чем я думал. Я нашел его с руками, сложенными на животе, в том пруду под Водопадом.

Я попытался что-то сказать, но не смог. Биг-Биг понимающе кивнул, утирая глаза.

— Он просил меня никому не рассказывать. Я дал слово.

— Но... как ты мог?

Он не смотрел на меня.

— Я сказал ему, что люди должны знать правду, когда она касается того, что для них дорого. Того, кого они любят. — Он наклонился, поцеловал меня в лоб и добавил: — Двадцать лет это сидело во мне и разъедало меня изнутри. — Он сплюнул и выдавил смешок. — Но ты знаешь, как это бывает.

— Почему ты сделал это сейчас?

— Он сказал, чтобы я отдал тебе письмо, только если...

— Если что?

Крупные слезы текли по лицу Биг-Бига и капали на подбородок.

— Только если на кону будет стоять твое сердце. Если правда каким-то образом составит разницу между жизнью по любви... и жизнью без любви.

Его нижняя губа дрожала.

— Не тебе одному эти двадцать лет было больно. Каждый раз, когда я вижу тебя, то вижу его. И каждый раз, когда я слышу, как ты поешь... — Биг-Биг покачал головой высморкался в белый носовой платок, сложил его и убрал в карман. — Я никогда не видел, чтобы отец так любил сына, как он любил тебя.

Держа конверт в руках, он нащупал пальцем что-то, лежавшее внутри.

— Твой отец искал это три дня, от рассвета до заката. Он нашел его среди камней, когда последние лучи солнца отражались от воды...

Когда я открывал письмо, у меня дрожали руки. Оно было датировано днем его смерти.

«Дорогой сын,

когда я пишу это письмо, мне не становится лучше. В легких поселилась какая-то инфекция, от которой я не могу избавиться. Три курса антибиотиков ничего не изменили. Я уже неделю пишу это письмо, но каждый раз, когда я читаю его, не нахожу в нем слов, которые так хочет сказать мое сердце, поэтому я рву бумагу и начинаю сначала. Но у меня мало времени. Пожалуйста, разреши твоему старику сказать несколько последних слов.

Не знаю, известно ли тебе об этом, но я приезжал в Нэшвилл. Хотел сказать тебе, как мне жаль. Хотел обнять тебя, увидеть твою улыбку, услышать твой голос. Хотел сказать всем и каждому, что ты мой сын. Однажды вечером я увидел тебя перед ужином вместе с Делией. Вы стояли в саду перед рестораном и дожидались, пока освободится столик. Я еще никогда не видел тебя таким счастливым. И таким взрослым. Улыбка на твоем лице. Смех в твоем голосе. Нежность в твоем прикосновении.

И Делия... То, как она смотрела на тебя, держала тебя за руку, брала тебя под локоть и опиралась на тебя, как она восхищалась кольцом, которое ты ей подарил... все это напомнило мне о твоей матери. Она всегда открыто проявляла свои чувства. Ее руки были, как живые антенны. Ей нравилось знать, что я всегда рядом. Она называла меня своим якорным тросом. Было легко заметить, что ты такой же трос для Делии, и, думаю, твоя мать полюбила бы ее.

Я находился достаточно близко и слышал, как вы беседовали о записи в студии вашего продюсера, какого-то Сэма. Я решил не мешать вам за ужином и встретиться с тобой в другой вечер. Перед уходом мне хотелось сделать что-нибудь приятное, поэтому я оплатил ваш обед и попросил метрдотеля принести розы и шампанское. Надеюсь, он это сделал.

Было нетрудно проследить ваш путь до дома Сэма, поэтому я дожидался вечера пятницы, когда вы должны были закончить работу. Я надеялся застать тебя одного. Хотелось поговорить с тобой наедине. Если бы ты все еще сердился на меня, я мог бы тихо уйти, не устраивая сцен. Я увидел хорошую возможность для нашей встречи, когда ты исчез в том здании на заднем дворе.

Потом я услышал взрыв.

Когда я увидел тебя, ты был весь в крови, твоя одежда горела, а сверху тебя придавила стропильная балка. Честно говоря, я не думал, что мы выберемся оттуда. Единственное, что ты сказал: «Отец, мне так жаль...» Тогда я понял, что уже давно должен был приехать в Нэшвилл.

Сынок, мне нечего прощать. Вообще нечего. Я простил тебя уже в тот момент, когда ты уехал. Ты не можешь ударить меня так сильно, чтобы я возненавидел тебя. По правде говоря, это мне следовало бы извиниться.

Я знаю, что могу быть властным и заносчивым. Знаю, что я отбрасываю длинную тень. Если тебе казалось, что я держу тебя на поводке и препятствую твоим мечтам, прошу простить меня. Правда, это не то, к чему у меня лежало сердце. Может быть, мой способ защищать тебя и оградить от чужого влияния был далеко не лучшим. Наверное, я мог придумать что-нибудь более деликатное. Наверное, мне следовало поступать иначе.

Если Биг-Биг отдал тебе это письмо, значит, в твоей жизни случилось что-то такое, что заставило его вспомнить мои слова, и, наверное, несмотря на боль, они смогут как-то тебе помочь. Ты должен знать, что я попросил его сохранить в тайне обстоятельства моей болезни и причину моей смерти. Я заставил его дать слово. Если это возмущает тебя, то виноват в этом только я. Я старался оградить тебя от мысли, что ты каким-то образом несешь ответственность за мое состояние. Это не так. И прежде чем ты начнешь спорить со мной, подумай о том, что никакая сила на свете не удержала бы меня от того, чтобы броситься в огонь и спасти тебя. Вообще никакая.

Теперь, когда ты все знаешь, позволь мне сказать тебе то, что я сказал бы вам обоим за ужином в тот вечер в Нэшвилле. Я всегда знал, что у тебя особенный талант, не похожий ни на какой другой. Большинство моих любимых воспоминаний связано с твоим пением и игрой на гитаре. Начиная с того вечера, когда пришла буря. Ты умеешь создавать самый прекрасный звук, который мне когда-либо приходилось слышать. И хотя музыка увлекла тебя далеко от Буэна Виста, наш Водопад был и всегда будет твоим музыкальным домом. Я знаю, что тебе придется нелегко, но не позволяй тому, с чем ты сейчас сражаешься, удерживать тебя от этого понимания. Иногда нам приходится петь, несмотря на шрамы на нашем сердце. Иногда песня — это единственное, что исцеляет нас изнутри. Единственное, что разрывает оковы, наложенные на сердце. Джимми научил меня этому после смерти твоей мамы. Береги его.

Если ты оказался посреди бури, когда небо почернело, а молния воспламенила мир вокруг тебя, если ты боишься, страдаешь, или, может быть, если твоя надежда истощилась, вспомни того бесстрашного мальчика, который сел за пианино и... выпустил это. Не позволяй страху взять над тобой верх, ведь всегда существует возможность преодолеть преграды. Не лишай себя надежды что-то изменить.

Я люблю тебя и всегда любил. Никто из ушедших не уходит слишком далеко.

С любовью,

папа».

К письму клейкой лентой было прикреплено мое кольцо, которое отец когда-то мне подарил.

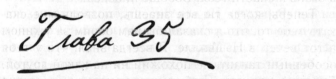

Я не мог поверить, что отец нашел мое кольцо. Как долго он искал его? Что об этом говорил Биг-Биг? Три дня? Где он его нашел? Тогда в ярости со всей силы зашвырнул кольцо со сцены, и когда оно исчезло в вечернем небе, то понял, что оно сгинуло навсегда. Теперь я надел его на палец и при этом испытывал не стыд или вину, не боль или раскаяние, а сопричастность. Ощущение принадлежности. С отцовским письмом в одной руке и кольцом на пальце другой руки я чувствовал то, чего не испытывал уже долгое, долгое время.

Я помнил тот ужин при свечах, помнил наш смех. Это был один из наших счастливейших моментов, но я всегда думал, что это Сэм прислал розы и шампанское. Я почувствовал себя виноватым, что был признателен Сэму. А оказалось, что это отцовская доброта.

Делия вышла на сцену и встала под прожектором. Она непринужденно чувствовала себя перед публикой. На ней были выцветшие голубые джинсы и белая рубашка, застегнутая на все пуговицы. Никаких претензий. *Понимайте, как хотите, но, так или иначе, я собираюсь дать вам лучшее, что у меня есть.*

Какое-то время она будет страдать, но с ней все будет в порядке. Она сильная женщина.

Она подошла к микрофону.

— Я хочу познакомить вас с лучшим певцом и автором песен, которого я знаю. Он написал все мои песни. Это стоящие вещи. Возможно, кто-то из вас слышал этого гитариста двадцать лет назад, когда я дебютировала в «Раймане». Но для того, чтобы представить его, я хочу пригласить человека, который знает его лучше, чем кто-либо еще. Мистер Айвори «Биг-Биг» Джонсон!

Биг-Биг поднялся на сцену, и от одного его вида публика затихла. Пять тысяч человек замолчали, когда широкоплечий великан ростом шесть футов и шесть дюймов с кожей цвета черного дерева, пронзительными глазами, снежно-белыми волосами и широкой ласковой улыбкой встал перед микрофоном.

Биг-Биг вытер лоб носовым платком и откашлялся. Когда он заговорил, справа от меня появился оператор с камерой, и на огромном экране за его спиной появилось в живом эфире мое лицо. Я смотрел на Биг-Бига на сцене, который смотрел на меня в дальнем конце аудитории. Когда он указал рукой и начал говорить, почти все головы повернулись ко мне:

— Я помню, когда этот парень был совсем маленьким. Ему было лишь три года, может быть, четыре. Малыш со светлой челкой, падавшей на зеленые глаза. Таких зеленых глаз я не видел ни у кого. Тихий.

Любознательный. Ласковый. Но не путайте нежность со слабостью, потому что однажды, когда он стал немного постарше, я видел, как большой мальчишка надавал ему тумаков и отобрал у него мороженое и деньги на ланч. Он не стал это терпеть. Вытер слезы, набросился на обидчика, своротил ему нос и забрал назад свои деньги. Я тогда посмеялся: яблоко от яблони недалеко падает. Тогда он видел только черное и белое, серого в его жизни не было. И даже тогда у него были мощные плечи. Коренастый паренек с квадратной челюстью, примерно мне по пояс. Крупные руки. Он напоминал мне щенка с большими лапами.

Когда я вышел из тюрьмы, его отец, — тот самый человек, который построил этот концертный зал в горах, — пригласил меня на завтрак, где наполнил мне не только живот, но и сердце. Тогда он предложил мне у него работать. Он был единственным, кто дал мне шанс, хотя, учитывая мое прошлое, я этого не заслуживал. Это случилось в те времена, когда проповеди читали в шатрах и на перекрестках. Когда только светлячки освещали поля по ночам. До того, как родилось большинство из вас. Этот парнишка стоял рядом со мной, помогал мне, как мог. Сначала я чувствовал себя неуютно. Я думал про себя: «Разве этот белый мальчик не видит, какого цвета моя кожа? Разве он не знает, где я был? Не знает, что я сделал?»

Если он и знал, это его не беспокоило. Он просто стоял, уцепившись за карман моих штанов, и смотрел на сцену, где проповедовал его отец. С Библией в руке, весь в поту. Он говорил об освобождении из плена. О том, что все рождается заново. Об утрате и обретении утраченного. Иногда, если голос его отца становился слишком громким и грозным, мальчик хватал меня за руку. Я смотрел вниз и думал: «Бог должен быть добрым», потому что я держал за руку самое доброе существо, какое только знал. Все смотрели на его отца, а сам мальчик казался каким-то рассеянным. Он как будто слышал то, чего все остальные слышать не могли. Как будто он одним ухом прислушивался к этому миру, а другим слышал какой-то другой мир.

Потом мальчик вырос. И очень скоро я уже сидел за пианино, смотрел на публику под прожекторами, и к нам приходили тысячи людей. Они стояли под дождем. Набивались в шатры. Люди толпились в темноте. И все они приходили послушать одного человека: его отца. Потому что у него был такой дар, как ни у кого другого. Я помню первый вечер, когда мы собрались на этом самом месте, и он говорил о войне на Небесах. О том, как змей был повержен, словно молния. О гневе Божьем. А потом небо над шатром почернело, как ночь. Облака закрыли луну, и я не мог видеть собственную руку. И высоко с небес, словно из ниоткуда, ударила молния, которая попала в шатер. Мы с мальчиком подскочили, и он ухватился за мою ногу. Он дрожал как осиновый лист, и я тоже. Волосы на моих руках встали дыбом. Отовсюду валил дым, потому что молния, ударившая в шатер, подожгла парусину. Небеса разверзлись. Все бросились, кто куда. Но тот мальчик просто стоял у меня за спиной и смотрел на пианино. Когда люди стали разбегаться и призывать на помощь Бога, мальчик спрятался под скамьей. Тогда отец подполз к нему, потянулся и вытащил наружу. Усадил его на скамью и прошептал что-то на ухо. И вот этот мальчик, — пока мир рушился в дыму и пламени, пока люди кричали, толкались и ненавидели друг друга, — он протянул руки и пробежался по клавишам. Так, словно читал написанное. Так, словно беседовал с ними, но никто этого не слышал.

Я посмотрел вверх и увидел над мальчиком огонь — там, где ударила молния, но ему было все равно. Он разговаривал с клавишами. Люди выбегали наружу, кричали, спотыкались о стулья, давили друг друга. Повсюду царил хаос. Я подумал, что его отец прав и наступил конец света. Но только не для этого мальчика.

Я вижу это так ясно, как будто все случилось вчера. Как он смотрел на отца широко раскрытыми глазами. А его отец смотрел на него сверху вниз, улыбался и ждал. Весь мир вокруг него рушился, а он улыбался. Словно в конце времен. При Армагеддоне. Он закрыл свою книгу, достал носовой платок из заднего кармана и вытер лоб. Огонь трещал у его щеки, снизу валил дым. Тогда он спрятал платок в карман, наклонился и прошептал: «Выпусти это».

Мальчик не двинулся с места. Он прокричал через рев бури: «Откуда ты знаешь, что это там?»

Его отец не промедлил с ответом: «Я видел, что Он вложил это в тебя». Мальчик дрожал, поэтому отец еще раз сказал: «Сынок... выпусти это».

Можете верить во что хотите. Назовите меня безумцем или лжецом. Но я был там, в нескольких футах от них. Видел это собственными глазами. Не знаю, откуда это взялось, не знаю, как это случилось... я ничего не знаю. Но этот мальчик, он посмотрел на людей, потом на клавиши, и сделал то, о чем попросил его отец. Он заиграл, запел и выпустил это.

А когда он это сделал... тогда пришел гром.

Это была ночь, когда пришел гром.

Сцена той бури снова пронеслась у меня перед глазами. На долю секунды я ощутил прикосновение жалящих капель и тот землистый запах, который приходит сразу после дождя, ощутил песню на кончиках пальцев. У меня запершило в горле, поэтому пришлось откашляться в носовой платок. Кровь была более темной и смешанной с чем-то вроде молотого кофе.

Делия снабдила меня и свой «Макферсон» беспроводными микрофонами. Это позволяло свободно расхаживать по сцене. Пока я ждал своего выхода, слева от меня появился мужчина. Широкоплечий, в темном пиджаке, он занял место в заднем ряду. Его выбеленные солнцем светлые волосы отросли до плеч. В его расслабленной осанке было что-то знакомое.

Он читал книгу, и я обогнул его в нескольких футах, стараясь не смотреть, но он заметил меня и поднял голову. Его кожа была загорелой, лицо точеным, но мягким, а его глаза были пронзительно-зелеными. Я недоверчиво смотрел на него. Прошло больше двадцати лет с тех пор, как мы виделись в последний раз, но он совершенно не состарился.

Я похлопал его по плечу и отступил.

— Эй.

Он ничего не сказал, только кивнул.

— Рад тебя видеть, — сказал я. — Я соскучился по тебе.

— По тебе тоже многие соскучились. — Когда он заговорил, я вспомнил его голос.

— Я искал тебя в Нэшвилле.

— Знаю.

Я наклонился поближе. От него пахло розмарином и чем-то таким, что я не мог определить. Возможно, маслом чайного дерева.

— Почему ты вернулся?

Он закрыл книгу и встал, глядя на меня сверху вниз.

— А почему ты думаешь, что я куда-то уходил?

— Ты все время был здесь?

— Не совсем так.

Я кашлянул. Снова кровь и молотый кофе. Он тоже увидел это и приподнял бровь. Я вытер рот, сложил носовой платок и посмотрел на сцену.

— Думаешь, я выдержу?

— Нет, — сразу же ответил он.

Шум в ушах стал громче. Я посмотрел на собравшихся людей, на Делию, одиноко стоявшую на сцене, на Биг-Бига, потом на гитару.

— Я хочу закончить начатое.

— Почему?

Я не знал, что ответить.

— Когда я последний раз был здесь, то кое-что сказал. — Отражение кольца привлекло мое внимание. — Я кое-что сделал...

Он посмотрел на сцену.

— Я помню.

Я сглотнул.

— Такие вещи оставляют внутри шрамы. Я часто спотыкаюсь о них.

Мое откровение не произвело на него особого впечатления.

— И что?

— Иногда я думаю, что если бы мог вернуться и начать сначала...

— То, что сделано, нельзя изменить.

— Просто я думал...

— О чем?

— О том, что единственный известный мне способ избавиться от них, — отдать то, что я держу в себе.

— Что именно?

— Песню. — Я пожал плечами. — Мою песню.

— Не стоило бы подумать об этом двадцать лет назад?

— Да, стоило. И каждый день с тех пор, как я уехал отсюда, мне было больнее, чем раньше.

Он закрыл книгу и засунул ее за спину, между ремнем и поясом брюк. Потом он протянул руку и приставил палец к моим губам.

— Высуни язык.

— Хочешь, чтобы я это сделал?

Он слегка наклонил голову и стал ждать. Когда я высунул язык, он прикоснулся к нему кончиком пальца. Он впервые прикоснулся ко мне, и я ощутил жар, похожий на пламя. На кончиках его пальцев были мозоли, точь-в-точь как у меня. Он указал в сторону прохода между рядами:

— Теперь давай.

Я указал на его мозоли:

— Ты играешь на гитаре.

— Немножко, — бесстрастно ответил он.

Я сделал шаг и остановился.

— Нужно будет как-нибудь поиграть вместе.

Он наклонился ко мне поближе.

— Мы уже делали это раньше. — Его дыхание было теплым, но не обжигающим. — Я двадцать лет ждал, пока ты это скажешь.

— В самом деле? — Я почесал голову. — Как же ты раньше не дал мне знать об этом?

— Я вопил во все горло.

— И почему я тебя не слышал?

Он прикоснулся к моей груди, прямо над сердцем.

— Ты не слушал.

— Метко сказано.

— Спасибо.

— Могу я попросить еще кое о чем?

— Попросить ты можешь. — Его тон стал деловитым:

— Если это плохо кончится...

— Если?

Я поперхнулся.

— Ладно, *когда* это случится, не будешь ли ты так добр, чтобы встать между мною и Делией? Я не хочу, чтобы она видела...

— Уже поздновато для этого.

— Если бы мой отец был здесь, он бы сказал, что никогда не бывает слишком поздно. Ничто не делает нас негодными. Не важно, во что мы впутываемся, не важно, как глубоко мы опускаемся, — мы всегда можем повернуть назад. Вернуться домой.

— Так ты слушал?

Я пожал плечами.

— Почему это важно? — спросил он.

Я посмотрел на Делию, стоявшую на сцене.

— Она уже долго страдает, и я причинил ей всю эту боль. Я не хочу делать ей еще больнее.

Слеза сорвалась с его лица и упала на мою щеку. Он посмотрел на Делию, потом на меня и кивнул.

Я сделал шаг к сцене, потом повернулся и сказал громче:

— Мне жаль, что я так вел себя в прошлом...

— Мне тоже.

Много между нами оставалось невысказанным, но когда я снова посмотрел в его сторону, его уже не было. Каждые несколько минут меня охватывала дрожь. Я продолжал таять на глазах. Я был совершенно уверен, что проживу до конца выступления, и так же уверен, что не переживу сегодняшнюю ночь. Мне нужен был план ухода, исключавший участие Делии.

Так или иначе, я еще не умер, и нам предстояло играть музыку.

Эхо голоса Биг-Бига только что затихло среди утесов. Я помнил ту бурю, когда отец вышел вперед из глубокого сумрака, не имея при себе ничего и никого, кроме Джимми. В память об этом я начал выстукивать барабанный ритм по верхней крышке гитары.

Мой стук и струнный перебор подняли с места пять тысяч поющих, хлопающих, свистящих и кричащих людей. Я медленно продвигался вперед, вспоминая, как это делала Делия. Не торопясь, петляя среди людей. Один прожектор освещал Делию на сцене, другой был направлен на меня. Когда я подошел ближе, хор загудел. Потом я услышал, как вступил пианист. Биг-Биг — его очередь, его расчет времени. Его пальцы, толстые, как сосиски, наигрывали мелодию на клавишах. Эффект этого звукового кружева был захватывающим. Но, хотя в нем присутствовала своя красота, ему не хватало блеска и величия, пока Делия не открыла рот и не начала петь.

Как зачарованный, я поднялся на сцену. Какая-то моя часть продолжала играть, а другая смотрела, как она изливает свою душу в песне. Улыбка на лице Делии была финальным выражением чувства, целиком охватывавшего ее тело. Каждая мышца, импульс, каждый удар сердца, — все это находило воплощение в ее песне. Пока мои пальцы наигрывали аккорды и перебирали струны, во мне открылись внутренние шлюзы, выпускавшие песню, которую я держал в себе больше двадцати лет.

Глава 36

Час спустя Делия сделала паузу, чтобы перевести дыхание, и в концерте наступил естественный антракт. Какой-то парень в задних рядах вопил песню «Сын проповедника»[1].

---

[1] «Сын проповедника» («Son of a Preacher Man», 1969) — песня британской певицы Дасти Спрингфилд (1939—1999), популярной в 1960—1980-х годах.

Делия посмотрела на меня и пожала плечами.

— Я завелась.

Я взглянул со сцены на огромную площадку у Водопада — место, созданное моим отцом.

— Думаю, папе бы это понравилось, — пробурчал я себе по нос.

— Что ты сказал? — спросила Делия.

— Я сказал: «Ты великолепна».

Голос из аудитории показался мне знакомым. Я обвел глазами первый ряд и обнаружил парня в толстовке с капюшоном. Он пил содовую, закусывая хот-догом, положив ноги на край сцены. Достаточно близко от меня, чтобы я мог услышать запах, который тоже был знакомым... капуста и какой-то дурно пахнущий сыр.

Я наклонился, и Блондин посмотрел на меня из-под капюшона.

— Это был ты? — поинтересовался я.

Ответа не последовало.

— Но, кажется, ты говорил, что тебя не было в Нэшвилле.

Он откусил еще раз, размазав горчицу в уголке рта.

— Никогда такого не говорил.

— Говорил. — Я указал вдаль. — Ты недавно сказал...

— Я сказал: «А почему ты думаешь, что я куда-то уходил?»

— Точно.

— Купер, я говорил не о каком-то конкретном месте.

Я почесал в затылке.

— Тогда о чем?

— Я говорил не о вещах или местах. Я говорил о *человеке*.

Я решительно ничего не понимал.

— Послушай, ты несешь чепуху.

Он прожевал кусок и выскочил на сцену. Проскользнув мимо меня, он прошептал: «Некоторые принимают ангелов...» Потом он уселся на пианино прямо за мной, раскрыл карманный нож и начал что-то строгать.

— Поскольку мы окружены великим множеством свидетелей...

Я пожал плечами.

— Я уже много раз слышал это раньше. Отец...

— Возможно, ты слышал, но *слушал ли ты?*

За несколько секунд лицо Блондина преобразилось: сначала оно стало похожим на лицо старика из кафе-автомойки Дитриха Винера, потом на лицо полисмена, который привел меня в чувство на улице после удара по затылку и кражи Джимми, потом на лицо вышибалы из Принтерс-Элли, который дал мне стопку бумаги для записи музыки в Нэшвиллской системе счисления, и, наконец, на лицо ребенка, попросившего мой автограф после выступления в Лидвилле.

Он наклонился так близко, что я ощущал на лице его дыхание.

— Почему ты думаешь, что я покинул тебя?

— Так ты все время был рядом со мной?

— Не бери в голову. Ты не более важен, чем кто-либо другой, но твой дар... это уже совсем другое дело.

— Ты со всеми так разговариваешь?

— Как — так?

— Так легкомысленно.

— Почему ты думаешь, что я разговариваю с кем-то еще?

322

— Ты только что сказал, что во мне нет ничего особенного.

Он покачал головой:

— Не было такого.

— Ты так сказал.

— Ничего подобного. Я сказал, что ты не более важен, чем кто-либо другой.

— Это одно и то же.

— Совсем не одно и то же.

Я шагнул к нему, и его лицо оказалось лишь в нескольких дюймах от моего. Я тихо спросил сквозь сжатые зубы:

— Почему ты здесь?

Он улыбнулся, встал и снял толстовку.

— Давно было пора задать этот вопрос.

Я собирался возразить, когда Делия запела тем хриплым, мощным голосом, от которого таяли сердца большинства слушателей. Она еще больше завладела моим вниманием, когда вставила мое имя в первую строфу. Это была правда. Я действительно был сыном проповедника, и, по ее собственному признанию, я был единственным, кто мог «дотянуться» до нее. Перед последним припевом она перегнулась над гитарой и поцеловала меня прямо в свете прожектора. Не знаю, кому это больше понравилось, мне или публике. После этого мы играли и пели попурри из кавер-версий и ее собственных вещей. Или, скорее, из *наших* вещей. Мы сидели на табуретках и исполняли просьбы слушателей, а Блондин сидел на пианино и что-то выстругивал.

Во время небольшого перерыва я показал на кучу стружек у него под ногами:

— Безобразие какое-то.

Он посмотрел вниз, потом на меня:

— Это не сравнить с тем, что устроил здесь когда-то ты.

— Touché[1]. Но что ты делаешь?

Он помедлил с ответом:

— Когда я не нянчусь с тобой, то чиню музыкальные инструменты. В последнее время ты отнял у меня много времени, так что я отстаю от графика.

— В самом деле?

Он деловито кивнул.

— Над чем ты работаешь?

Он показал мне обструганную деревяшку.

— Когда я закончу, это будет гриф и головка гитары.

Судя по всему, я затронул тему, о которой он был не прочь побеседовать. Его работу.

— Это заказной экземпляр. Довольно кропотливое занятие. Я снимаю мерки, потом делаю наладку, чтобы вещь идеально лежала в руке исполнителя. — Он поднял деревяшку, чтобы я мог лучше рассмотреть ее. — Это для твоего отца.

— Ты разговариваешь с моим отцом?

— Постоянно. — Его лицо оставалось бесстрастным.

— Можешь передать ему кое-что от меня?

— Да, могу, но не буду.

— Кто-нибудь уже говорил тебе, что с тобой трудно общаться?

Он не отрывался от своей работы.

— Я не обязан ни к кому приспосабливаться.

— Тогда ты очень своеобразно относишься к своим обязанностям.

Он покосился на меня — достаточно вежливо, но без особого интереса. Я сделал еще одну попытку:

---

[1] В точку (от *фр.* — «задет»).

— Если я очень попрошу, ты передашь ему мои слова?

— Нет.

— Почему?

Он указал кончиком ножа на публику перед нами:

— Сам ему скажи.

Когда он произнес эти слова, мое зрение как-то изменилось. Это было все равно, что сидеть в кресле офтальмолога, когда врач меняет линзы у вас перед глазами и спрашивает, какая лучше: первая или вторая? В мгновение ока изображение сместилось с первой линзы на вторую — и пять тысяч человек превратились в нечто большее, не поддающееся подсчету или визуальной оценке. А рядом со мной, широко улыбаясь и пристально глядя на меня, появился мой отец с гитарой, переброшенной через плечо.

Этого я не ожидал.

Мы с Делией сидели на табуретках у края сцены, слегка повернувшись друг к другу, но лицом к слушателям. Она улыбнулась и положила руку мне на колено, снова доказывая, что, подобно моей матери, она никогда не скрывала своих чувств. Ее глаза улыбались и светились таким же лукавством, как и ее улыбка. Она обратилась к публике:

— Куп не будет рассказывать об этом, но он написал восемнадцать первоклассных хитов. Я исполнила всего лишь пять из них. — Она повернулась ко мне и приподняла бровь: — У тебя есть что-то новое, чем ты хотел бы поделиться с нами?

Я заглушил струны ладонью и заговорил в микрофон:

— Двадцать пять лет назад, в этом же месяце, я стоял на этой сцене вместе с отцом. В своей бесконечной глупости и невежестве я заявил, что больше не собираюсь петь его дурацкие песни, путешествовать с его дурацким передвижным цирком или делать все то, что он хотел от меня. Потом... потом я сжал кулак и со всей силы ударил его в лицо. Разбил ему рот. Тому самому отцу, который всегда любил меня и желал мне только хорошего.

Публика ответила молчанием. Я сделал несколько шагов к тому месту, где когда-то стоял мой отец.

— Пока он стоял здесь и кровь капала на сцену, я снял кольцо, которое он мне подарил, и забросил его, — вместе со своим прошлым, — куда-то далеко в реку.

Молчание толпы сопровождалось мирным журчанием ручья неподалеку от нас.

— После этого публичного оскорбления я украл все, что было ценным для него, включая его сбережения, грузовой автомобиль и гитару, подаренную ему моей мамой в день свадьбы.

Если раньше я не владел безраздельным вниманием публики, то теперь оно мне было обеспечено. Следующее признание оказалось наиболее мучительным. Мой голос срывался:

— Я больше никогда не видел отца живым.

Публика словно застыла. Даже те, кто ходил в туалет и возвращались обратно, замерли на месте.

— В ту ночь я приехал в Нэшвилл, где узнал, что не представляю собой ничего особенного, и быстро потерял все украденное. Деньги, автомобиль, гитару, все остальное. Пять лет спустя мне выстрелили в грудь и оставили умирать в подожженном доме. Двадцать лет я не знал, кто вытащил меня из огня. Несколько минут назад я узнал это.

Я поднял отцовское письмо.

— Это был мой отец. Не знаю, как он нашел меня, но он это сделал. Он спас меня, когда я не мог спастись самостоятельно. Хотелось бы сказать, что у

326

этой истории был счастливый конец, но… цена моего спасения от пожара оказалась слишком высокой. Отец умер от ожогов и отравления токсичным дымом.

Публика с сочувствием и переживанием внимательно слушала меня. И я впервые увидел, что дело было не только во впечатлении от моей истории, но и в том, как она перекликалась с их собственной жизнью. Хотя подробности разнились, многие люди, смотревшие на меня, разделяли ту же боль, раскаяние и сердечную муку, — и каким-то образом, узнавая правду обо мне, они понимали, что они не одни такие. Они были не единственными, кто расстался с любимыми людьми.

Я собрался с силами.

— Когда я уехал отсюда, то не просто забрал отцовское имущество. Я отобрал у него себя, и это было верхом эгоизма. Именно это для него было больнее всего.

Я подошел к краю сцены, мягко проводя пальцами по струнам.

— Уже двадцать лет я стараюсь понять, как можно попросить прощения у умершего человека. Иногда я поднимаюсь на эти холмы, смотрю с высоты и спрашиваю Бога, почему Он сохраняет мне жизнь. Почему бы просто не покончить со мной? Поразить меня молнией, и делу конец. Но потом я слышу песню и понимаю, что эту музыку пишу не я. Не может быть, чтобы нечто настолько красивое могло родиться у такого испорченного человека. Такого злонамеренного. Но каким-то образом музыка рождается, а поскольку она прекрасна и я не хочу ее терять, то я записываю слова и музыку. — Я покачал головой. Слезы капали у меня с подбородка. Я вытер лицо. — Поэтому я здесь, в самом конце пути, и я спрашиваю: что делать с музыкой, звучащей во мне?

ЧАРЛЬЗ МАРТИН

Биг-Биг стал тихо наигрывать на пианино. Хор загудел. Делия покачивалась рядом со мной. Звучание хора за моей спиной становилось все громче. Блондин и его друзья приблизились вплотную к сцене. Повернувшись, я увидел отца, стоявшего рядом со мной. Я вытащил из-под ремня записную книжку, открыл ее и передал Делии. Потом медленно поднял руки так высоко, как только мог. Так, как делал отец.

— Это песня... — Мой голос прервался. — Это песня... о том, что я надеюсь найти, когда попаду туда, куда я направляюсь сейчас. — Я сыграл первый аккорд. — Она называется «Тот, кто ушел далеко».

Я заиграл. И впервые с тех пор, как я покинул эту сцену, я запел во весь голос.

Где-то на середине первой строфы голос Делии присоединился ко мне и пролился на меня благотворным дождем.

Когда я закончил, то перешел к известной песне, и к тому времени, когда я спел «Дай сердцу воспевать Твою славу», все подпевали мне, как могли[1].

Мы исполнили все шесть строф и когда подошли к последней, то отложили инструменты и запели без сопровождения:

Блуждая во тьме, Господи, я чувствую это,
Разлученный с возлюбленным Богом, —
Вот мое сердце, Господи, возьми и скрепи его,
Скрепи для Твоего вышнего суда.

Когда мы замолчали, люди встали с мест и двинулись вперед. Они хлынули на сцену. Десять тысяч рук взметнулось в воздух. Это была хорошая песня.

[1] Здесь и далее строки из «Come Thou, Fount of Every Blessing» («Явись, источник всех благословений») — гимна, написанного Робертом Робинсоном в XVIII веке.

С ее помощью Делия пойдет далеко, очень далеко. Думаю, отцу бы это понравилось, и он был прав: в старинных гимнах есть что-то особенное.

Мир казался приглушенным. Удары сердца отдавались у меня в ушах, едкий вкус во рту вернулся. Я зашел слишком далеко. Я чувствовал наступающий разрыв и понимал, что никакая ледяная вода не сможет предотвратить это.

Делия смотрела на меня. Ее брови были нахмурены. Биг-Биг встал из-за пианино и шагнул ко мне. Помню, что когда кровь хлынула из моего рта, я посмотрел вверх, а потом упал назад, и все, что я мог слышать, — это миллион голосов, поющих надо мной.

Я смотрел на себя сверху. Здесь было тихо, внизу царил хаос. Я неподвижно лежал на сцене; мой взгляд потускнел. Все вокруг было залито кровью. Делия кричала, на ее гитаре остались красные потеки. Мне это было неприятно. Потом она обняла меня, и ее рубашка тоже перепачкалась в крови.

Биг-Биг со слезами склонился надо мной. Он тряс головой. Я слышал, как он громко крикнул: «Нет!» Он выглядел рассерженным и как будто обращался к кому-то. Потом я увидел, как он поднял мое тело и отнес меня с задворок сцены в сторону Водопада. Он прошел с этим безвольным телом через пастбище в темноту, прочь от огней, и зашел в реку, где вода поднялась выше его пояса. Он двинулся вверх по течению. Наконец он встал под водопадом, где вода крупным дождем обрушилась на нас обоих. Вода омывала нас. Я видел, как тяжело вздымается его грудь. Он громко стонал и кричал, обратившись лицом к небесам. Его голос казался очень далеким. Он сказал: «Я обещал тебе, что присмотрю за ним, но не сделал ничего хорошего».

Моя кожа стала голубовато-бледной, свет в глазах померк, и алая струйка перестала сочиться изо рта. Биг-Биг несколько минут держал меня под струями воды. Потом он вышел на берег и уложил безжизненное тело на сочную траву, где Делия, склонившись, обняла меня. Она прижимала меня к груди и пыталась вернуть в этот мир размеренным покачиванием.

Но она не могла ничем мне помочь.

Я ушел слишком далеко.

Позади я слышал вой сирен и видел мелькание белых и красных огней.

Справа от меня появился Блондин. Он стоял в ровной шеренге со всеми остальными, которая растянулась так далеко, насколько я мог видеть. Он переоделся. Теперь он был босым и облаченным в белое; его волосы разметались по плечам, лицо было потным. Я слышал слабое, угасающее музыкальное эхо, как будто отзвучала последняя нота. Блондин выглядел так, словно он только что завершил один танцевальный пируэт и ждал музыку, чтобы начать следующий. Немного в стороне стояла группа людей с музыкальными инструментами. Большинство из них я никогда раньше не видел. Отец держал гитару, перекинутую через плечо на ремне; как ни странно, она была десятиструнной. Рядом с ним было свободное место. Я собирался отправиться туда и занять место рядом с отцом, но Блондин поднял руку и помахал указательным пальцем:

— Еще не время.

Я смотрел на свое тело, на Делию, на Биг-Бига, на хаос и лихорадочные движения, но при этом я слышал прекраснейшее пение множества голосов вокруг Блондина. Я указал на себя:

— Но я же умер.

— Ты был мертвым. — Он помолчал, держа в руке книжку, которую он читал, когда сидел в заднем ряду слушателей. Эта была черная записная книжка, похожая на мою. Внутри он написал какие-то слова самым красивым почерком, какой мне приходилось видеть. Он засунул книжку между поясом моих брюк и спиной, а потом потянулся внутрь меня и извлек что-то непонятное. Нечто темное и болезненное. Затем он повернулся ко мне, прижал губы к моему рту и резко выдохнул. Его дыхание наполнило и согрело меня. — Теперь ты живой, — сказал он.

В это мгновение мир света, где я стоял, вдруг потемнел, и мне стало холодно, как никогда в жизни. Только губы оставались теплыми и влажными. И солеными на вкус. Это означало только одно.

Слезы Делии.

И где-то посреди этой тьмы я услышал шепот отца.

Ясное дело, что когда я открыл глаза, это вызвало бурное смятение. Санитары появились через несколько минут; они положили мне на лицо кислородную маску, вставили в руку иглу и начали задавать вопросы, на которые я не мог ответить тогда и не могу сейчас. Скажу вам то же самое, что я говорил им: я был мертвым. Я смотрел на себя сверху, у меня не было пульса и вообще каких-либо признаков жизни. Потом я сразу ощутил под собой мягкую траву, леденящий холод и соленый вкус на губах. Потом я начал понемногу согреваться, и голубой оттенок моей кожи стал бледно-розовым. Я ничего не понимал. В одну секунду я был мертв, а в следующую — вроде бы жив. У меня не было слов, чтобы описать это состояние. Я знаю лишь одно: где-то в промежутке между «здесь» и «там» порванные нити моей жизни срослись заново. Как бы это ни случилось, я не знаю, почему это произошло, и, как мне казалось, не заслуживаю этого. Я во многом сомневаюсь, но две вещи мне известны без тени сомнения: я жив, и я не принимал участия в своем возвращении к жизни.

Пока я ехал в машине «Скорой помощи», а Делия обнимала меня, появился Блондин. Он сел рядом с санитаром, который сжимал пакет для внутривенного вливания, чтобы жидкость быстрее поступала в мой организм. Я впервые услышал мягкие нотки в голосе Блондина.

— Ты не обязан это понимать, — сказал он. — Но ты должен жить.

Я пришел в себя в своей хижине. Горел камин. Я был завернут в спальный мешок, и Делия плющом обвилась вокруг меня. Я не смог бы оторваться от нее, даже если бы захотел. Биг-Биг сидел на диване, закинув одну ногу на другую, и попивал кофе. Когда мой взгляд сфокусировался, он встал, провел пальцами по внутренней стороне своих подтяжек, а потом посмотрел на меня, утирая лоб носовым платком, который он затем тщательно сложил и убрал в карман.

— Слушай, маленький проказник, я обещал твоему отцу, что буду присматривать за тобой. — Он поставил чашку кофе, повернулся к двери и рубанул по воздуху ребром ладони. — Теперь с этим покончено. — Он стоял, глядя на безоблачное голубое небо в дверном проеме. — Хватит. Я становлюсь слишком старым, чтобы нянчиться с тобой. Пора бы нам уже поменяться местами.

— Это как?

Он рассмеялся:

— Так, что я больше не буду заходить в ледяную воду. Только сумасшедший способен на такое. И ты тоже не будешь, не то подхватишь воспаление легких.

Он распахнул входную дверь настежь и повернулся к Делии:

— В три часа?

Она улыбнулась и показала на крыльцо:

— Мы будем здесь.

Биг-Биг закрыл дверь, и я услышал урчание двигателя его старенького автомобиля, спускавшегося с горы.

— В три часа? — переспросил я.

Делия решительно кивнула:

— И ни секундой позже.

Она тесно прижалась ко мне, что еще недавно казалось невозможным.

— Что произойдет в три часа? — спросил я, хотя чувствовал, что уже знаю ответ.

Она закрыла глаза, приложила ухо к моему сердцу и постучала пальцем по моей груди:

— Мы с тобой начнем жить.

Эпилог

В воскресный вечер в канун Рождества пушистый снег завалил улицу, приглушая взволнованные голоса. На его искристой поверхности мигающие газовые фонари содавали теплые янтарные отражения. Я попросил Фрэнка заведовать парковкой автомобилей. Загорелый после путешествия на острова, он с радостью согласился.

Городок был тихим и почти закрытым, не считая театра «Птармиган», который был набит до отказа. Мы привезли несколько десятков дополнительных стульев, но их бысто разобрали. Те, кто остался без сидячих мест, стояли вдоль стены или выстроились позади в два-три ряда глубиной. Мэри сидела впереди, завернутая в одеяло и облаченная в новую фланелевую блузу, которую Делия купила для нее. Теперь Делия была ее «лучшей подругой навеки». Она сияла от удовольствия. Биг-Биг сидел, закинув одну ногу на другую, довольный и полный жизни.

Мы с Делией записывали наш второй альбом на бесплатном концерте. Живой акустический вариант исполнения старых и новых песен. Наш продюсер, тридцатипятилетний гений звукозаписи по имени Энди, привез лучших инженеров из Нэшвилла и Лос-Анджелеса, чтобы уловить то, что он называл «изысканной акустикой» старых каменных стен. Принимая во внимание успех нашего первого альбома «Жизнь у Водопада», ожидания были высокими. Без пяти семь оркестр расселся по местам и начал настраивать инструменты. Хор стоял в задней части сцены, ожидая вступления; хористы были одеты в багряные бархатные ризы, которые вызвали бы улыбку у моего отца. Энди хотел создать не только звук, но и соотвествующую обстановку, поэтому в предыдущие дни он установил множество источников скрытого света, придававшего помещению теплую атмосферу, как у домашнего камина.

Делия сидела на сцене и тихо беседовала со слушателями. Отвечала на вопросы. Ей нравилась эта часть представления. С другой стороны, я высматривал того, кто не хотел, чтобы его обнаружили. Но у меня было представление о том, где он может находиться.

Я поднял воротник, чтобы хоть как-то защититься от холода, и вышел на аллею за театром через пожарный выход. Мой «прогульщик» развел огонь в костровой яме и стоял над ним, грея пальцы. За прошлый год мы с ним часто делали это после окончания занятий. Эти костры стали нашим маленьким секретом. Здесь мы делились своими откровениями. В его черных волосах блестели снежинки. Он слышал мое приближение, но не повернул голову. Я встал рядом с ним и вытянул руки над огнем.

— Привет, большой парень. Как дела?

Джубал качнул головой, не отводя взгляда от огня.

Я знал, что он чувствует, потому что сам когда-то был таким же. Не стоит подгонять его. Еще есть время.

— Ты боишься? — спросил я, когда он посмотрел на меня.

Он кивнул. На смену уверенному и разговорчивому парнишке, которого я встретил когда-то у могилы его деда, и способному ученику, которого я неплохо узнал за этот год, пришел онемевший, робкий мальчик, ищущий спасения. Он искал скамью, под которую мог бы забраться.

Прошла еще минута.

— Что, если я застыну, как чурбан, и все позабуду? — наконец прошептал он.

Я пожал плечами:

— Тогда начнем снова.

— А если я снова застыну?

Я усмехнулся:

— Тогда попробуем еще раз.

— Что, если...

Я легонько постучал его по виску.

— Песня рождается не здесь. — Я похлопал его по груди. — Она рождается вот здесь, — я приблизился к огню. — Твое сердце помнит то, что забывает разум.

— Откуда ты знаешь?

— Музыка так устроена, вот и все.

— Ты когда-нибудь боялся?

— Не сейчас.

— А вообще?

— Было однажды.

— Где? — Он тянул время, но я все понимал.

— На первом концерте у Водопада. — Я указал на юг. — Мой отец нашел меня, когда я спрятался под скамьей у пианино.

— И что он сделал?

— Посадил меня на скамью, поднял мой подбородок и сказал, что он все равно гордится мной. Что я не смогу сделать ничего плохого. Что мне нужно только открыть рот и выпустить дыхание, которое я всю жизнь держал в себе.

— И ты это сделал?

— Ну да.

Уголок его рта изогнулся в улыбке.

— Хочешь, расскажу один секрет? — спросил я.

Он кивнул, по-прежнему стоя спиной к двери.

— Ты не обязан играть сегодня вечером.

На лице парнишки отразилось облегчение, смешанное со смущением.

— А ты хочешь, чтобы я играл?

— Разумеется. Но мир не перевернется, если ты не выйдешь на сцену.

— Значит, я могу остаться здесь?

— Да.

— И ты не будешь злиться?

— Нет.

— А как насчет мисс Делии?

— Она тоже не будет сердиться.

Его напряженные плечи опустились. Когда я повернулся, собираясь уйти, он схватил меня за руку.

— Это правда?

Я повернулся:

— Джубал, хочешь узнать еще один секрет?

Он ждал.

— Секрет в том, что мы *играем* музыку, а не *работаем* над музыкой.

— Что ты имеешь в виду? — спросил он, наморщив нос.

— Создание музыки — это не работа и не обязательство. Это то, чем ты хочешь заниматься. То, что доставляет удовольствие.

— Ты не станешь беситься, если я испорчу вашу запись и выведу из себя того парня в наушниках, который сидит в будке?

Я нахмурился, глядя на него:

— С чего ты взял, что должен играть идеально? Я не учил тебя этому.

— Но все эти люди с телевидения после каждого выступления начинают судить да рядить о тех, кто поет или играет.

— Значит, вот что ты узнал из телевизора? Я собираюсь поговорить с твоей мамой, чтобы она отключила кабельное вещание.

Он рассмеялся.

— Позволь мне кое-что объяснить, — сказал я. — Ты играешь не для судей. Если кому-то из слушателей сегодня не понравится, как ты играешь, они могут пососать лимон.

Это ему понравилось.

— Более того, если они скажут хотя бы одно слово против тебя, оно дойдет до тебя только через меня и Делию. Джубал, тебе уже пора понять, что музыка — это дар. Мы создаем ее для того, чтобы отдавать людям. Публика может этого не знать, но им нужно то, что у тебя есть, потому что ты единственный примерно из шести миллиардов человек на планете, у которого есть своя песня. Бог избрал тебя. Не твой отец, не я и не Делия. Никто другой. Поэтому, если хочешь, ты можешь заткнуть пробку и отпивать по глоточку, пока стоишь тут у огня, но прежде чем ты позволишь страху перед неудачей помешать тебе выйти на сцену, тебе следует знать, что некоторые из людей, собравшихся в зале, тяжело больны. Некоторые из них устали, сломались или остались одни на морозе. Некоторые страдают от жестоких слов, которые они слышали от любимых людей, а другие ходят в цепях, которые сами на себя наложили. Так или иначе, когда ты сидишь перед ними и говоришь: «Разрешите мне исполнить для вас песню», ты даешь им что-то такое, чего не купишь за любые деньги.

Он выглядел смущенным.

— Что же это такое?

— Надежда.

Он покачал головой.

— Подумай об этом. Сейчас канун Рождества, и двести с лишним человек собрались в здании, которое когда-то было старой заброшенной церковью. Они ждут, когда три человека выйдут на сцену и немного пошумят. — Я наклонился ближе и шепотом добавил: — Ты знаешь, почему они там?

— Да потому, что вы с мисс Делией здорово играете и поете.

— Нет. Есть много людей, которые играют и поют не хуже нас.

— Тогда почему?

— Потому что все они живут одной надеждой: может быть, сегодня вечером в этом месте посреди сугробов в звуке наших голосов Бог сможет унять их боль и дать им взамен нечто такое, что возвращает к жизни больных и умирающих.

— Ты правда думаешь, что это так важно?

— Правда.

Он посмотрел на снег, потом на меня. Его большие карие глаза были такими же любопытными, как и его вопрос.

— А Он может?

— Он сделал это со мной.

— Правда? — удивленно спросил он.

— Да.

— Но как?

— До того как мы познакомились, я совершил очень большую ошибку. Он забрал пепел из моей жизни и подарил мне взамен кое-что прекрасное.

— Ты когда-нибудь расскажешь мне об этом?

— Обязательно.

Он кивнул, как будто что-то понял.

— Дядя Куп?

— Да? — Я улыбнулся.

Он поджал губы, и на его лице появилось выражение бесстыдной уверенности, которое я успел полюбить.

— Думаешь, мой дед знал об этом?

— Не знаю. Зато я знаю, что та музыка, которую мы собираемся играть, разбивает оковы. Она проникает глубоко в нас и в каждого, кто может ее слышать. Она забивает кол в землю и усмиряет то, что пытается нас убить. Думаю, твой дед кое-что понимал в этом деле. Думаю, поэтому он делал то, что делал, и поэтому он отдал тебе гитару, которую я ему подарил.

— Мне бы хотелось, чтобы он был здесь.

— Мне тоже.

Джубал повернулся и зашагал ко входу. Подойдя к двери, он распахнул ее и обернулся:

— Ладно, но если я все испорчу, то виноват будешь ты.

Он исчез, а я стоял и смеялся, пока снег падал мне на плечи.

По другую сторону костра стоял Блондин и сосал леденец на палочке.

— Отличная работа, — похвалил он.

— У меня был хороший учитель.

Он сунул леденец поглубже в рот и одобрительно кивнул:

— Это ты сделал.

Я повернулся:

— Ты придешь?

Он обошел вокруг огня и встал рядом.

— Не хочу пропустить этот концерт.

Я кивнул в сторону двери, куда только что вошел Джубал:

— Он увидит тебя?

Блондин повернул леденец так, что верхняя губа оттопырилась.

— Еще нет, — промямлил он.

Я рассмеялся:

— Ну ладно!

Когда я вышел на сцену, Делия погладила мою руку и прикоснулась к животу. Еще один сонарный сигнал. Мне нравились эти прикосновения. Когда я уселся напротив нее, она повернулась к публике.

Делия поднялась с табуретки и встала рядом с Джубалом, мягко положив руку ему на плечо.

— Леди и джентльмены, мы с Купером хотим представить вам Джубала Тайра. — Она улыбнулась. — Он новый член нашей группы, и ему двенадцать лет, а значит, он также самый молодой из нас.

По залу пробежала волна смеха и аплодисментов.

— Мы предложили ему играть и петь для этой записи по причинам, которые вскоре станут понятными. — Она вернулась на табурет и стала меня ждать. Я включил свой микрофон и посмотрел на Джубала.

— Ты готов? — Мой голос гулким эхом отдавался от каменных стен.

Он ухмыльнулся:

— Жду не дождусь, старина.

Опять смех. Я пристроил Джимми на колене, прикоснулся к струнам и посмотрел туда, где сидел Энди в наушниках, смотревший на мигающий пульт.

— Энди, ты готов?

Он передвинул ползунок и поднял вверх большие пальцы. Я осмотрел зал, перебирая струны. Сочный, стареющий голос Джимми поднимался из его простреленного корпуса к стропилам, где сидел Блондин, болтавший ногами. Хор ровным строем вышел на позицию, на ходу напевая без слов. Тем временем Биг-Биг уселся за пианино у меня за спиной и начал тихо воздвигать строительные леса, которые станут опорой для нас. Джубал легко обозначил мелодию, наполнившую воздух над звуками пианино. Мэри, сидевшая в нескольких футах передо мной, перестала непроизвольно дергаться.

— Давайте начнем с самого начала, — сказал я. — Мое первое свидание с женой произошло случайно в концертном зале «Райман». Она поймала меня с ее гитарой в руках, поэтому для того, чтобы умаслить ее, я сыграл вот это...

Принимая во внимание врожденный талант Джубала, одной из первых песен, которым я его научил, была «Выпусти это». Он начал выстукивать ритм на крышке своей гитары, я воссоздал вой ветра пронзительным свистом, и Делия исполнила мою песню для всех нас. Это было хорошее начало.

Где-то в середине я перестал играть, огни рампы потускнели, и пятно света сосредоточилось на Джубале, который вовсе не возражал против этого. Было приятно наблюдать, как он обретает силу, видеть удивление публики его блестящими способностями, слышать аплодисменты, а потом наблюдать довольную улыбку на его лице. Пожалуй, он больше не боялся.

Через два часа мы исполнили все хиты Делии. Несколько песен для нашей новой записи. Несколько кавер-версий, особенно полюбившихся слушателям. Мы завершили концерт песней «Давно ушедший».

— На создание последней песни потребовалось двадцать пять лет, — сказал я. — Когда я в последний раз попробовал исполнить ее для таких же людей, как вы, дело обернулось не лучшим образом, так что...

342

Многие узнали песню, засмеялись и стали хлопать в ее предвкушении. Многие пришли сюда именно из-за этой песни.

— Она следует ходу моей жизни. От надежды до боли, от блужданий до... — Я высоко поднял руки с раскрытыми ладонями. Так высоко, как только мог. Когда я это сделал, Блондин выпрямился на стропилах и потянулся к потолку.

— ...До возвращения домой, — продолжил я. — Она называется «Давно ушедший» и начинается примерно так...

Мы покинули сцену под овацию. Зал аплодировал стоя. За кулисами мы собрались, встав в кружок. Все испытывали то особое ликование, которое ощущают музыканты после успешного выступления, — все, даже Биг-Биг. Мы повеселились на славу. В то время как мы с Делией чувствовали, что сделали большой глоток свежего воздуха, внимание Джубала было направлено куда-то еще. Он то и дело заглядывал за угол.

Я положил руку ему на плечо:

— Ты в порядке?

Он указал на сцену:

— Что затевает этот парень?

Он указал на центр сцены, где стояла гитара.

— Какой-то чувак играет на моей гитаре.

Сцена была пуста. Я улыбнулся:

— Он большой?

— Больше, чем Биг-Биг.

Из зала нас вызывали на бис.

— Он хорошо играет?

Джубал кивнул и одновременно нахмурился.

— Даже лучше, чем ты. — Он выглядел сконфуженным. — Разве ты его не слышишь?

Я достал из-за спины записную книжку, передал ему и пошел на сцену.

— Что мне делать? Спросить, хочет ли он чизбургер?

Я улыбнулся:

— Ты сам разберешься.

Мы вернулись на сцену, где Джубал наклонился и робко взял свою гитару. Когда я обратился к залу, его голова моталась из стороны в сторону, а внимание было сосредоточено на хоре. Блондин сидел в первом ряду, откинувшись на спинку стула, вытянув ноги перед собой и скрестив руки на груди. Вид у него был довольный, пожалуй, даже самодовольный.

Я провел пальцами по струнам и стал наигрывать песню, которую только начал репетировать для Делии. Я играл, памятуя об отцовском наставлении, что великие музыканты знают, какие ноты нужно сыграть, а какие оставить в покое. Исполнив вступление, я наклонился к микрофону, но потом передумал. То же самое наставление было справедливым и в отношении слов.

Делия подхватила мелодию вместе с хором и начала петь без слов. Биг-Биг заполнял паузы между аккордами. Джубал растерялся из-за появления неведомого посетителя и потому, что я играл песню, которую он раньше не слышал. За прошлый год, пока мы учились и перелагали песни из одной тональности в другую, я научил его Нэшвилльской системе счисления. Было увлекательно начать песню в одной тональности, модулировать ее на ходу и закончить во второй или в третьей тональности. Он спец в этом деле. Я прошептал в микрофон:

— Тональность ми. Раз, два, три, четыре...

Джубал заиграл, поглядывая на меня на тот случай, если будет нужно изменить тональность.

У Джубала было несколько музыкальных талантов, одним из которых было чувство ритма в ведущей руке. Он неосознанно делал то, что другие учили годами, так и не достигая совершенства. Я заговорил в микрофон, но продолжал смотреть на мальчика:

— Народ, он раньше никогда не слышал эту песню. — В зале раздались аплодисменты. — Весело будет наблюдать за твоей карьерой!

Я любил слушать, как играет этот парень.

Потом я повернулся к публике:

— Когда я думаю о своей жизни, то мне на ум приходит несколько образов. Если вы знакомы с моей историей, — с нашей историей, — то знаете, что примерно в это же время в прошлом году на концерте у Водопада мое здоровье немного пошатнулось.

Мэри, сидевшая в первом ряду, громко рассмеялась:

— Только подумать!

— Интересно, о чем бы ты подумала, если бы кто-то попытался утопить тебя в ледяной воде. — Я кивнул в сторону Биг-Бига. — Я не делаю вид, будто понимаю все, что случилось. Но я знаю, что это, — то, что происходит сейчас, — только прелюдия. Репетиция. Вступление. Когда-нибудь каждого из нас призовут и дадут ему шанс присоединить свой голос к песне, которую мы никогда не слышали, но всю жизнь знали о ней.

Мой отец читал проповеди о том, что мы созданы для музыки. Каждый из нас является живым музыкальным инструментом. Тогда я смеялся над ним, над его нелепыми идеями и театральными жестами, но теперь уже нет. Отец был прав. Он был прав практически во всем. Он почти везде любил петь во весь голос. Ему было наплевать, что подумают остальные. Однажды мы шли по проходу в бакалейном магазине, и он начал петь «Братца Жака»[1] с таким же искренним чувством, словно это была ария из «Мессии» Генделя. Я стоял рядом с ним и прятал лицо. Мне хотелось провалиться сквозь землю, но отец продолжал петь как ни в чем не бывало.

Я встал и кивком предложил Джубалу сопровождать меня. Потом я заиграл громче и добавил:

— Когда-нибудь я снова буду петь вместе с моим отцом. Снова услышу его замечательный голос. Но до тех пор мы будем создавать собственную музыку. Вот новая песня. Она простая, никаких изысков. Четыре аккорда и музыкальная связка. У нее даже еще нет названия. Я написал ее, чтобы спеть вместе с вами. Чтобы наши голоса вознеслись к небесам. Поэтому прошу вас: встаньте и пойте вместе со мной. Так громко, как вам хочется. — Я посмотрел через плечо, где Энди вывел слова на большой экран. — Это песня любви для моего отца...

---

[1] «Братец Жак» — французская детская песня, считается образцом музыкальной точности и гармонии. Использована Густавом Малером в третьей части его Первой симфонии.

Оглавление

ЧАСТЬ 3

Литературно-художественное издание

ДЖЕНТЛЬМЕН НАШЕГО ВРЕМЕНИ. РОМАНЫ ЧАРЛЬЗА МАРТИНА

Чарльз Мартин

ДОРОГИ, КОТОРЫМ НЕТ КОНЦА

Ответственный редактор *В. Стрюкова*
Младший редактор *Е. Долматова*
Художественный редактор *С. Власов*
Технический редактор *И. Гришина*
Компьютерная верстка *В. Андриановой*
Корректор *Е. Холявченко*

В коллаже на обложке использованы фото:
Bogdan Sonjachnyj, Kazu Inoue, Phai005 / Shutterstock.com
В оформлении форзаца использовано фото:
Bogdan Sonjachny / Shutterstock.com
Используется по лицензии от Shutterstock.com

ООО «Издательство «Э»
123308, Москва, ул. Зорге, д. 1. Тел.: 8 (495) 411-68-86.

Өндіруші: «Э» АҚБ Баспасы, 123308, Мәскеу, Ресей, Зорге көшесі, 1 үй.
Тел.: 8 (495) 411-68-86.
Тауар белгісі: «Э»
Қазақстан Республикасында дистрибьютор және өнім бойынша арыз-талаптарды қабылдаушының
өкілі «РДЦ-Алматы» ЖШС, Алматы қ., Домбровский көш., 3«а», литер Б, офис 1.
Тел.: 8 (727) 251-59-89/90/91/92, факс: 8 (727) 251 58 12 вн. 107.
Өнімнің жарамдылық мерзімі шектелмеген.
Сертификация туралы ақпарат сайтта Өндіруші «Э»

Сведения о подтверждении соответствия издания согласно законодательству РФ
о техническом регулировании можно получить на сайте Издательства «Э»

Өндірген мемлекет: Ресей
Сертификация қарастырылмаған

Подписано в печать 15.09.2017. Формат 80x100 $^1/_{32}$.
Гарнитура «QuantAntiquaC» . Печать офсетная. Усл. печ. л. 16,3.
Тираж 8 000 экз. Заказ 8820

Отпечатано с готовых файлов заказчика
в АО «Первая Образцовая типография»,
филиал «УЛЬЯНОВСКИЙ ДОМ ПЕЧАТИ»
432980, г. Ульяновск, ул. Гончарова, 14

Оптовая торговля книгами Издательства «Э»:
142700, Московская обл., Ленинский р-н, г. Видное,
Белокаменное ш., д. 1, многоканальный тел.: 411-50-74.

По вопросам приобретения книг Издательства «Э» зарубежными оптовыми
покупателями обращаться в отдел зарубежных продаж
International Sales: International wholesale customers should contact
Foreign Sales Department for their orders.

По вопросам заказа книг корпоративным клиентам,
в том числе в специальном оформлении, *обращаться по тел.:*
+7 (495) 411-68-59, доб. 2261.

Оптовая торговля бумажно-беловыми
и канцелярскими товарами для школы и офиса:
142702, Московская обл., Ленинский р-н, г. Видное-2,
Белокаменное ш., д. 1, а/я 5. Тел./факс: +7 (495) 745-28-87 (многоканальный).

Полный ассортимент книг издательства для оптовых покупателей:
Москва. Адрес: 142701, Московская область, Ленинский р-н,
г. Видное, Белокаменное шоссе, д. 1. Телефон: +7 (495) 411-50-74.
Нижний Новгород. Филиал в Нижнем Новгороде. Адрес: 603094,
г. Нижний Новгород, улица Карпинского, дом 29, бизнес-парк «Грин Плаза».
Телефон: +7 (831) 216-15-91 (92, 93, 94).
Санкт-Петербург. ООО «СЗКО». Адрес: 192029, г. Санкт-Петербург, пр. Обуховской Обороны,
д. 84, лит. «Е». Телефон: +7 (812) 365-46-03 / 04. **E-mail:** server@szko.ru
Екатеринбург. Филиал в г. Екатеринбурге. Адрес: 620024,
г. Екатеринбург, ул. Новинская, д. 2щ. Телефон: +7 (343) 272-72-01 (02/03/04/05/06/08).
Самара. Филиал в г. Самаре. Адрес: 443052, г. Самара, пр-т Кирова, д. 75/1, лит. «Е».
Телефон: +7(846)207-55-50. **E-mail:** RDC-samara@mail.ru
Ростов-на-Дону. Филиал в г. Ростове-на-Дону. Адрес: 344023,
г. Ростов-на-Дону, ул. Страны Советов, 44 А. Телефон: +7(863) 303-62-10.
Центр оптово-розничных продаж Cash&Carry в г. Ростове-на-Дону. Адрес: 344023,
г. Ростов-на-Дону, ул. Страны Советов, д.44 В. Телефон: (863) 303-62-10. Режим работы: с 9-00 до 19-00.
Новосибирск. Филиал в г. Новосибирске. Адрес: 630015,
г. Новосибирск, Комбинатский пер., д. 3. Телефон: +7 (383) 289-91-42.
Хабаровск. Филиал РДЦ Новосибирск в Хабаровске. Адрес: 680000, г. Хабаровск,
пер.Дзержинского, д.24, литера Б, офис 1. Телефон: +7(4212) 910-120.
Тюмень. Филиал в г. Тюмени. Центр оптово-розничных продаж Cash&Carry в г. Тюмени.
Адрес: 625022, г. Тюмень, ул. Алебашевская, 9А (ТЦ Перестройка+).
Телефон: +7 (3452) 21-53-96/ 97/ 98.
Краснодар. Обособленное подразделение в г. Краснодаре
Центр оптово-розничных продаж Cash&Carry в г. Краснодаре
Адрес: 350018, г. Краснодар, ул. Сормовская, д. 7, лит. «Г». Телефон: (861) 234-43-01(02).
Республика Беларусь. Центр оптово-розничных продаж Cash&Carry в г.Минске. Адрес: 220014,
Республика Беларусь, г. Минск, проспект Жукова, 44, пом. 1-17, ТЦ «Outleto».
Телефон: +375 17 251-40-23; +375 44 581-81-92. Режим работы: с 10-00 до 22-00.
Казахстан. РДЦ Алматы. Адрес: 050039, г. Алматы, ул.Домбровского, 3 «А».
Телефон: +7 (727) 251-58-12, 251-59-90 (91,92,99).
Украина. ООО «Форс Украина». Адрес: 04073 г. Киев, ул.Вербовая, 17а.
Телефон: +38 (044) 290-99-44. **E-mail:** sales@forsukraine.com

Полный ассортимент продукции Издательства «Э»
можно приобрести в магазинах «Новый книжный» и «Читай-город».
Телефон единой справочной: 8 (800) 444-8-444. Звонок по России бесплатный.

В Санкт-Петербурге: в магазине «Парк Культуры и Чтения БУКВОЕД», Невский пр-т, д.46.
Тел.: +7(812)601-0-601, www.bookvoed.ru

Розничная продажа книг с доставкой по всему миру. Тел.: +7 (495) 745-89-14.

ISBN 978-5-04-088785-9

9 785040 887859 >

16+
Знак информационной продукции
согласно Федеральному закону от 29.12.2010 г. №436-ФЗ

BOOK24.RU
ИНТЕРНЕТ-МАГАЗИН

ИНТЕРНЕТ-МАГАЗИН
BOOK24.RU

спешите делать добро

ПРОЗА КЭТРИН **РАЙАН** ХАЙД

КЭТРИН **РАЙАН** ХАЙД

не отпускай меня никогда

МОГУТ ЛИ ОБЫЧНЫЕ ЛЮДИ
СОТВОРИТЬ НАСТОЯЩЕЕ ЧУДО?

Трогательная, смешная и жизнеутверждающая история о том, как доброта и смелость маленькой девочки творят чудеса со взрослыми людьми.

Л А Й З А

Д Ж У Э Л Л

Р О М А Н Ы   О   С И Л Ь Н Ы Х   Ч У В С Т В А Х

Мировой бестселлер.

Лайза Джуэлл является одним из любимых

писателей Великобритании! Ее произведения

несут в себе яркий эмоциональный заряд

и неизменно покоряют читателей по всему

миру нетривиальными сюжетами.